空の中

有川 浩

角川文庫 15174

JN282949

CONTENTS

プロローグ　早春　7

第1章　子供たちは秘密を拾い、　15

第2章　大人たちは秘密を探し、　63

第3章　秘密は高度二万に潜む。　129

第4章　人々はそれを裏切って、　177

第5章　子供は戻れぬ道を進み、　225

第6章　誰も彼もが未来を惑う。　273

第7章　混迷は不意に訪れるも、　333

第8章　秩序の戻る兆しはそこ、　389

第9章　最後に救われるのは誰か。　437

エピローグ　盛夏　491

あとがき　504

特別書き下ろし　仁淀の神様　509

解説　新井素子　533

かれのせかい

すべてを孕む深淵の中にかれはいた。

かれはその深淵に存在することを望み、
かれの望みを阻む物事は深淵に存在せず、
かれはこれから先にかけても既定の事実のように、
何らの齟齬も瑕疵もなく存在し続ける。

――そのはずであった。

プロローグ　早春

＊

日本の空を日本の翼で——夢よもう一度

経産省は二十二日、国産輸送機開発プロジェクトを発表した。これは国家規模の計画としてはＹＳ11以来の大規模な民間航空機開発計画となる。

仕様の概案は以下の通り。定員：八〜十二人、推力：一三、〇〇〇kgのターボファンジェットエンジン二発、総重量：約四〇〜四二t、全長：三八〜四〇m、全幅：二〇m、巡航速度：マッハ一・五、巡航高度：一八、〇〇〇m、実用上昇限度：二三、〇〇〇m、航続距離：一一、〇〇〇km。

超音速ビジネスジェットとしての需要を期待したこの仕様は、実現すれば世界でも初の分類の民間輸送機となる。需要の隙間を突いて、海外大手航空機メーカーとの競合を避ける戦略。

主だった国内航空機メーカーと政府が共同出資する特殊法人「日本航空機設計」は、来期には設立され、開発には出資したＭＨＩ、ＫＨＩ、ＦＨＩ、ＩＨＩ各社の技術者が当たる。

戦後方向性を見出せず、迷走している航空機産業だが、このプロジェクトが現状打破の一手となるか。しかし、「技術的には成功したが経営的には失敗した」と酷評されるＹＳ11の前例もあり、プロジェクトの行く末を危ぶむ声も多い。

政府と企業がどのように足並みを揃えていくかがプロジェクト成功の鍵となるだろう。

（二〇〇五年四月二十三日、報日新聞）

*

二〇〇×年一月七日——

二〇〇五年に発足した国産輸送機開発プロジェクトは、一号試験機を完成させることにより、いよいよ最終局面を迎えていた。

民間公募により「スワローテイル」の愛称が決定した試験機は、何度かの試験飛行を経験し、本日は仕様の最大セールスポイントである超音速飛行のテストを迎える。

スワローテイルは組み立てと保管を請け負ったＭＨＩ小牧南工場から、隣接する名古屋空港に既に運び込まれていた。

そのコクピットで、試験飛行の機長を一貫して受け持っている白川豊の表情は冴えない。

「どうしたんですか、機長」

副操縦士の大村義彦（おおむらよしひこ）に尋ねられ、白川は答えた。

「いや、私事でね。——娘と夕べ喧嘩（けんか）をしたものだから」

高校生になる一人娘とちょっとしたことから口論になり、和解しないまま本日の勤務である。試験飛行クルー十数名の命を預かるフライトに支障を出すつもりは毛頭ないが、待機中にふと後ろ髪引かれる思いは拭（ぬぐ）えない。

「大変ですねえ、年頃の娘さんがいると」

そう言う大村はまだ所帯を持っていないので、年頃の娘を持つ大変さなどまったく理解していない様子である。

「複雑な年頃だから仕方ないがね」

何気ない風情で返しながらも、昨日はどこで折り合いをつけるべきだったのか、喧嘩の流れを再検証してしまう。男親のいじましさである。

その気配を察したのか、大村が笑った。

「早く帰って娘さんと仲直りしないといけませんね」

「そう願うよ」

白川も苦笑交じりに頷（うなず）く。

そのとき、管制塔の管制承認伝達席（クリアランス・デリバリー）から管制承認伝達が入った。

白川は娘のことからひとまず頭を切り替え、管制承認内容を復唱した。

試験飛行空域はさまざまな条件を鑑みて、四国沖の自衛隊演習空域（通称L空域）での許可を得てある。

到着までに約一時間を要し、ここまでは予定の通りだ。

スワローテイルの超音速巡航高度は、一万八千メートル以上を前提としている。本日は限界高度である二万二千メートルとの間を取って、二万メートルでの超音速巡航が予定されていた。

演習空域で二万メートルを目指し、そこから公海上へ向かう航路である。

キャビンの試験乗務員が全員着席し、ベルトをした報告を受けてから、白川は二万メートルへの上昇を開始した。

スワローテイルは既に数回行われている試験飛行で性能諸元を裏切らない極めて順調な結果を出しており、白川始め全クルーの機体への信頼は高い。

高度二万メートルと言えば、戦闘機でさえもほとんどの機種が水平加速の勢いを上昇に転用するズーム上昇でないと到達できない高度だが、高高度運用を前提としているスワローテイルは通常上昇が可能だ。操縦桿を引くだけで順調に高度は上がり続ける。

一万七千を越えた辺りから、白川は徐々にエンジンの吹き上がりがよくなるのを感じた。

空気の薄い高高度では意外なほどの燃焼である。

高度計の軽微な狂いが確認されたものの、快調なエンジンはあっという間に機体を一万九千と思われる高度へ持ち上げた。

そして二万――

目標高度へ到達したと同時に、機体は爆発炎上した。

その刹那。

白川の脳裏には娘の顔がよぎった。

死ねるか。

諍ったまま仲直りも。

いかばかり気に病むか。

――真帆。

――爆発の炎は、白川の刹那を容赦なく灼き尽くした。

＊

夢、潰えるか？「スワローテイル」試験飛行で爆発

民間公募で愛称も決まっていた日本初の超音速ビジネスジェット「スワローテイル」が、七日十時三十七分ごろ、四国沖での試験飛行中に消息を絶った。

同機は九時三十五分に名古屋空港を飛び立ち、試験飛行空域である四国沖で高高度で超音速飛行試験中だった。高高度上昇を開始した数分後に連絡が途絶え、十五時過ぎ、捜索に当たっていた海上保安庁および海上自衛隊が、四国沖二百kmの海上で爆発したと思われる機体の一部を回収した。機長白川豊さん（48）副操縦士大村義彦さん（36）を始め、試験飛行クルー十二名の生存は絶望視されている。

爆発の原因は不明。日本航空機設計は総力を挙げて原因の究明に取り組んでいる。

日本航空機設計は特殊法人の性質上予算の確保が厳しく、完成した試験機を失うのは大きな痛手。この不測事態を乗り切れるかどうかが危ぶまれる。


（二〇〇×年一月八日、新日本新聞）

第1章　子供たちは秘密を拾い、

＊

二〇〇×年、二月十二日。

晴天となったその日の午後、航空自衛隊岐阜基地をF15J（イーグル）の二機編隊が飛び立った。

そのうちの一機を操縦していたのが、武田（たけだ）光稀三尉である。

そのフライトは演習というより飛行実験の色合いが濃く、演習空域として設定された四国沖で高度一万メートルから二万メートルへの急上昇を実行することになっていた。岐阜基地所属の飛行部隊である飛行開発実験団では、隊名通りそうした実験的な飛行のオーダーが多い。

「それにしても、二万メートルというのは穏やかじゃありませんね。F15Jの実用上昇限界は二万弱でしょう？」

光稀は先行する隊長機に無線で話しかけた。

正確には、実用上昇限度は一万九七六〇メートル。しかし、通常の演習で実用限界まで高度を上げることはない。高高度では空気も薄く、機体の安定性が損なわれて機動性も悪くなる。有事を想定した訓練でも、そんな高度で格闘戦（ドッグファイト）が行われる可能性は低いので、滅多に上昇限度へトライアルすることはない。

『まあ、変わったオーダーをこなすのがうちの務めだからな。それに実用限度を何百メートルか超えただけでイカレるほどヤワな作りじゃなかろう、国産イーグルでも』

編隊長の斉木敏郎三佐は、のんびりとした口調で答えた。もうすぐ五十歳に差しかかる年輪がそうさせるのか、斉木は何事にもあまり動じることはなく、口調は常にどっしりとしている。

『次世代偵察機にＦ15を使いたいという構想があるらしい。Ｆ４はいい機体だが、単純計算でＦ15より十年は先に引退することになる。そのときになって慌てるより、今からデータを積み重ねておきたいんだろう』

　実用上昇限度二万メートル超を誇るＦ４を改修した現在の偵察機は、通常一万八千メートルでの偵察が可能だ。Ｆ４に上昇限界は劣るものの、Ｆ４よりも新鋭機で全体的な基本性能にも優れたＦ15なら、改修すれば同程度の能力を持たせることは不可能ではない。

　光稀はしばらく逡巡してから、斉木に問いかけた。

「どうして今日のフライトに自分が選ばれたんでしょうか？」

　光稀は飛行隊の中で最も若く、経験も少ない。飛行条件が厳しい今回のようなフライトには、もっと他に適任者がいるように思われた。

『どうしてってそりゃあ、お前が「自分はもっとやれる」と言ってるからだなあ』

　斉木の回答に、ぎくりと肝が冷えた。確かにいつも思ってはいることだが、口に出したことはないはずだ。

「そんなことは……」

　思っていません、と尻すぼみに返した言葉はやはり嘘に聞こえたらしい。無線の向こうから斉木が大笑いする声が聞こえた。

『お前らみたいなひよっこの考えることくらいお見通しだ。ちょうど自分は一人前だと鼻っ柱が強くなる時期だしな』

光稀が答えかねて黙っていると、斉木の声が真面目になった。

『ただし、お前は余計な僻みが強いな。目はいいし勘もいいがそういうところは直せ。僻んだ人間は伸びん』

耳の痛い言葉に光稀はますます押し黙った。僻みの理由を言わないのは斉木の温情だ。

『それから、隊の連中が下品なのは慣れろ。自衛隊だろうが警察だろうが、制服稼業の連中ってのはそもそもが下品なもんだ。潔癖な奴には業腹なときもあるだろうが』

「……自分が潔癖なわけではなく、周囲があまりにもハメを外しすぎるのだと思いますが」

『外の基準で測っても仕方なかろう。自衛官に下品な真似をするなってのは息するなっちゅうのと同じだ。何しろ、同僚の結婚式で定番の裸踊りをやめさそうとしたら、司令直々の勧告が要るほどのもんでな』

勧告出しても決行して管制塔に吊るされた奴がいる、と事もなげに言う斉木にさすがの光稀も吹き出した。

『……お』

近距離で先行する斉木が、コクピットの中で眼下を覗き込むような仕草をした。

『四国が見えてきたな』

「三佐の故郷は高知でしたね。どの辺ですか？」

『浦戸湾は分かるな？　湾から西の方に入り組んだ海岸線が見えるだろ』

言われて見下ろすと、眼下の地形は斉木の言う通りの様相だった。東に岬がくねくねと伸びており、青い海が緑の山の中に複雑に入り込んでいる。

『あの入り組んだところからちょっと東に川が流れゆうろう。仁淀川というが、あの川のはたになる』

郷里のことを話しているせいか、斉木の言葉には少し訛りが混じった。

『今日、こっちに飛ぶとうちの坊主に言ってあったんだが……浜におるかな』

斉木は妻と死別しており、高校生になる子供を郷里の実家に預けて単身赴任生活である。

もし子供が斉木のフライトを見に海岸へ来ているとしても、その姿を高度一万メートルもの上空から確認できるわけはないのだが、それでも地上を気にする気持ちは光稀にも理解できた。

「離れてると寂しいでしょうね、お子さん」

『いや、向こうはなかなかしっかりしたもんよ。むしろ寂しいのはこっちかもしれん。しかし、親父の都合に合わせて全国転々とさせるのもかわいそうだしな』

自衛官は転勤が多く、家庭ができたら単身赴任になる者も多い。斉木が岐阜に来たのは光稀より一年早い二年前だが、来年には新田原の飛行教導隊に移ることが決まっている。

『中・高ともなると進学のこともあるしな。難しいもんよ。親父がもうちょっと進路のことで相談に乗れたらえいが、俺は空を飛ぶ以外のことはからっきしやきのう。せめて一つの学校で落ち着いて勉強させちゃらんと受験で不利になる』

声は、いつもの豪胆な飛行隊長の声ではなく、父親の声になっていた。

「下に来てるといいですね、お子さん」

『この季節の浜は寒いきにゃあ、来ちゅうろうか』

仁淀浜を背後に置き去る方向へ旋回し、二機は四国沖の訓練空域に向かった。

四国沖二百km——もはや眼下には青い海と雲しか見えない。

無線で時刻を合わせて、14時ちょうどに上昇飛行に移る指示が斉木から出た。トライアルの所要時間は専用の計器に直接記録されるモードになっている。

上昇方式は運動エネルギーを位置エネルギーに変換するズーム上昇方式だ。

13時59分55秒。56、57、58、59——

00。

光稀はフルスロットルで水平方向へ加速した。F15の加速性能は一瞬で目標高度到達に必要な速度を叩き出す。

操縦桿を引き、水平加速を上昇モーメントに変換。搭乗者の感覚として垂直上昇に近い角度で天へと駆け上がる。アフターバーナーの轟音が機内に轟き、Gが一瞬で鉛となって体を座席に押し付ける。正面には太陽しか見えない。

斉木機も同じ速度で別コースを上昇しているはずだ。

……そう言えば、

同じ空域で先日事故があった。そんなことが頭をかすめたのも一瞬のうちだ。思考の切れ端は浮かぶ端から数百メートル下へ置き去られる。

『……かしい、吹けが妙に良すぎるが』

斉木の呟く声が無線に入ったとき――

正面のレーダー画面が、一瞬全体を瞬かせた。まるで目眩と見まごうほどの一瞬だけ。

ECM。パルス方式――一番似ているレーダー画像が閃き、光稀はとっさに操縦桿を捻った。

何か根拠があったわけではない。勘――むしろ反射だ。

急激な方向転換に機体が失速し、錐揉みに入る。

「三佐ッ！　回避を！」

錐揉みに入った機体を立て直しながら叫んだとき、
頭上で爆発音が響いた。


――火が、降ってくる。

尾を引いて落ちてくる火の粉を先触れに――燃え盛る機体が、
西側世界最強の双発戦闘機が、
一文の価値もないスクラップと化して――落下する。

こっちに飛ぶとうちの坊主に言ってあったんだが……浜におるかな。
中・高ともなると進学のこともあるしな……
この季節の浜は寒いきにゃあ、来ちゅうろうか……

わずか十五分前の会話が、一瞬で光稀の脳裏を流れ去った。
もはや二度と言葉を交わせない、故人との思い出として。

「三佐――――――――――――――――――――!!」

光稀の絶叫が、誰も聞く者のない空間に空しく響き渡った。

＊

相次ぐ航空機事故――魔の四国沖？　自衛隊機爆発

二月十二日十四時〇五分頃、四国沖の航空自衛隊演習空域で演習中の航空機Ｆ15Ｊが爆発した。演習機は二機編隊による高高度への上昇飛行中で、先行する編隊長機が上昇途中に爆発した模様。操縦していた斉木敏郎三佐の生存は絶望的。爆発の原因は究明中だが、ライセンス製造元のＭＨＩ（三津菱重工）は、構造上の欠陥は考えられないとのこと。

同空域では一月七日に日本初の民間超音速ビジネスジェット機「スワローテイル」の爆発事故が起こったことが記憶に新しく、国土交通省の航空・鉄道事故調査委員会では航空機の運用、事故当時の気象条件等で二つの事故に類似点があった可能性を指摘している。

（二〇〇×年二月十三日、報日新聞）

＊

仁淀川は高知県では一級河川だが、全国に出せば特級河川だ。知名度こそ四万十(しまんと)川のほうが高いが、うちの川もおおさ負けるもんじゃない。――というのは、高知県下の主だった川の流域に住む県民が皆思っていることだが。

その仁淀川の堤防をＭＴＢ(マウンテンバイク)で駆け下っていた瞬(しゅん)は、川幅の広い河口の中に独特の形状の舟を出している人影を見つけた。

すらりと細長い一般的な川舟を途中で半分に切ったような、寸詰まりのその舟に乗っているのは、仁淀川広しと言えど一人しかいない。

瞬は河川敷へと降りる砂利敷きの道にＭＴＢを乗り入れた。

腰を浮かし、サスペンションと膝(ひざ)のクッションを使って石ころだらけの荒い河原を水際まで走った瞬は、ＭＴＢを停めて舟へと声をかけた。

「宮(みや)じい――!!」

冷たく乾いた冬の川風が声を吹き飛ばして、舟の上の人物が気づくまでには何度か声を張り上げなくてはならなかった。

ようやく気づいた相手が、舟の上から手を振る。

「瞬かよ――！」

『宮じい』こと宮田喜三郎。この仁淀川流域では知る人ぞ知る川漁師だ。「知らん人は全然知らん」と笑う宮じいだが、少なくとも仁淀の者で宮じいを知らないのはモグリだと瞬は思う。

　宮じいの家はずっと上流のほうだが、年が明けてからの寒の間は、河口まで降りてアオノリを採るのを近年のスケジュールにしている。

「何か手伝おうか――!?」

　瞬が訊くと宮じいは舟の上でうんうんと頷いた。舟の中には採ったアオノリが岸から見えるほど積まれており、そろそろ岸へ引き上げる頃合いだ。もう何度か採集を済ませたらしく、岸に置かれたたらいの中にもノリがうずたかく積んであった。

「おまん、学校はどうしたぜよ」

「今日は土曜休みだから。心配しなくてもさぼったりしてないって」

　祖父と二人暮しだった瞬が去年の冬に祖父を亡くしてから、宮じいはたまにこういうところが口うるさくなった。

　瞬の祖父と懇意だった宮じいとしては、親代わりみたいな意識もあるのだろう。こうして川で行き合う以外にも、何くれとなく瞬の家に様子を見にきてくれる。

　漁であちこち駆け回るきそのついでじゃ――と宮じいは言うが、宮じいのあちこちは本当に広範囲なので、瞬の家を訪れるにはそれなりに都合をつけてくれていることを瞬は知っている。

「午後から浜のほう行くから、それまでね」

手伝う時間を最初にきっちり申告しておく。手伝うと言って途中でいきなり抜けたら宮じいも当てが外れるからだ。

それでもまだ午前中だし、二時間ほどは手伝える。

宮じいは河原へ舟を引き上げ、岸に持ってきてあった金網のカゴにアオノリを移しはじめた。目の粗いこのカゴごと川の中へ漬けて、棒で掻き混ぜて洗うのだ。

「長靴、借りるよ」

言いながら瞬は長靴に履き替えた。宮じいが岸に建てている作業用の仮小屋から持ち出してきたものである。手伝いはしょっちゅうしているから、勝手は知ったるものだ。

アオノリを入れたずっしりと重たいカゴを両側から二人で持って、流れのきれいな川の中へ持ち込む。

二人それぞれに持った棒をアオノリの中に突っ込み、掻き混ぜると、黒くもつれ合った繊維の中から酸素の細かい泡が立ち上った。この泡が出なくなるまで掻き混ぜたらノリに絡んだ泥や砂がきれいに落ちるのだが、身を切るような寒風の中でこれはなかなかの重労働だ。これをいつもは一人でやっている宮じいは、来年で七十になる。

去年亡くなった瞬の祖父もそうだったが、田舎の年寄りは随分とタフだ。

瞬の祖父は診療所をやっていて特に体力勝負な職業でもなかったのに、それでも米袋の一つや二つは軽々と肩に担いで運んだものだ。それだけ元気だったのに、しかも医者だったくせに、風邪をこじらせてあっさり逝ったのは迂闊にもほどがあるけれど。

都会でカートを押しながら歩いている老人とさほど年も変わらないだろうに、この差は一体何だろう——中学に上がるまでは県外の地方都市で暮らすことが多かった瞬にとって、高知の年寄りは未だにちょっとした脅威である。

「最近はどうぜよ」

宮じいの質問はいつでも非常にグローバルなので、瞬も適当にかいつまんだ近況を答える。

「そうだね……学校で進路調査が大詰めかな。二年で理数や文系のコース分けがあるから、今、最終調整みたい。やっぱ成績の足切りとかあるしね」

「瞬はなかなか頭がえいと聞いちゅうけ、足は切られんろう」

「やだな、誰が言ったのそんなこと。……って訊くまでもないや、佳江だろ」

瞬は、隣に住んでいる幼なじみの名前を挙げた。まだ瞬がここに住んでいなかった小さい頃、長期の休みで祖父の家に遊びにくるといつも一緒に遊んでいた昔なじみだ。今は瞬と同じ高知市内の高校に通っている。

「そうそう、佳江坊じゃ。瞬は頭がえいとようけ誉めよった」

そうじゃないんだよ、と瞬は説明しようとして言葉に詰まった。

高知はあまり学力問題でキリキリしていない土地柄で、よほどの進学校でもない限り、生徒が勉強に追いまくられるようなこともない。瞬の学校では、みんな自分の学力レベルに合ったほどほどの進路を選び、割とのほほんとしている。教師は多少尻を叩くがそれにしても多少で、大したプレッシャーはない。

小六まで県外にいた瞬にとって、その風通しのよさはかなりの戸惑いを感じるものだった。他県では、小学校から既に私立中学校への受験が当たり前のように検討されるようなところも珍しくなく、瞬も当たり前のように塾に通い、当たり前のように教科書に載っていない内容を勉強していた。転校が多かったのでどこへ行っても勉強についていけるように、常に優等生的な成績を維持しておかねばならなかったという事情もある（一度、転校先の授業内容がひどく先に進んでいて、随分苦労したことがあったのだ）。

幼少時から叩き込まれたその習性で、瞬はその後も一定レベル以上の予復習を欠かしたことはなく、学校で好成績を維持しているのは半ば習慣の成せる技だ。

そして、その習慣から抜け出せないことは、瞬自身には少しコンプレックスでもある。

しかし、そうした微妙な事情を宮じいに説明しても通用しないだろう。宮じいの年代では、単に「頭がえい」で総括されてしまうことだ。

「単にあいつ文系がバカなんだよ。俺は全部が人並みなだけ。だってあいつ、古文の試験とか答案書かずに提出するんだぜ。そりゃ教師の心証も悪いって」

この場にいない佳江をオチに使うと、宮じいも笑った。「佳江坊らしいわ」——そんな風に言われる佳江が、瞬には少し羨（うらや）ましい。

「メシはちゃんと食いゆうか」

「うん。佳江のおばさんがしょっちゅう晩メシとか呼んでくれるしね。自炊のレパートリーも増やしたいからできるだけ自分で作るけど」

「瞬はしっかりしちゅうのぅ」

手放しで誉めた宮じいが、不意に真面目な顔になった。

「けんどのう、そうえい子でおらんでもかまんがぞ。大人に心配かけるがも子供の仕事やきの。ちっとばぁおいさがし（いいかげん）でもえいがぞ」

真顔でそんなことを言うから、宮じいと話すと瞬は時々泣きたくなる。

「大丈夫だよ。やりたくなったら、ちゃんと『おいさがし』もするからさ」

使い慣れない土佐弁を使ってみて、瞬は宮じいを安心させるように笑った。


洗い上げたノリを岸の干し場で一掴（つか）みずつ洗濯紐（ひも）にかけていると、瞬の携帯電話がウィンドブレーカーの胸ポケットでアラームを鳴らしはじめた。十二時半にセットしてあったのだ。

「電話かよ」

「いや、時計」

最近は皆それじゃのぅ、と宮じいは感心したように携帯を扱う瞬の手元を見る。瞬の同級生でも携帯を持っていない者は数えるほどしかおらず、携帯があれば用が足りるからと腕時計をつけない者も多い。

アラームを切った瞬は、また携帯をポケットに突っ込んだ。

「宮じい、そろそろ抜けるよ」

「おぅ、こっちはもう充分じゃき。おおきに（ありがとう）のぅ」

手に持っていたノリだけ手早く干して、瞬は長靴を自分のスニーカーに履き替えた。

「長靴はそこに置いちょけ」

宮じいの言葉に甘えて、長靴は片づけないままで瞬はMTBに駆け寄った。

「じゃあ、また!」

言いつつ瞬は、またがったMTBのペダルを蹴(け)った。

*

宮じいの干し場から、自転車で約二十分。

海沿いに走っている国道に出て、河口にかかっている大橋のたもとに瞬はMTBを停めた。

太平洋から渡ってくる遠慮のない海風は、肌を切りつけるように冷たい。南国などとは誰が言ったか、どうしてどうして。雪こそ滅多に降らないものの、冬は一人前に厳しい。

そもそも季節の移り変わりが激しい土地だ。「愛のない県」などと言う者もいる。愛というのは合いにかかって、合いというのは更に合い服。つまり、合い服でちょうどの過ごしやすい季節というものがほとんどない。初夏が来たかと思えばすぐ暑さでうだり、残暑が過ぎたかと思えばすぐ秋をすっ飛ばして底冷えがやってくる。

南国というといかにも常夏なイメージがあるが――

「あんま、楽園って感じでもなかったなあ……」

夏休みなど長い休みに遊びにきていただけの頃は、無邪気に季節だけを楽しめたものだが。堤防から浜へ降りる階段に向かって歩き出す。波打ち際までの幅の狭い浜には、大洋からの波が勢いを削がれないままにどよんどよんと打ち寄せてくる。丸みを感じさせる水平線、そこから広がる海は黒に近い藍。いかにも寒い季節の海の色だ。

コンクリの階段から浜に足を下ろすと、細かい砂に軽く足が潜った。

特に行き先がある訳ではないが、川が海へ流れ込むほうへ何となく歩いてみる。大橋の高い橋脚の根元へ向かっていると、

「……何だ、ありゃ」

流れが海へ合流する瀬に、見慣れない白っぽい物体が打ち寄せられていた。

遠目にもある程度の大きさがあるのが分かったが、近寄ってみると一抱えほどはありそうな物体だった。

「何だ、こりゃ」

瞬は首を傾げながらまた呟いた。

半透明の乳白色で、形は不定形。見た感じ、柔らかく弾力がありそうな材質。表面はつるりとしている。まるで形の崩れた巨大な葛餅のようだ。

「ビニール……でもないよなぁ」

瞬は自分で推測を却下した。

何かの拍子で剝がれて飛んだビニールハウスのビニールかとも思ったのだが、それなら水に揉まれている間にぐしゃぐしゃになっているはずだ。こんなにシワひとつなく、つるりと丸く張っている状態は考えられない。

強いて言うなら――

「クラゲ？」

夏場、よく浜に打ち上げられている、頭に四葉模様の入ったミズクラゲに似ているような気もした。ただし、全長一メートルもあるような、こんな巨大なミズクラゲなど考えられない。少なくとも、瞬は一度も見たことがない。

タコクラゲか何かだったら、何メートルかある奴もいたっけ？　瞬は首を傾げた。

そもそもが、生物なのか無生物なのかも、見ただけでは判別がつかない。

「何か……気持ち悪いな……」

呟きながら、瞬は靴の先でクラゲのようなその物体をつついてみた。爪先がぶにゅりと物体の中に潜る。

と――

ずるるる、とクラゲモドキが瞬のほうへにじり寄った。

「うわ――――――ァァア!!」

理屈ではない。反射が足を振り払わせた。

何だこれ何だこれ何だこれ――心拍数が一気に跳ね上がる。

思ったより素早い動きだったことも恐怖感を煽った。

クラゲモドキのほうを向いたまま、瞬はじりじりと後ろへ数歩下がった。

モドキはその場でひくひくと蠕動している。飛びかかってくる様子はない。

十歩下がってから、しばらくクラゲモドキと睨み合う。

そして――

くるりと踵を返し、瞬は全力でダッシュした。砂に足が取られるが、手を突きこらえてまた走る。

後ろを振り返ることなどできない。もし振り返ってあのクラゲが「ずるるる」と凄い速さで追いかけてきていたら――！

コンクリの階段を駆け上がりＭＴＢに飛び乗って漕ぎ出すまで、瞬は一度も海側を振り向くことができなかった。

*

どこをどう走ったのかも定かでない間に、景色は見慣れた田園になっていた。

自宅のある「いの町」近辺まで戻ってきたらしい。

刈り取られた稲の株だけが残る田んぼのただ中でようやくＭＴＢを停め、瞬は息をついた。

「……疲れるわけだよ、こりゃ」

十㎞近くをほとんど全速力で走ってきたことになる。

ハンドルに両肘を突いて溜息をついたとき、コンクリの農道を自転車のタイヤが滑ってくる音がした。

「あらあ⁉」

キィッと派手なブレーキの音がして、味も素っ気もないママチャリが瞬の横で停まった。

「瞬やぃか」

聞き慣れた声に瞬は顔を上げた。自転車でそこに停まっていたのは強い黒髪をポニーテールに結ったジーンズ姿の少女だ。美少女と呼んでも差し支えない顔立ちだが、惜しむらくは眉が女の子としてはかなり凛々しい。

隣家の幼なじみの天野佳江だ。

「どうしたが？　あんた、浜行ったがやなかったが？」

そう言えば、家を出るとき佳江のおばさんと顔を合わせて行き先を言ったな——そんなことを考えながら、瞬はハァっと溜息をついた。

「いやもぉ……浜どころの騒ぎじゃなかったんだよ」

「あっまたそんなすかした言葉を。土佐弁喋れ、土佐弁。土佐人やろ」

佳江はときどき思い出したように、瞬が土佐弁を使わないことに難癖をつける。

「中学上がるまでよその土地だったんだから無理だっての。いい加減分かれ」

「郷土に馴染む努力をしぃや、まったく。……で？　何があったが？」

「ああ、それそれ。何か、浜にわけの分かんない変な生き物がさ――」

言いかけて、瞬は慌てて口をつぐんだ。

「ごめん、何でもない。忘れてくれ。じゃあ俺これで」

そそくさとMTBを漕ぎ出そうとするが、佳江はがっちり瞬のハンドルを掴んで逃がさない。その力強さと言ったら女のくせにと舌を巻きたくなるほどのものだ。

「逃がさんで。今何てった？」

「何でもない！　こぼす相手を間違った！　心の底から間違った！」

「間違ったのが運の尽きよ。変な生き物言うたわね？　そやね？」

「聞き違いだ聞き違い！　耳鼻科行け！」

「聞き違いでも結構、妙な生物言われたら黙ってるわけにゃあ参りませんねえ」

――しまった。何つーかもう本当に心の底からしまった。

瞬は自分の迂闊を呪った。

佳江の好きな言葉を三つ上げさせたら、「ネッシー」、「クッシー」、「シーサーペント」。つまり、筋金入りの未確認生物好きなのだ。学校でUMA愛好会などという非公式の同好会を作っているほどである。特に嗜好は水棲モノらしい。瞬には到底理解できない趣味だし、理解したいとも思わないが。

そんな佳江にこんな話をちらつかせて、ただで済むはずがなかった。これは我ながら大変な迂闊である。

「やだって！　動くんだぞ！　しかもけっこう速いんだぞ！　嫌だ、あんなもん見にわざわざ戻るなんて！」

「誰が見に戻る言うたが？」

佳江がしれっと言い放ちながら、瞬のハンドルをぐいぐい引っ張る。

「捕まえに行くに決まっちゅうやんか」

同級生男子にはかわいくも見えるらしい佳江の笑顔が、瞬には悪魔の微笑みに見えた。かと言って、瞬が佳江に逆らえた例など長い付き合いの中で一度もない。

結局、瞬は佳江の用意した捕獲道具を半分持たされて浜へ戻る羽目に陥っていた。

「お前なー、ＭＴＢのハンドルにバケツとかかけさせんなよ。切れないよ、ハンドル」

「文句言いなや、代わりに他のもの全部あたしのカゴに入れちゅうやんか」

「当たり前だろ、お前の荷物だ、お前の！　しかも浜に行きたいのもお前の勝手だろ！」

瞬の罵倒に、佳江はけろりとした顔でいっかなへこむ様子もない。

「直径一メートルのミズクラゲ状かー、スペクタクルやねー。やっぱりＵＭＡは水棲が燃えるね、海はえいよね」

言っても無駄だ。瞬は市場に牽かれていく牛のような気分で自転車を漕いだ。

どうか、波にさらわれてもういませんように。

願いが叶うなら神の存在を信じてもいいとさえ思ったのに、神はつれなかった。

川の流れ込む岸の側に、それはまだいた。ただし、位置は微妙に変わっている。さっきは水際にいたが、今は水から離れた乾いた砂の上に移動していた。

にじって動いた跡が砂の上にくっきりと付いている。

「きゃ――――――！」

佳江の悲鳴は悲鳴でなく歓声だ。大きなザックに詰め込んだ捕獲道具を背負ったまま無防備にクラゲモドキに駆け寄る。

「ちょっ……！　警戒しろ、少しはぁ！」

仕方なく瞬も佳江の後を追う。

「ねえ、這った跡があるで。生きちゅうがや！」

「ああ。けっこ速いぞ」

クラゲモドキのそばにしゃがみ込んだ佳江の後ろから、瞬もモドキを恐る恐る覗き込む。今は蠕動もしておらず、無生物のように動かないままだ。

「動かんねえ」

言いつつ佳江が、素手でクラゲモドキをぷにぷにとつつく。

「ばかっ！　何で素手よ、お前は！」

ザックのポケットから覗いている軍手を引ったくって佳江に投げつける。佳江は見事な反射神経で投げつけられた軍手を片手キャッチした。

「UMA愛好会の心得とかないのか、怪しい生物にはいきなり素手で触らないとかっ！　お前、会長だろ!?」

「だってホントに自分の生活圏内でこんなもんが見つかるなんて普通思わんし？　心得なんか考えたこともなかったちゃ」

妙なところ妙なふうに現実的なのはさすが女子と言うべきか。

「それに大丈夫やって、見たとこ牙とか爪とかないし。丸まっちくて攻撃的やないやんか」

「毒とか分泌してたらどうすんだ！」

佳江がぎょっとしたようにクラゲモドキを触った手を見つめ、それから――

「人の服で拭くなあっ！」

「まあまあ。でも多分大丈夫よ。磯とかでも毒のあるもんはもっと色とか毒々しいもんやき」

「どーしてお前はそう、自分の磯知識程度で未確認生物を測ろうとするかな……」

「あたし今まで、これは大丈夫って思ったもんで怪我したことないもん」

田舎育ちの人間は、自然物に対する自分の経験則は譲らない。佳江も漏れなくその一人だ。

「じゃあ、持って帰ろっか」

当たり前のように言う佳江に、瞬はげんなりと肩を落とした。

「本気？　お前、これ見て気持ち悪いとか恐いとかさあ……」

「燃えるね！」

きっぱりと言い切った佳江が、てきぱきと軍手をはめて、瞬にも一組放った。

「けっこう柔らかいき、バケツに押し込めば入るろう。あたしの荷台に積むき」

バケツにクラゲモドキを押し込むとかなりの体積が溢(あふ)れ出た。バケツを更にゴミ袋で包んでこぼれるのだけは何とかしたが、かなりの持ち重りがする変則的な形の荷物は、自転車の荷台に積んで紐(ひも)かけするのが一苦労だった。

＊

「……で、何でこうなってるんだよ」

瞬は仏頂面で台所の床にしゃがみ込んだ。台所の片隅には物持ちのいい祖父が納戸に残してあった、瞬が子供のときのベビーバスが置かれている。

そして水を張ったその中に沈んでいるのは持ち帰ったクラゲモドキだ。形状は少し変わって、平べったい楕円(だえん)型になって水の底に沈んでいる。

『だってうちのお母さんがこんなもの家に置かせてくれると思う？　あんたんとこ、一軒家の一人暮らしなんやし、誰にも迷惑かからんろう？』

俺は？　俺の迷惑は？　――などと言っても無駄なことを、瞬はよく知っていた。

瞬が靴の先でつついたときは派手に動いたくせに、クラゲモドキは持ち帰ってベビーバスに移されるまでの間、ぴくりとも動かなかった。

……ちょっとつまらない、などと思ってしまう自分が悔しい。

佳江に巻き込まれるといつもそうだ。最初は渋々付き合っているはずなのに、いつの間にかちょっとわくわくしてしまう。

本人に言ったら調子に乗るから絶対言わないが、佳江にはそういうところがある。無謀なまでに前向きで積極的で、それに振り回されているうちに、佳江の「楽しい」に強引に感染させられてしまうのだ。

瞬はぶるると頭を振った。

――それで騙されて痛い目遭ったことも忘れるな、俺。

むきになって幼少時からの騙され歴を数え上げていると、玄関の引き戸が騒がしい開け閉ての音を立てた。廊下を女とは思えない足音がどかどかと渡ってくる。

「お待たせぇ！　うちのデジカメ持ってきた！」

デジカメで写真を撮って自分の出入りしているUMAファンサイトに送るのだと、佳江は意気揚々だ（UMAのファンサイトなどという酔狂な代物の存在が瞬には理解しかねるが）。

シャッターを何枚か切って写りを確かめ、佳江はばたばたと台所を出た。

「パソコン借りるきねー」

「アップくらい自分ちでやれよ！」

「えいやん、どうせ常時接続ながやき。うち今時ダイヤルアップやもん」

佳江はさっさと二階の瞬の部屋に上がってしまった。勝手知ったるとは言え知りすぎだ。

何かまずいものを出しっぱなしにしていなかっただろうか。焦りつつ瞬は佳江を追った。

高校生ともなると、部屋を抜き打ちチェックされると都合の悪いこともあるのだ。

「ちったぁ遠慮とかしろよ、お前はー！」

「今さら何言いゆうが、瞬とあたしの仲やーん」

「どんな仲があったよ、迷惑かけられた覚えしかないぞ」

「うん、そのような仲がある」

佳江は減らず口を叩きながら瞬の部屋のパソコンの前に陣取って、デジカメ写真をアップロードする作業に入ってしまった。

「まったく……」

瞬は渋い顔でベッドに腰掛けた。

世の中の少年漫画などを見ると、幼なじみとの甘酸っぱいラブコメなんかが氾濫しているが、実態はそんなおいしいものじゃない。ちょっとくらい幼なじみがかわいくたって――大体は、男のほうが常に割食って損してるはずだ。内心で勝手に決めつける。

「よっし、済んだ！　あんがとね」

佳江が慌しくパソコン周りを片付けて、また部屋を飛び出し階下へ降りていく。

「ねー、餌とか考えなぁいかんねー。何食べるろう」

瞬が当然ついてくると思い込んでいる声の大きさだ。そしてまた思惑通り佳江の後をついて階段を降りている自分が悔しい。

「分かんないよ、そもそも口とかないみたいだし」

嫌々ながらも触って持ち運びしていた間、クラゲモドキに口らしい器官は見当たらなかった。口どころか、目鼻耳、触手の類に至るまで、器官らしい器官は一つもない。

「でも、もし肉とか高級魚介とかが常食だったら、買うのは佳江だぞ。俺、買わないからな。俺は当てにするなよ」

「大丈夫、困ったら高知大に持ち込むき！」

「……だったら今すぐ持ち込んでくれよ、頼むから」

切実な懇願を、佳江は聞こえないふりで処理した。——女ってずるい。

「名前どうする？」

話題をさっくり変えた佳江に、瞬は投げやりに答えた。

「クラゲに似てるからクラゲモドキ」

「えー、かわいくない、センスない」

付き合いたくもないことに付き合わされた挙句、センスまで否定されなくてはならないのか。瞬はますますラブコメ漫画における『幼なじみ』というジャンルを否定した。

「長くて呼びにくいし、モドキにしよう！」

「なあ、それセンス？お前のセンス？それでお前が俺のセンスをどうこう言うわけ？」

「うるさいなあ、じゃあフェイクでどうよ。文句ないやろ」

「横文字にしただけじゃん！」

瞬の突っ込みは、またもや聞こえないふりで黙殺された。

と、そのとき——

玄関で、呼び鈴が鳴った。

「誰だろ」

首を傾げた瞬に、佳江は「宮じいじゃない？」と答えた。この家にいきなり訪ねてくるのは、天野家の人以外は宮じいくらいしかいない。

玄関に向かうと、引き戸の分厚い模様ガラスの向こうに紺色の人影が見えた。宮じいならもっと明るい色だ。作業ズボンもセーターももっと淡い色だから。

「はい」

引き戸を開けると、そこに立っていたのは——紺の制服を着た、姿勢のいい男性だった。

「えっ、おまわりさん？」

ついてきた佳江が呟(つぶや)くが、この制服は警察ではない。自衛隊だ。帽子は略帽ではなく、つばの付いた制帽。

自衛官が、上がり框に立った瞬に向かって敬礼した。

「斉木瞬くんですね？」

何だか嫌な予感がした。

「何度かお電話を差し上げたのですが、誰もお出にならなかったので直接伺いました」

——あ。

瞬はぎゅっと手を握り締めた。足元に血が全部落ちていく感覚。世界に置いていかれたように、すべての物音が遠くなる。

お父さんが——斉木敏郎三佐が、訓練飛行中に殉職なさいました。

岐阜基地にて葬送式が行われます。

ご遺族としてご出席を——

そんなようなことを、自衛官は言ったのだと思う。多分。

ふと我に返ると、握り締めた拳を柔らかな手のひらが包んでいた。佳江が横からすがりつくようにして瞬の体を支えていた。

しっかり。

声は聞こえなかったが佳江の唇の動きでそう読めた。すがりつかれた体の片側だけが温かい。

その温みだけが世界に繋がっている。

瞬は大きく深呼吸をした。

ようやく緩めた拳は、一瞬で力を籠めすぎて指が痺れていた。

＊

学業上の都合で瞬が中学の時から離れて暮らしていた父は、航空自衛隊のパイロットだった。

だから、いつこんなことが起こるか知れないことは分かっていた。父もいつも言っていた。

いつ何が起こるかわからない商売だと。

でも、本当にこんな日が来るなんて知らなかった。知らなかったから――

俺が死んだらお前はいよいよ一人やにゃあ。因果な商売ですまんなあ。

そう言って詫びる父に、笑顔で返せたのだ。

大丈夫だよ、俺だって父さんの仕事がどういう仕事かってことくらい分かってるから。

ちゃんと覚悟はしてるから安心してよ。子供じゃないんだからさ。


どの口が言った、そんなこと。


瞬は回想の中の自分を言葉の限り詰り倒した。

何を大人ぶって生意気に、何様のつもりでそんなことを。覚悟なんか全然できていなかったくせに。こんな日はどうせ来ないとタカを括っていたくせに。

こんな日が来ると分かっていたら、離れて暮らしたりしなかったのに。たとえどれだけ転校を繰り返しても、引越しが大変でも、行った先々の学校で人間関係を一から作り直すのが面倒くさくても、

――最後に会ったのが一ヶ月前なんてことにはしなかったのに。

進学のこともあるから、と父に祖父との同居を勧められたときも、いつでもこんな日が来るかもしれないことなど分かってはいなかったのだ。そのほうが父も自分も楽だからなんて大人の判断のふりで物分かりよく頷(うなず)いて。

大人の判断なんかじゃない。楽に流れただけだと今さら痛烈に思い知る。それは楽をしようとした罰なのか。

「……畜生っ」

知らない間に吐き出していたうめきを、同乗した自衛官たちは聞こえないふりをしてくれた。

瞬を運ぶためだけに飛ばされた航空自衛隊の多用途機U―4は、一時間弱で高知空港から岐阜基地へ到着した。

＊

着いた当日と次の日は、偉いさんとの話や遺族年金の受け取りなど事務手続きに忙殺された。三佐だった父は殉職扱いで一階級特進となり、遺族年金もその階級に従って支給されるそうだ。隊員たちが話をするには生前の親しんだ階級で呼ぶ者が多いようだったが。

葬送式は二日後だった。

遺族は瞬しかいない。

母親は瞬が小学校に上がる前に死に別れているし、祖父も去年亡くなっている。

斉木家は死に絶えちょるなあ、と父がよく冗談を言っていたように、近い親戚もない。両親とも、血縁に運の薄い人だった。

第一格納庫とやらに設営された斎場は、大規模で豪勢だったがどこかそっけない感じがした。垂れ幕や敷物で覆われてはいるものの、元は打ちっぱなしのコンクリの床に鉄柱と波板の大味な建物だから、その雰囲気がにじみ出ているのだろう。足元から忍び寄る冷たい空気も、その建物が人のためのものではないことを実感させる。

その斎場は姿勢の良い紺色の制服で溢れ、瞬はそんな中をただ一人、学生服でおぼつかなく会場の最前列に座っていた。世話役として女性隊員がそばについてくれているが、他人なので逆に緊張する。

いっそ一人にしてくれたほうが気が楽だった、なんて、せっかくの配慮を台無しにするようなことを考えてみたり。

——父さんて、どんな顔してたっけ。

瞬は、祭壇のてっぺんに飾られている大きな写真を見つめた。制服を着てきりっとした表情で正面を向いている父は、瞬の知っている豪快で大らかな父とは別人に見えた。

遺体は回収できなかったという。当たり前だ。高度二万で戦闘機ごと爆発したら遺体なんか木っ端微塵だ。

だから斎場はこんなに大規模で豪勢なのだ。空っぽの棺で葬儀を執り行う陳腐さをごまかすために、これほどこの斎場は白い菊で埋め尽くされているのだ。

まるでごっこ遊びだ。空の箱を麗々しく飾り、敬い、祭詞を上げる。お経じゃないのは葬儀が神式だからだ。瞬の知っている仏式の葬式とは段取りなどもまったく異なり、ひどく不自然な感じがした。

父の御霊は岐阜の護国神社で祀られるそうだ。じゃあうちの位牌はどうなっちゃうのかなと思ったら、遺品を返すのでそれで自由に弔えということらしい。

荘厳な父の葬儀は、まるで他人の葬式に出ているような疎外感しか感じなかった。

葬儀が終わると、いろんな人が瞬に挨拶をしに来た。皆、目を赤く腫らしていた。

在りし日の斉木敏郎を語る自衛官たちは、瞬よりよほど悲しんでいるように見えた。──瞬の目元は、涙に濡れた跡もなく虚ろに涼しいままだ。

最後の飛行で随行していたというパイロットも挨拶に来た。若く、線の細い隊員だった。制帽を目深に被り、うつむき加減ではっきりとは見えないが、整った顔立ちをしている。子供の頃はさぞや美少年だっただろうと思わせるような。

同じ飛行で──この人は助かったのだな。そう思った。何が生死を分けたのかは分からない。運の差か、技量の差か。事故原因はまだ分かっていない。

「よかったですね」

あなただけでも助かって──社交辞令のつもりで口に出した言葉は、口に出してから随分ときつい皮肉に聞こえることに気がついた。

相手は喉から搾り出したような低い声で、――すみません。一言だけで敬礼し、踵を返して立ち去った。

まるで逃げるように。

悪いことをしたな――そう思ったが、執り成す機会はもうなかった。

＊

帰りは、手配してもらったチケットで名古屋からの民間便に乗った。自衛隊の飛行機は速さが取り柄で乗り心地はあまり良くない。民間機に乗せてもらえるほうが、瞬にとっては素直にありがたかった。

高知空港へ着くとやはり自衛隊の車が待っていて、家まで瞬を送ってくれた。至れり尽せりなのは、瞬が未成年でただ一人の遺族だからだろうか。

楽だが、道中の車内は重い沈黙に沈み、これなら空港バスで一人で帰ったほうがよかったなとちらりと思った。

家に戻ると、宮じいが待っていた。

玄関にばたばたと出てきた宮じいは、眉間に深くしわを刻み、下がり眉の表情で――

「よう頑張ったのう」

そう言った。

　初めて、涙が溢れた。

　上がり框（かまち）に立った宮じいは、框の高さを入れるとちょうど父と同じくらいの背丈で、思わずすがりつきたくなった。

　でも、高校生にもなる男がそんなことをするなんて情けなさすぎる。

　瞬は涙を拭（ふ）きながら、照れ隠しに笑った。

「けっこう、頑張ったよ」

　そう言うと、宮じいはそうかそうかと頷いた。


　夕方、学校を終えた佳江と、おじさんとおばさんが家へ来た。

　自衛隊が位牌を作らなかったことに、おじさんが烈火のごとく怒った。

　自衛隊は何を考えちゅうがな、子供ひっとり岐阜まで連れていっちょいて、勝手に違う宗派で葬式上げて、こっちはこっちで祀（まつ）るきそっちはそっちで勝手にせえらぁてそんな情のない、よし分かった、おんちゃんが自衛隊に文句言うちゃる——

　今すぐ岐阜基地に電話を掛けかねないおじさんに、佳江が怒鳴った。

「いい加減にしぃや！」

　おじさんがびっくりしたように声を飲んだ。

　佳江は怒っているような泣いているような顔でまくし立てた。

「お父さんが決めることじゃないろう⁉　文句が言いたかったら瞬が自分で言うちゃ！　瞬がしたいようにさせちゃりや！　お父さんがおっても瞬が疲れるだけやき帰るで！」

昔から佳江は怒ると天野家で一番強い。おじさんは塩を振られた青菜のようにしおれ、佳江に引っ立てられて帰っていった。

おばさんは、瞬にごめんねと謝りながら引き上げた。

「冷蔵庫の中におかずが入れてあるきね。後でチンして少しでも食べるがで」

お母さんという人種は、いついかなるときでも気にするのはご飯のことだ。正直言って食欲はなかったが、瞬はおばさんを安心させるために素直に頷いた。

残った宮じいに、瞬は尋ねた。

「どうしよう？」

位牌は作ってもらえなかったのでこちらで作らなくてはならないが、葬式を二回出していいものかどうか瞬には判断が付かない。

「そうやにゃぁ……場合が場合じゃき、こっちでもう一回弔うてもかまんろう。自衛隊も後は好きにしてかまんと言うてくれちゅうことじゃき。おまんも岐阜に再々お参りにはよう行かんがやき、斉木の墓にも入ってもらわんといかなぁえ」

父の死に際し揉め事を起こしたくないと思っている瞬の気持ちを、説明しなくても分かってくれている宮じいの提案だった。年齢の差というよりも、性質の差だろう。佳江のおじさんは土地の言葉で言うところの典型的な「いごっそう」で、強情で直情なところがある。

「斉木の菩提寺に話をしちょくき、明日の午後でどうよ。葬儀屋や仕出しの手配は、天野さんに頼んだらしっかりやってくれるわ。あの人はきっちりしちゅう人やき」

おじさんの顔も立てた申し分ない采配である。

宮じいが帰ってから、瞬はやっと居間の仏壇に向き合った。この家へ位牌を迎える気だった天野のおじさんとおばさんは、仏壇をきれいに整えて生花まで飾ってくれてあった。

仏壇の中には、いくつかの位牌が入っている。古いものは小さな木札で作られた、瞬は顔も知らないご先祖たちの位牌。新しいものとしては、祖父母と母。

仏間にできる部屋も他にあるが、斉木家では祖父が昔から居間に仏壇を置いてあった。理由は、ご先祖も賑やかなほうがえいろう、ということで。

瞬は線香を立てて、鈴を一つ打った。

そして学生服のポケットから、小さな紙包みを取り出す。

瞬が梱包に立ち会った父の私物が送られてくるまで、差し当たっての遺品として持ち帰った品である。中身は航空徽章だ。一緒に連れて帰れる形見として、梱包を手伝ってくれた隊員が父の制服から取り急ぎこれだけ外してくれたのだ。

それを見ながら、瞬は事故の前日のことを思い出した。

『明日の二時ごろ、高知のほうに飛ぶぞ』

携帯にかかってきた電話の声は、嬉しそうに弾んでいた。

その声が最後だ。

何を話しただろう。ほんの二、三日前なのに、もう忘れてしまったほどのたわいのない話。

臨終に際した家族のような、送る言葉も遺す言葉も一切なく。

そして――死んだと言われてこんな小さなものを渡される。

凶暴な気分が腹の底から湧き上がった。

「――ッ！」

声にならない声で叫んで、瞬はぴかぴかの航空徽章を部屋の隅へ投げつけた。

＊

何回思い出しても、やはり最後の会話はあまり思い出せない。多分、こんなやり取りがあっただろうという程度の流れしか。

瞬はベッドに寝転がり、携帯の待ち受け画面を眺めた。写っているのはF15J。父が覚えたばかりの写メールで、嬉しがって送ってきたものだ。誰に撮ってもらったのだか、機体の前で父は嬉しそうにVサインをしている。

着信履歴にはまだ父の番号が残っている。瞬はその残った履歴をリダイヤルしてみた。

呼び出し音が数を重ねる。五回、十回――父の携帯は梱包した私物の中に入れたことまでは覚えているが、電源を切ったかどうかは覚えていない。

『お掛けになった番号は……』というお決まりのアナウンスに切り替わらないから、どうやら電源は入っていたらしいが、父はいつもマナーモードだったから着信は鳴らないはずだ。荷物も発送するまでは官舎の父の部屋に置かれているはずだし、振動の微音程度では隣家に迷惑もかかるまい。

父は留守電の設定をしておらず、呼び出し音はいつまでも鳴り続けた。しかし、誰の迷惑にもならないという安心感もあって、なかなか電話を切る踏ん切りが付かない。

そっけない電子的な呼び出し音はいつもと何ら変わることなく、そのまま聞き続けていたら、父の訃報を聞いた三日前を飛び越えて父に繋がるような——そんなことはあるはずがないのだけれど、そんなことがあってくれるのなら、この先十年の幸運を先渡ししてもいい。

仰向けに寝転がっていると目尻から涙が糸を引き、耳の中に滑り込む。

引っくり返って泣きゆうと中耳炎になるぞ。引っくり返って泣きじゃくる度そう脅かされた。こんな些細なことからも繋がる父の思い出。

何十回、その呼び出し音を聞いただろうか。

突然、通話が繋がった。

そんなことはあるわけない、そんなことは分かっているのに——

「父さん?」

思わず、そう訊いた。

通話は繋がったが、繋がった先からの応答はない。

次に思ったのは近所迷惑だ。

もしかしたら、父は最後に限って携帯の着信音をオンにしていたのかもしれない。荷物の中でいつまでも着信音を鳴らし続ける携帯に業を煮やした誰かが電話を取ったのかも——

「すみません、瞬です——斉木瞬です。どなたかご迷惑をおかけしたでしょうか」

応答はやはりない。

何だろう——誰だろう。いたずらだろうか。

「誰ですか」

声を少し尖らせて訊くと、無音の通話の中に音が混じりはじめた。意味のない雑音がぶつりぶつりと入りだし、やがて——声、らしきものに変化する。

『……イ……デタ、イ……（ブッ）……（ザザッ）……冷たイ……ソ、ト』

時間はいい具合で丑三つ時だ。典型的に怪談めいた奇怪な通話に、普段ならぞっとしているところだが、瞬は電話を切る気にはならなかった。

もし今、瞬の身に怪談沙汰が起こるとしたら、それは絶対に父の幽霊がらみに違いない。

だから怖くはない、全然。

むしろ幽霊であってほしいくらいの気持ちで、瞬は通話に耳を傾けた。変調機をかけたような機械めいた声だ。タクシーの無線のように、ブツブツと通信に切れ間が入る。

耳を澄ましていると——

突然、階下でけたたましい音がした。何かが引っくり返るような。

これにはさすがに肝が冷えた。瞬はベッドの上に飛び起き階下を窺った。確かにいま幽霊は怖くないが、物理的な押し入りや泥棒は恐い。

階下はさっきの物音以降、しんと静まり返っている。とにかく、音の原因を確かめないことには仕方がない。何か武器になるものを探すが手頃な長物は見当たらない。瞬は携帯を片手に持ったまま、そろそろと階段を降りはじめた。

不安定なところに重いものでも置いてあっただろうか。玄関の傘立てか台所の電気ポットか、仏壇の花生けも不安定でときどき引っくり返る。でも仏壇は居間に置いてあって下は畳だからあんな音は立たない。

階段を降りて廊下の電気を点けるが、誰かが潜んでいる気配はしなかった。

少し安心して音の原因を探しはじめる。玄関クリア、居間クリア、台所クリア。客間、風呂、トイレ。特に異変はない。後は——

診療所か。

瞬は廊下の奥のドアを見た。診療所へ続く通路だが、祖父が亡くなってから閉め切ったままだ。

瞬は通路のドアを開け、数年ぶりで診療所側へ立ち入った。思ったほど空気は澱んでいない。壁際のブレーカーを上げ、電気を点ける。

すると、カーテンで仕切られた診察台の足元が水浸しになっていた。そばには薄いピンク色のベビーバスが逆さまになって転がっている。

佳江が運び込んだことは見当が付いた。

多分診察台の上にでも置いたのだろう、それでバランスが崩れて——

中に入れていたはずのクラゲモドキ——佳江の命名でフェイクになったんだっけ、あいつは

どこに転げただろう？

目でその辺を探すと、ベビーバスの向こうから白っぽい塊がずるずる這いずってきた。動くのはもう分かっているから、最初のときのように驚いたりはしない。

それより——

「あーもう。俺が片付けるのか、これ」

ゴム手袋持ってこなくちゃ。あと雑巾とバケツと……要る道具を数え上げながら、ひとまず電気を消し、ドアを閉めようとしたとき。

『閉鎖・閉める・不可！』

大きなはっきりとした声が響いた。

左手に持ったままだった携帯からだ。まだ通話は切っていなかった。

ちょうどドアを閉めるのを止められるタイミングになって、瞬は恐る恐る携帯を耳に当てた。

『開ける・開放・障害物・空間・不足・出ル・脱出・外部・ソト……』

先ほどまでのたどたどしい物言いとは打って変わり、単語がずらずらと並べ立てられる。

そして――

瞬が閉めかけたドアの隙間から、フェイクがむりむりと這い出ようとしていた。

瞬は呆然として足元のフェイクを見下ろした。

こいつ――か？

電波をジャックして言葉を――？

瞬がドアを開けてやると、フェイクは明らかに焦った様子で母屋側へ這い出てきた。廊下の隅に身を寄せ、電池が切れたように動かなくなる。

同時に、携帯に入っていた通話も無音に戻っていた。

「……すげえ」

そんなことを思ってしまうのは佳江に毒されているせいか。いや、こんな目に遭えば好奇心旺盛な高校男子として誰もが驚き高揚するはずだ。

原始的な生物などではあり得ない。人語を解する知能があるのだ。どうやって人語を解したのか、どうやって携帯の電波に割り込んだかは謎だが。

そんな生き物が自分の手元にいる。これが興奮せずにいられるか。

瞬は携帯の通話を切った。やっぱり幽霊なんかではなかった。

現実だ。それもとびきり奇妙で謎めいた。

電話帳から佳江の番号を呼び出し、掛ける。

「──もしもし佳江？　起きてた？　ごめんごめん。でもどうしても報告したいことがあってさ。絶対びっくりすんぞ、お前。すごいぞ、あのな……」

父の死という現実は、小さく畳まれて頭の隅にしまわれた。

それが現実逃避にとてもよく似ていることに、瞬は気づかないふりをしていた。

気づかないふりをした弱さを、瞬は後にひどく悔やむことになる。

＊

公民館を借りて執り行った葬儀が済むと、仕出しが運び込まれさっきまで葬儀場だった室内はあっという間に宴席と化した。

手馴(てな)れた葬儀屋の手によって祭壇の前に長い座卓がいくつも並べられ、上には皿鉢(さわち)やビールの中瓶が整列する。

葬儀や法事の後に弔問客や身内で宴を開くのが「お客」という高知の風習だが、酒好きかつ宴会好きな県民性のためか、これは本当に宴会と呼ぶのが近いノリになる。色んな料理を大鉢にざっくり盛りつけた皿鉢は精進どころかなまぐさ全開で、刺身しか乗っていない皿もある。酒もおしるし程度ではなく本格的に浴びるし、読経した坊主が呼ばれて一杯引っかけて帰る、ということさえ珍しくはない。

佳江などは子供の頃、お葬式や法事はごちそうを食べる日だと思っていた。茹(ゆ)でた蟹(かに)がむけなくて大人にまとわりついてむいてもらったり。小さい頃の法事の記憶はそんなものばかりだ。在りし日の斉木敏郎も瞬の祖父母の葬儀の後、やはりお客でべろべろに酔っ払っていたものである。故人を酒宴で送り出すのは南の地方独特の、悲しみを鮮やかに切り替える術(すべ)なのだと本で読んだことがある。

大人たちの箍(たが)がそろそろ緩んできて、敏郎の子供の頃の失敗談などを披露しはじめた頃、瞬が佳江のところへ来て帰ろうと言った。

「佳江のおじさんが後は任せていいって言うから」

せっかくお父さんの昔話がたくさん聞けるのにいいのかな。

そんなことをちらりと思ったが、岐阜に続けて今日もだから瞬も疲れているのだろう。佳江は引き止めずに応じた。

公民館から家まではちょっとした散歩がてらの距離だし、てろてろと歩いて帰るのに日差しもちょうどいい。天気も敏郎を穏やかに送ってくれているようだった。

「えいお葬式やったねえ。お客もいっぱいやったし」

酒宴に残る人が多いのは、それだけ故人を偲(しの)ぶ人が多いということでもある。身内が少ないのに盛り上がった「お客」は、敏郎の生前の人徳だろう。

そうだね、と答えた瞬に、佳江は少し違和感を覚えた。声が他人事(ひとごと)のように平淡に聞こえたのは気のせいか。

「そう言えばさ、最後のお父さんの音、聞けたが？」

敏郎が高知のほうへ飛ぶときは、できる限り浜へ出かけていた瞬である。機体が見えることはほとんどないらしいが、風の向きがいいとたまにジェット戦闘機の力強い咆哮が聞こえるという。

「ううん。フェイクでびっくりして帰っちゃってさ」

それはまた間が悪かった。「残念やったね」相槌を打ってしばらく無言で並んで歩く。

「ねえ、今から浜に行こうか？　付き合うで」

「何で？」

心底から怪訝そうに問い返した瞬に、佳江のほうがうろたえた。このタイミングで浜に誘った意味が分からないような瞬ではないはずだ。

「えっと……おじさんのお見送りでもと思ったがやけど」

「何で」

瞬はまた同じ言葉を繰り返し、佳江は今度こそ言葉を失くした。

「意味ないじゃん。葬式終わったろ」

おかしい。敏郎を偲んで馴染みの場所へ出かけることを、「意味がない」で一蹴するような瞬ではない。むしろ瞬のほうから言い出しそうなことなのに。

よほど疲れてわけが分からなくなっているのだろうか。そうとしか——

「そんなことよりさ」

佳江はとうとう動揺のあまり立ち尽くした。

そんなことより。敏郎を偲ぶことを「そんなこと」など。――あんた、今自分が何言うたか分かっちゅうが。

咎めるような、すがるような眼差しで見つめた佳江に、瞬は笑った。

「どうしたんだよ、変な顔して」

変なのはあんただ、とは言えなかった。――恐くて。

「昨日、電話で言ったろ？　フェイクが喋ったって」

瞬は楽しそうに話す。

「早く帰って様子見たくてさ。佳江も見にくるだろ？」

それはもちろん興味はあったが、敏郎の葬儀の日にそんなことをはしゃぐなんて悪いような気がして、せめて今日はその話を瞬に問い質すのはやめようと――佳江は思っていた。

瞬はどうでもよかったらしい。

「佳江も見たくて抜け出したんだろ？　あれに付き合ってたら何時に終わるか分からないもんな」

瞬が言っているとは思えないような殺伐とした理屈に、佳江はただただ心が乱れるばかりで、瞬に向かって何を言えばいいのか分からず――

ただ、黙って瞬について歩くしかできなかった。

第２章　大人たちは秘密を探し、

三月下旬——年頭から世間を賑(にぎ)わせた四国沖の二度の航空機事故の原因は、未(いま)だ解明されていなかった。

移ろいやすい報道はもはや調査経過を大きくニュースに取り上げることもなくなり、新聞がときどき思い出したように小さな記事を載せるだけだ。

最初の航空機事故となった「スワローテイル」の製造元である特殊法人日本航空機設計から、事故調査委員として春名(はるな)高巳(たかみ)が岐阜基地へ派遣されたのはその頃である。

*

名鉄各務原線(めいてつかかみがはらせん)三柿野(みかきの)駅は川崎重工(KHI)岐阜工場内の狭間に位置する。コンクリートのそっけない建物で周囲を囲まれ、あげく駅舎が国道21号の陸橋の影になる位置に建っており、独特な閉塞(へいそく)感のある駅だ。

岐阜基地はこの駅を出て歩き出すとすぐ見える。ＫＨＩとどこで区切ってあるか分からないほど密着しており、ＫＨＩで開発される航空機のほとんどはそのまま隣の岐阜基地で試験飛行に入る。

今は次世代輸送機(C-X)の開発をＫＨＩが主契約(プライム)で請け負っている関係上、連絡も密になっているはずだ。

……他社だから詳しくは知らんけど、と高巳は溜息をついた。

現在は日本航空機設計へ出向の形でスワローテイル開発チームに所属しているが、高巳は元は三津菱重工（MHI）の技術者である。

日本航空機設計の社屋は出資率が最も高いMHIの小牧工場内に敷地を都合して建てられており、元が小牧勤務だった高巳の場合、出向などと言っても勤務先住所はあまり変わらない。高巳にとっては今回の出張が初めての遠出になるくらいだ。

「気が進まねぇなぁ……」

突然スワローの事故調査委員を任命され、出張費を摑まされて岐阜基地へ向かわされたものの、その理由が今一つ明瞭でない。

そもそも、自分のようなペーペーが調査権など与えられたところで一体何ができるというのか。百戦錬磨の技術者たちが頭を寄せ合って未だ解明の糸口すら見つけられないというのに、図面を引くだけで精一杯の若造が一人加わったところで事態が好転するとはとても思えない。

しかも。

高巳の担当は、同時期に同じ空域で状況が酷似する事故を起こし、やはり未だに原因が特定されていない自衛隊機事故の生き残りへの聞き取り調査である。

機体に不備はなく気象条件も良好。調査に既に約二ヶ月を費やしながら、未だ納得行く推論の一つも立たない奇妙な事故という点で二つの事故は酷似しており、スワローテイル開発陣は自衛隊機事故との対照調査に原因究明の望みをかけていた。

自衛隊機事故の当事者であり、目撃者でもあった隊員の証言を重要視するのは当然のことだ。実にまったく道理だが、

——こういう聞き取りこそ、人生経験活かしてお偉方がやるべきじゃないのか。

航空自衛隊でも当然事故調査は継続中で、事故機に随行して生還した隊員は既に事情聴取を重ねられているはずであり、嫌な記憶を根元からさんざん掘り返されているはずだ。それを重ねて掘り返す。そんな傷口に塩を塗るような作業を、こんな若造に押し付けるとは。

二十代半ばの高巳には気が重い。

事故当事者の隊員、お前と年が近いらしくてな。同世代なら打ち解けやすいだろうし、何か聞き出してきてくれんか。

調査委員を拝命したときの調査責任者の言である。よほど手詰まってヤケになったかのような決定だが、夏のボーナスの査定を考えると「無茶言うなオッサン」とは言えなかった。

——スワローのためだ。

事故が解決するまでプロジェクトは凍結したままである。

スワローは近来まれに見る航空業界の一大プロジェクトだ。業界の一員として、それに参加できた自負も喜びもある。危機に瀕したスワロープロジェクトを救えるのなら——と、懸命に自分を鼓舞するが、それにしても高巳に与えられた役割は、経験に比してあまりに大きすぎるように思われた。

気が進まず足取りが重いとは言っても基地は駅からすぐそこに見える距離である。うだうだ

考えているうちにすぐ基地の門に着いてしまった。

詰所の隊員と目が合って、逸らすわけにもいかず、高巳は曖昧に愛想笑いを浮かべた。

外部訪問の窓口にはすでに来意は伝わっていた。

件の隊員は現在、訓練飛行後の打ち合わせ中で、もうじきそれが終わるという。

フライトルームの前で待っていてもいいとのことなので、高巳は見取り図をもらって別の棟のフライトルームに向かった。他にもらったのは通行証と面会申請書、基地を出るときは面会した相手のサインが要るらしい。

構内には古臭い鉄筋コンクリートが建ち並び、適度に手入れされた芝や植え込みが広がっている。

ずっと昔に一度来たことがあるだけなのに、その光景が不思議と懐かしい。軍事施設なのに何故そんな感じを受けるのか、少し考えて思いついた。

「……そっか、学校だ」

背丈の低い古ぼけた鉄筋に芝生や植え込みが嵌め込んである風景は、何に似ているかというと学校に一番似ている。しかも最新ピカピカのではなく、一昔前のちんまりした校舎がメインの野暮ったい感じだ。その垢抜けなさが妙に気安さを感じる原因かもしれない。

低い建物の頭越しに望める格納庫や管制塔、基地内道路の交差から窺えるエプロンや滑走路を見ると、さすがに基地という感じがするが。

胸に通行証を付けていると誰にも見咎められることもなく、高巳は目的の部屋まですんなり到達できた。

もう話し合いは終わったらしく、通路はフライトルームから出てきたらしい隊員がぞろぞろと流れている。ここで逃がしたらまた呼び出しをかけたり話が面倒になるので、高巳は手近な隊員に声をかけた。

「あの、すみません。こういう者ですが……」

言いつつスーツの内懐から取り出した名刺を渡す。手回し良くも調査委員会で用意してくれ（やがっ）たもので、肩書きは日本航空機設計事故調査委員。こっちが要るときは催促してもなかなか寄越さないくせに、と腐ったことは余談だ。

「二月の事故に同行された武田……」

そこまで言いかけて、高巳は一瞬止まった。——名前の読みも知らねえよ俺！

光稀。えらく二枚目ぶった字面の名前だということは覚えていたものの、コウキと読むのかミツキと読むのか。

「……コウキさんはどちらに？」

隊員はにっこりとニヤリの中間くらいの笑みを浮かべて答えた。

「武田三尉ならまだ中ですよ」

外したか。気まずさをごまかすように高巳は曖昧に笑った。

本人には言わないでくれたらいいなと思いながら、会釈して室内に向かう。

残っているのは一人しかいなかった。ちょうどバインダー類をまとめて立ち上がるところだ。

高巳はそちらに歩み寄った。近寄ると、意外と背が低い。

「すみません、武田三尉ですか？」

同じ轍（てつ）は踏まない。名前は避けて呼びかけると、相手が顔を上げた。――随分ときれいな、細面の――

「――えっ？　あれっ？」

「武田ですが、何か」

凛々しく澄んだ声が答える。

うわ、ばかみてえ俺。

「あの、武田――ミツキ？　コウキ？　あれ？」

うろたえながら言葉を探す高巳に、武田三尉は険のある溜息をついた。

「あんな字面ですが光稀（みき）と読みます。どうやらご期待を裏切ったようで」

もしこれが合コンだったらこのレベルが来たらそれはもう大当たりってなもんで、大抵の男は小躍りして喜ぶこと間違いなしで、

――てゆーか、教えとけよ誰か！

にっこりとニヤリの中間の笑顔の意味にようやく気づいた高巳は、事前に情報を与えなかった上司を激しく内心で罵倒（ばとう）した。

武田光稀は高巳の渡した名刺に手も付けなかった。第一印象は激しく低落したらしい。高巳に面会申請書を出させ、それにサインをするなりさっさと部屋を出て歩き出した。

「すみません、失礼しました、あの」

間抜けに謝罪文句を繰り返す高巳を振り向きもしない。

「気になさらなくて結構です。誰も自分の名前を初読で女だと思った人はいません」

って怒ってるじゃんかよ。などとは恐くてとても口に出せない。

「えーとそれではあの、お話を伺わせていただきたいんですが、お時間のほう……」

突然、ぴたりと光稀の足が止まった。廊下の真ん中で体ごと振り返り、愛想笑いなどという概念を知らないようなきれいな顔がまっすぐ高巳を見据える。

「ご用件は伺っております。しかし自分にお話しできることは何もありません。事故に関する報告なら空幕と国交省にすべて提出してありますのでそちらをどうぞ」

うわ、何だこのコンクリートのよな分厚い心の壁は。高巳が怯んだその隙に、光稀はまた踵を返して歩き出した。

「ちょっ……」

高巳は慌てて光稀を追いかけた。

「名前間違えたのはホント申し訳なかったです、ごめんなさい！　だからちょっと話……」

「話すことがないんだから仕方ないでしょう。双方にとって時間の無駄かと思われますが」

押し問答のまま屋外へ出る。

「待ってください！」

思い余って光稀の肩に後ろから手をかける、するとその途端。

「いぃってえええ！」

ものすごい方向へ捻られて、手首に激痛が走った。

「耳が悪いのか日本語が不自由なのかどっちだ？　話すことなんかないと言ってるだろう」

低く押さえた声がまた恐い。

「たたぁっ！　いていていて、はっ、外れるぅっ！」

高巳に存分に悲鳴を上げさせてから、光稀は捨てるように高巳の手首を離した。

「ご足労だったが時間の無駄だ、さっさと帰るんだな」

ぞんざいな言葉遣いだが、妙に彼女には似合っていた。

「いってぇー……」

あまりの痛さに思わず手首を押さえてしゃがみ込む。

「名前呼び間違えたくらいでこの仕打ちですか……きっついわ、こりゃ」

恨みがましく呟くと、立ち去りかけていた光稀が立ち止まった。

「別に名前のことは気にしてないって言ったろう」

「気にしてるように見えるよ、しかもめちゃくちゃ。戦闘機乗りって意外と心狭いんだね」

「勝手に括るな！　今のは個人的な問題だろう！」

腹立ちまぎれに適当に投げた非難は、意外にもいいところへヒットしたらしい。

もうこれはここを突っ込んでみるしかない。吉と出るか凶と出るか、高巳は良識に蓋をして畳みかけた。

「そうかな？　自衛官の配属って性格や適性も考慮されて決まんじゃないの？　名前間違ったくらいでヘソ曲げて聞き取り拒否して、あげく人の手首を捻り上げるよな短気な人が戦闘機のパイロットだなんて、聞くだに恐い話じゃない？　まさか訓練中にカッとしてミサイルなんかぶっぱなしたりしないだろうね」

「だから名前は関係ないと言ってるだろうが！　そんなことで今さら怒るか！　子供の頃からずっとだ、そんなもの！」

「じゃあ何で怒ってんのか説明してよ」

「怒ってなんか――」

「怒ってるだろ、どっからどう見ても。名前間違ったの怒ってないってんなら、俺への態度は別の何かへの当てつけだよな？　理由がないならただの癇癪だぜ、初対面の第三者にここまできっつい仕打ちな訳をちゃんと聞かせてくれよ。理由がないと怒るぜ、さすがに」

嫌みったらしく捻られた手首を見せびらかすように振ると、光稀はものすごく剣呑な目付きで高巳を睨みつけた。

罵声が来るかと思ったら、声は押し殺して低かった。

「――もうあの事故のことでこれ以上何か喋るのはごめんなだけだ」

――あ。

高巳はぎくりと心を冷やした。――泣く？

恐ろしい形相で睨みつける光稀の表情を見て、何故そう思ったのかは分からない。

「見たこと見たまま話して、それで訊かれることが事故当月の生理周期だ。生理不順で精神的に不安定だったことはないのかってな。そんなことで飛行に影響が出るほど精神が乱れるなら航空学生の段階でとっくにエリミネートされてるのに。あげく精神失調を疑われて、航空徽章まで取り上げられそうになって、精神鑑定まで受けて」

光稀の目線が地面に落ちた。肩の線に力が入る。

「あんた、私が航空徽章取るまでにどんな思いをしたか知ってるのか？　年頃の女の楽しみを全部返上して、やっとここにいるんだ。このうえ迂闊なことを喋ってもし飛べなくなったら、あんた私の人生補償してくれるのか⁉」

「分かった！」

高巳は少し声を張り上げて光稀の言葉を遮った。

このまま喋らせたら本当に泣く。

「分かったから、取り敢えずお茶でも飲もう。食堂かなんかあるんだろ？　案内してよ」

食堂は昼食の時間帯を過ぎているので空いていた。隅のほうのテーブルに光稀を座らせて、自販機で紙コップのコーヒーを二つ買う。

うつむいてはいるがきれいな姿勢で座っている光稀のほうへ戻りながら、高巳は小さく溜息（ためいき）をついた。自己嫌悪だ。

嫌な記憶を掘り返すどころの話ではない。地雷を仕掛けて踏ませたようなものだ。

けれど、どうして名前を間違えられただけであれほど態度を硬化させたかは分かった。――名前ではないのだ、正確には。

「あー……ごめんな」

高巳は光稀の前にコーヒーを置きながら、向かいの席に座った。

「確かに君が女だったことには驚いたけど……別に、女なんかが？　とか思ったわけじゃないんだ。でも分かってほしいんだけど、やっぱり珍しいんだよ。戦闘機パイロットが女性だって聞いたら、やっぱそれはびっくりするよ」

それもこんなにキレイな女の子だったら。素直にそう思ったが、彼女にとっては余計な感想だろうから言わない。

「何人かはもう出てきてるってニュースなんかでも聞いてるしさ。知識はあるけどそれが自然に認知されるまでには少しタイムラグがあるわけ。街中でタクシー拾っても女性ドライバーに当たる率がまだ低いのと一緒でさ。で、認知されても、やっぱり男がパイロットだってよりは女がパイロットだってほうがすごいと思っちゃうんだよ。その辺りの心理は分かってくれるとありがたいんだけど――やっぱ、これも差別発言になっちゃうのかな」

「――別に」

光稀はそっけなく答えながらコーヒーをすすった。

高巳はコーヒーに口を付ける前に名刺を一枚取り出して光稀の前へ置いた。

「一応ね。俺も仕事なもんだから受け取っといて」

光稀が置かれた名刺をしばらく眺めて手に取った。一応、和解の兆しと見ていいのだろうか。

「俺もけっこう、名前で男と思われることは少ないかな」

はるなたかみ。音で聞くと大概の人に女性だと思われる。

「名前の字面はそれなり凛々しいと思うんだけどね。子供の頃はからかわれたりしたよ。今もエステの勧誘電話とかしょっちゅうだし。そっちはあれ？　デート商法の的だったりする？」

光稀の口元が少しだけ緩んだ。

「宝石と毛皮。彼女に買ってやれって」

「俺は矯正下着もだ」

くすっと笑いかけて、光稀が慌ててしかつめらしい表情に戻った。

まだ気を許したわけじゃないからな——考えていることまで筒抜けで、逆に微笑ましい。

「いろいろあるの、分かるよ。俺の仕事もやっぱり女性は少ないしさ。大変そうだなってのは分かる。しかもそっちは体力でも男と張り合わなきゃいけないんだもんな。でも、仕事してると思うんだけど、一緒にやってたら男女って関係なくない？　男女差よりは使えるか使えないかが一番重要なわけで。使えるほうに入ってたいってのは、多分、男女関係なく皆が思ってることだと思うけど」

高巳は自分もコーヒーをすすった。

「一緒に働いてる奴は、誰が使えて使えないかちゃんと知ってるもんだよ。事故調なんてのはどこのも『すべてを疑え』が基本だし、今回の事故は原因らしい原因が見つからなくてみんな苛立ってるから、割食わせやすいとこに食わせることになったんだろうな」

目撃証言を語っただけの僚機パイロットがあわや飛行資格剝奪などという騒ぎになったこと自体大いなる割だ。しかも光稀は三尉で、上官である斉木三佐の飛行の責任を取る立場にない。飛行隊長ですら、部下の起こした事故の責任を取って飛行資格を剝奪されることはないというのに――

「割を食うっていうのはね、全然正当なこっちゃないの。理不尽で不条理なもんなの。理不尽で不条理なもんを食わされたってことを君が分かってりゃいいんじゃないの。それで僻んだり悩んだりする必要は全然なくてね。下らなくてもったいないよ、そんなことで引っかかんの」

ふと気づくと、光稀が目をまん丸に見開いて高巳を見つめていた。

何だろう、何かまずったか――内心でびくびくしながら、高巳は笑い返した。

「――って、こんな理屈はどうかなって言ってみただけだけど」

光稀がふいと視線を横に逸らす。そして。

「悪くない理屈だな」

そう言った。

「……最後に三佐に言われた」

名前は省略されたが、それが亡くなった斉木三佐であることは分かった。

「僻むなって。僻んだ奴は伸びないって。あんた、おんなじこと言うんだな」

横を向いた光稀の瞳に、涙が浮かんだ。一粒こぼれて、頰を滑る。

ああ、美人は泣いても絵になるもんだな——高巳は滑った涙に見とれた。

と、光稀が急にこちらを振り向いた。怒ったように高巳を睨む。

「——でも、事故について喋ることはないからな」

「分かってるって」

高巳は笑い返した。きつくてぞんざいな物腰は変わらないが、もう近寄りがたさは感じない。

「喋ってくれる気になるまで待つから」

「人の話を聞け！　話すことはないと言ってるんだ！」

「そういう気分なのは分かった。大丈夫、俺は気が長い」

「だから！」

むきになるとけっこうかわいい。

「また来るよ。次は飯でも一緒に食おうか」

「——ばかたれっ！　一人で食えっ！」

怒鳴った光稀が残ったコーヒーを一息に呷ってガタンと席を立つ。早足で出口に向かって、ドアに肩をぶつけた。ガツン、とものすごい音がする。今のはかなり痛かったはずだが、何もなかったような素振りで肩をそびやかして歩いていく。

これは、かなりかわいい。

テーブルに一人残され、完璧に振られた形だが、高巳はにやにやと相好を崩した。

このようにして、高巳が岐阜基地へ通い詰める日々は始まった。

＊

小学校の卒業式は北海道で迎えた。当時、父の配属先は千歳だったのだ。

奇跡的に勤務の都合がついて、卒業式に父が来てくれた。

式が終わると、同級生たちは仲のいい者同士でお別れ会の約束などをしはじめた。三ヶ月前に転校してきたばかりで、どこのグループとも平均的に交流はあったが特に親しいグループができていなかった瞬には、誰からも声がかからなかった。

瞬も誘いの期待はしていなかったから、さっさと待っている保護者のほうへ向かった。

父さん、お待たせ。

そう言うと、父は少し気兼ねするような顔をした。

友達らぁとは、えいがか。

子供たちは、まだ校庭で名残を惜しんでいろいろと盛り上がっている。ドカ雪が降っていたがそんなことはお構いなしに、とても楽しそうに——

いいよ、だって僕（まだこの頃は僕と言っていた）まだここ三ヶ月だし。そんなに仲良しの子もいないしね。

そう言ってから、瞬は慌てて付け加えた。

でも別にいじめられてたとかそういうんじゃないよ。皆、そこそこ良くしてくれたしね。

ただ、名残を惜しむほどは親しくなかっただけだから——そう言うと、父はもっと複雑な顔をした。

その数日後に、父は切り出したのだ。

お前、高知のおじいちゃんとこに行かんか。

進学やら勉強やらいろいろ理由を付けていたが、結局のところ、父は不憫だったのだと思う。

子供たちが友達同士で盛り上がる中を、誰にも声をかけられることなく誰にも声をかけることなく、まっすぐ父のところへ行った瞬が。

別に寂しいなんて、こっちは思ってなかったのに。

瞬にとっては、たった三ヶ月の、そこそこ浮かずに巧くやっていた程度のクラスメイトより、都合を合わせて来てくれた父のほうがよほど大事だ。

そんなことより、父さんが来てくれたほうが嬉しいよ。

照れくさくてなかなか言えないようなことを、ちゃんと口に出して言っていたら——父は、瞬を田舎へ預けようなんて思わなかったのだろうか。

別に、預けられたことが嫌だったわけではないけれど。

転校の手続きはギリギリで間に合って、瞬は中学には入学式から出席できた。

祖父の家には長い休みごとに預けられていたから、馴染むのにそう時間はかからなかった。

多分父としても長い休みの間ずっと家で鍵っ子にさせているより、祖父の家に預けてしまうほうが安心だったのだろう。

祖父は大らかで優しかったし、友達もすぐできた。友達がわりとすぐできたのは佳江の存在が大きいが。「あたしの弟子やき。よろしく頼むで」いつ何の弟子になったよ、とは思ったが、とにかく佳江が瞬のクラスでそう宣言したことが、瞬がクラスに溶け込むきっかけになった。

でも、友達に関しては正直「こんなもんかなあ」という感じだった。仲のいい友達はできたが、別に特別に踏み込んで親しいというわけでもなかったし、転校を繰り返した小学校時代の『そこそこ浮かずに』やっていたときとそれほど変わりなく思える。

卒業式のときだって、あれが例えば半年同じクラスだったら、普通にお別れ会にも誘われていたと思う。単にタイミングが悪かっただけだ。

それより感動的だったのは、いつ家に帰っても誰かいるという状態だった。これはなかなか、思っていたよりもいい。

内科の医院をやっていた祖父は診療時間の関係で遠出が少なかったし、瞬が学校から帰る頃にはまず間違いなく家にいた。帰ってきて鍵を開ける必要もなく、ただガラリと戸を開ければ開いて、中に人がいる(昼間、在宅していたら玄関の戸締りをしないという習慣には、慣れるのに少し時間がかかったが。少し街中のほうでは物騒でとてもできないことだ)。

人がいる家は空気が少し違っていた。どこがどうとは言えないが、少なくとも家鳴りや何かで予期せぬ物音がしたとき、どきっとしなくて済む。テレビを見ながら何気ない雑談をしたり、何かちょっとしたことを思いついたとき、すぐに話せたりするのも悪くなかった。

これで料理の上手かった祖母が存命だったら言うことなしだったが、祖父の料理もそこそこ平均点ではある。

父も休みをやりくりしてちょこちょこと帰ってきてくれたし、瞬は父の提案してくれた生活にかなり満足していた。

しかしその生活も、中三の冬に祖父が亡くなっておしまいになってしまった。

そして、一緒に祖父の葬式を出した父ももういない。

今度こそ、瞬は一人になってしまった。

——でも。

瞬は玄関の鍵を開けた。すると、上がり框（かまち）に白い軟体がぽってりとうずくまっている。

「ただいま、フェイク」

神様か誰か知らないけれど、見ている誰かはちゃんと見ていて、一人になる瞬に家族を用意していてくれた。

父の亡くなる日に来たのは、きっとそういうことだ。

誰かにただいまを言える生活はやっぱり素敵だ。しかも犬や猫なんかとは違ってフェイクは言葉を喋（しゃべ）れるのだ。ただいまと言っても言いっぱなしじゃない。

瞬は制服のポケットの中でマナーモードに着信した携帯を取り出した。

『お・帰る・瞬』

フェイクからだ。

「よーし、よく覚えたな。でも『お帰る』じゃなくて『お帰り』だぞ」

フェイクは廊下に上がった瞬の足元にのてのてとすり寄った。目鼻もないくせに瞬が帰ってくるときは必ず気づいて玄関に迎えに出てくるのが健気で愛らしい。

瞬はフェイクを脇に抱え上げながら携帯に話しかけた。

「もっと言葉、勉強しような。そうしたらお前、もっと人間みたいになれるぞ」

もっと完璧な家族に――フェイクはなれる。

フェイクはずっと家にいて、ずっと瞬を待っていて、いなくならない。

どこへも行かない。

その点で、フェイクは死んでしまった祖父や父より完璧だった。

＊

「瞬、来たでー」

勝手知り尽くした斉木家に佳江は申し訳程度に声をかけてさっさと上がり込んだ。フェイクのことを相談したがる瞬に、ここのところは毎日呼び出されている。

佳江は迷わず二階の瞬の部屋へと階段を上がった。

学校が終わって帰宅したらまずその日の予復習を片付けるのが瞬の日課で、佳江の母がことあるごと「瞬ちゃんを見習いや」と責め立てるネタとなっている忌まわしい習慣だ。

部屋に入ると、瞬はやっぱり机に向かっているところだった。

「あーもう、毎日毎日えい子やねえ、あんたは。ちょっとは手ぇ抜いてるとこうちのお母さんに見せてや」

「佳江みたいにヤマ張る才能がないからね、俺はコツコツ型なの」

「それイヤミ？　どうせあたしのヤマは半分外れるわえ、いっつも」

ふくれた佳江が、瞬の足元に目を落とした。乳白色の不定形な軟体がそこに転がっている。

「またフェイク水から出しちゅうが？」

「うん、何か出たがるからさ」

瞬が勉強の手を止めて椅子ごとこちらを向く。

「やっぱ水棲生物じゃないんじゃないか？」

「うーん……サイトのほうじゃクラゲか貝の一種じゃないろうかって言われゆうがやけど」

佳江が初日に画像をアップしたUMAのサイトである。掲示板では一頃、フェイクの正体を推測する話で盛り上がったが、大した続報を入れられないので話題の旬は過ぎてしまった。

「でもそこ、結局趣味の人の集まりだろ？　そこの推測が当たるとは限らないよ」

「高知大にでも持ち込めば、ちょっとは何か分かりそうやけど」

「冗談じゃない」

瞬がじろりと佳江を睨んだ。

「大学なんか持ち込んだらそのまま戻ってこないに決まってるだろ。研究材料なんかにされて切り刻まれたりしたらどうすんだよ」

続報が入れられない理由はこれだ。瞬が研究機関に持ち込むことを頑なに拒否するのである。

「人間の言葉が分かるような知能の高いもの、切り刻んだりせんと思うけどねえ」

「どっちにしたって取り上げられるのは一緒だよ」

ピリリリ、と携帯の呼び出し音が鳴った。瞬のだ。

「もしもし」

携帯を取った瞬の視線が足元のフェイクに落ちる。またか、と佳江はその様子を眺めた。

最初に瞬の父親の携帯番号でコンタクトを取ったフェイクは、その回線を瞬に繋がるものだと認識したらしい。たまにこうしてフェイクからコンタクトを取る。逆に敏郎の番号で瞬からフェイクへ掛けることも可能だ。

「ああ、何でもないよ。佳江がお前を大学に持ってこうなんて言うからさ……」

瞬と佳江が言い合っている気配を察してコンタクトしてきたのだろう。目も耳もないのに、フェイクはそうした気配に非常に聡い。

「大丈夫だよ、俺がそんなことさせないから。お前は俺の家族だもんな」

瞬の言う家族という言葉に佳江は居心地悪く身じろぎした。家族という言葉の使いどころを間違っていると思うのは自分の勝手な思い込みだろうか。

拾った以上フェイクを保護するのは当然のことだし、佳江も拾わせた以上それに異存はない。しかし敏郎が亡くなって間もない今、瞬が敏郎と同じ括りにフェイクを入れることには違和感を拭えなかった。

家族にしたがっちゅうだけやないが？

内心思っていることは素直に口には出せない。それを言ったら多分瞬は怒る。多分取り返しが付かなくなる——。

「ほら佳江、お前も謝れよ。フェイクが不安になってるから」

佳江は差し出された携帯を受け取って、耳に当てた。機械で合成したような声がスピーカーから流れてくる。

『佳江・ハ・連レテイク・ふぇいく・ヲ・連行・スル・カ？　university・大学・文部科学省・機関』

わずかな期間で、フェイクの言葉は飛躍的に上達した。文法はめちゃくちゃだが、意思疎通に問題はない。最初は単語をただ羅列するだけだったが、二語文・三語文を超えるのはあっという間だった。

自分がフェイクと呼ばれているのも早い段階で認識し、逆に瞬と佳江の名前も覚えた。

そもそもが、語彙は信じられないほど最初から豊富だった。外国語はもとより日本語ですら、瞬や佳江が理解し難い難解なものを使うことがある。特殊な専門用語から古語まで、その範囲は幅広い。

佳江はフェイクに笑いかけた。目も耳もないが、雰囲気には聡いので無意味な行為ではない。

「――あんたが嫌なら、せんわえ」

でも。その続きは言えない。瞬が聞いているところでは。

――あんたは、それでえいが？　このまま、瞬に飼われちょって、えいが？

フェイクの知能は信じがたいほど高い。――恐らく今の段階ですら一高校生のレベルを遥かに超える。

ただ、それを正しく導いてやれないのだ。瞬や佳江では。

高度な知能のある異生物と遭遇した場合、どうするのが一番いいのか。

そんなことは佳江にも分からない。けれど、高校生が犬や猫を拾って大事に飼っておくようにするのは、多分間違っている。――その生物にとって、一番間違っている。

そして、瞬にとってもそれは間違っているような気がした。

フェイクを猫かわいがりして、家族とまで呼んでのめり込む瞬は、フェイクとの関係の一番始めを大きく踏み外しているのではないか。佳江にはそう思われてならない。

結局、何も言えずに佳江は携帯を瞬に返した。

瞬はフェイクと少し言葉を交わして、それから携帯を切った。そして佳江に向き直る。

「そんで、どうしてフェイクが水棲じゃないんじゃないかって思ったかって言うとさ……」

言いつつ瞬は、フェイクを抱え上げた。最初、触るのが嫌だとぶつぶつ文句を言っていた奴と同一人物とは思えない。

「ほら、乾いても表面が全然干からびてこないだろ？」

佳江もフェイクの表面を見つめた。確かに水は完全に切れている状態だが、クラゲや貝などのように干からびて傷んだ感じはない。滑らかな感触を保っている。

「海に落ちてたのはたまたまで、元は陸棲じゃないかと思うんだ」

「そういうことも、フェイクが自分で喋ってくれたらえいがやけどねえ」

フェイクの話す内容にはフェイク自身のことは欠落している。

瞬や佳江の話すことはよく理解するし、コミュニケーションも密に取れるが、フェイク自身の生態について訊くと返事は沈黙一辺倒だ。

最初に大騒ぎしたのが餌の問題で、魚の切り身や釣りの生き餌、プランクトンのようなものまで与えてみたが、フェイクは一向に摂取しようとしなかったのだ。いろいろ問い詰めた結果、「空腹という概念を持たない」というような返事が返ってきた。

とにかく物を食べないということは分かったが、体内に永久機関でも持っていない限り生命維持のための何らかのエネルギーは必要なはずだ。

ところが、フェイク自身は「大丈夫」という意味の語彙を連発するだけで、何がどう大丈夫か説明しない。現状として生存に不具合が出ていないから大丈夫であると状態を報告しているだけで、フェイク自身にもどういう原理で「大丈夫」な状態が持続されているのかはまったく分かっていない様子だった。いつ調子が変わって衰弱しはじめるか二人ではらはらさせられたものである。

これを解決してくれたのは宮じいだ。フェイクを見せるとさすがに驚いていたが、食べないのに死なないと言うと、あっさり正解を言い当てた。

それはあれじゃろう、アオノリと一緒じゃろう——言われてようやく気がついた。光合成だ。そういえば、フェイクは放っておくと太陽の光の当たる窓辺に移動する癖があった。

手元に置いておいても差し当たり、フェイクの生存に影響はない。

それが、もしかしたら瞬とフェイクにとっては良くなかったのかもしれない。

佳江はそんなふうに思うようになっていた。


夕方、佳江が母親に買い物を頼まれて自転車を走らせていると、後ろから軽いクラクションが聞こえた。

振り返ると、軽トラックの荷台に舟を積んだ宮じいだった。

「佳江坊、今帰りかよ」

「うん、ちょっとスーパー行くけどね」

するると、宮じいは車を路肩に寄せて停まった。

「ちょうど良かったわ、今からおまんらのとこに行くつもりやったがよ」

言いつつ荷台に回り、積んである獲物の籠に手をかける。

「そろそろウナギが餌食むようになってのう。おまんと瞬のところに分けちゃろうと思うてよ。まだまだ細いけんど、まあ初物やきのう」

「わあ、ラッキー！」

佳江が頼まれた買い物は夕食にする魚の切り身だ。ウナギがもらえるならわざわざ魚を買いに行く手間も省ける。

「おまんとこのお母さんは、ウナギはさばける人やったのう。瞬の分も渡しちょくき、一緒に料（りょう）っちゃってくれるか」

宮じいがビニールの袋にくねるウナギをいとも簡単に四、五匹移す。一人一匹、気前がいいのはいつものことだ。

「瞬は最近どうしよらあよ」

「うん──……」

佳江は少し口ごもった。

「元気よ。元気やけど」

「あんまりようないか」

宮じいは佳江が口を濁した部分を率直に突いた。佳江も、突いてほしくて濁している。

「あんまり、ようないね。すごい不自然」

難しい言葉を使うのう、と宮じいが呟（つぶや）く。

敏郎の葬儀の日からまだ二ヶ月も経っていない。それなのに、瞬はまるで父親の死を忘れたようにフェイクのことではしゃぎっぱなしだ。

あり得ない、と思う。

離れて暮らしてはいたが瞬は大のお父さん子で、父親が四国沖の訓練空域を飛ぶというだけで、見えもしないジェットの音を聞くために浜へわざわざ出かけていくほどだったのだ。携帯電話だって父親と連絡が取りやすいという理由で随分早くから持っていた。斉木親子はそれはそれは仲が良かったのだ。

いつまでも塞いでいろという訳ではないが、まるで敏郎のこと自体を忘れているかのようなはしゃぎ方は、佳江にはひどく不自然に感じられる。

「あの――フェークとかいうあれか」

宮じいは言いにくそうにフェイクの名前を発音した。

「もう夢中やね。――あたしなんか、要らんみたい」

瞬とフェイクは二者だけで完結している。――否。瞬がフェイクと自分の間に他者の介入を認めていないのだ。

フェイクを大学に連れていこうと言っただけで、あれほど頑なになるのもそうだ。佳江のこともフェイクの話ができるという以外の価値はないのだろう。フェイクが来て以来、瞬は佳江にも随分そっけなくなった。

敏郎のことさえ忘れたような雰囲気なのだから、佳江に至っては当たり前とも言えるが。

「フェイクで、ムリヤリ隙間を埋めゆうみたい」

そんなことを言ったら、瞬は怒るのだろうが。

「辛いことがあったときに別のことに夢中になるがは、他の人でもよう聞く話ぜよ」

でも、フェイクは喋るがで。――それは宮じいにも内緒だから、佳江は口を閉ざした。

犬や猫と同じじゃない。人語を解し、意思がある。

その意思を今は瞬が縛っている。瞬のところにいれば安全だとそれ以外の選択肢を教えないことによって。

フェイクの知能が今のままで留まっているとは思えない。初期段階で一般的な成人レベルを遥かに超えるであろう語彙を持っていたのだ。その語彙をどこでどうやって手に入れたのかは分からないが、とにかくその豊富な語彙に応じた知能の発達を見せるだろう。言葉を今くらい操るようになるまで、正味二ヶ月もかかっていないのだ。

じきにフェイクは瞬や佳江の対処能力を超える。今までのように、犬や猫を大事にこっそり飼っておくようなわけにはいかなくなるだろう。

少なくとも、フェイクが順調に発達したら、人間社会に対する概念を教える必要が出てくる。そんなご大層な教育が自分たちに適切にできるとは思えない。

そもそもその頃には、フェイクの知能のほうが上になっている可能性もあるのだ。

もっと切実な問題もある。もしフェイクが病気になったら？　二人ではどうにもできない。パニック状態で研究機関に持ち込んで、それこそ一番悪い形でフェイクを引き渡すことになるだろう。

引き渡したところで、生態が分かっていなければ治療はできない。手遅れになってフェイクを死なせるかもしれない。

考えるほどに、現実では『E.T.』のような話は起こらないのだと思い知る。社会の主役はやっぱり大人で、子供にできることはわずかだ。

自分たちは子供だ。——ただし、自分で何でもできると思っていられるほどは子供じゃない。

だから、考える。

一番いいのは多分、信頼できる大人を介して、然るべき団体から託す形で研究機関に預けることだ。——例えば、佳江たちの通う高校から託すとか。話の分かる教師には何人か心当たりがあるし、そこから学校全体のイベントとして議題に持ち上げてもらえれば——

　こんなことなら、瞬だって本当は分かっているに違いないのに。あの聡明（そうめい）な瞬が、佳江でも思いつくようなことに気づかないわけがないのに。

　わざと気づかないふりをしている。

「このままじゃいかんがよ。瞬は間違（まちご）うちゅう」

佳江は訴えるようにそう呟いた。瞬には言えないことを、王様の耳はロバの耳と言うように。

言えない自分も、本当は間違っている。

「人間とゆうがは、自分の聞きたい理屈しか聞かんもんやきのう」

　宮じいがのんびりとした口調で言った。

「けんど、瞬はかしこい子やき、聞きたい理屈と聞かないかん理屈が違うことは分かっちゅうろう。今はよう聞かんがよ。けんど、一生聞かれん子でもないろう」

佳江はこくりと頷（うなず）いた。

詳しい事情を聞こうとしない宮じいの懐の深さがありがたかった。

佳江は、あんなことさえ言わなければ完璧なのにな——

瞬は居間の仏壇の鈴を一つ鳴らした。線香を上げて手を合わせる。朝夕に線香を上げるのは祖父が生きていた頃からの習慣で、祖父が亡くなった今でも自然と瞬はその習慣を引き継いでいた。祖父の存命当時からの変化と言えば、祖父と父の位牌が二つ増えたことくらいだ。

習慣と化しているので、その所作に特別な思い入れはない。仏壇はただ家の中にあるもので、位牌もただ仏壇の中にあるものだ。

そして仏壇は拝むものだ。ただそれだけ。特別に信心深くもない高校生男子なら毎日の線香の習慣を引き継いでいるだけで上等としたものだろう。

佳江がフェイクを大学に、と言い出したのは一度や二度ではない。話の節々から、隙あらばそういう提案をしようとする。強硬に連れていけと迫りはしないが、些細なきっかけからでもそうしたことを示唆しようとするのは瞬にとっては鬱陶しい。

「お前は俺の家族なのにな」

瞬はそばにうずくまっているフェイクを撫でた。ひんやりとした弾力のある感触が手のひらに心地良い。

瞬のそばからいなくならないフェイクは完璧なのに。

完璧な家族を引き離すような提案を平気でできる佳江が、瞬には不可解だった。

佳江だってけっこう完璧なのに。どうして分かってくれないのか。

小さい頃、父に連れられて祖父のこの家に遊びにくると佳江は必ずいた。玄関を開けると、祖父より先に当たり前みたいな顔で出てきて「お帰り」と——祖父の家での休暇は、佳江と顔を合わすことが始まりだった。

田舎で遊ぶ要領の分からない瞬をさんざっぱらに引っ張り回して、恐い思いもやばい思いもたくさんさせられ、でも瞬が遊びたいときや暇なときや心細いとき必ず佳江は一緒にいたのだ（もっぱら二人で道に迷うなど佳江が原因のときが多かったが）。

理由はどうあれ、瞬がいてほしいと思うときにそこにいるのはかなりポイントが高い。今はもう、佳江がいなくて不安になったりするような子供っぽいことはないが、子供の頃は佳江を頼りにする場面も多々あったのだ。

佳江がきょうだいだったらいいのにと思ったことも一度や二度ではない。

こんなきょうだいがいつも家にいたら、父の帰りを待つ一人の家で寂しかったり恐かったりつまらなかったりすることもないのに。そんなことを思ったり。

佳江ちゃんをお姉ちゃんにもらって。

休みの終わりに迎えにきた父に駄々を捏ねたのは、初めて祖父の家に預けられた小学校一年の夏休みだっただろうか。それとも冬休みだっただろうか。そうそう、まだ佳江を佳江ちゃんなんて殊勝に呼んでいて。

佳江ちゃんには、佳江ちゃんのお父さんとお母さんがおるろう。

瞬が取ってしもうたら、佳江ちゃんのお父さんとお母さんが悲しいろう。お父さんも瞬がよその家に取られたら悲しいき、佳江ちゃんのことはようもらわん。

大真面目に話す父の大真面目な顔をよく覚えている。その理屈に妙に納得させられて、ああそれだったらしょうがないな、と諦めたのも覚えている。

今だって佳江はかなり完璧なのだ。そもそもフェイクを瞬の家に連れてきたのは佳江だし、瞬がフェイクのことを相談したいときはいつでも相談できるし、とにかく瞬が必要なときには大概いつでも佳江がいる。

せっかくこれだけ完璧なのに、どうしてあんな興ざめなことを言うのだろう——あんなことを言う限り、佳江は本当に完璧にはなれない。

「……寂しいってことが分からないのかな」

親が生きているから。どこにも行かない家族がいるから。もし出かけていたって家で待っていれば必ず家へ帰ってくる家族がいるから。だからきっと分からないのだ。

それがないということが、どういうことなのか。

だから、瞬がやっと見つけた完璧な家族を平気で引き離すようなことを言う。

仕方がない。恵まれている奴は、恵まれているものについてひどく無神経なものなのだ。

ピリリリ、と携帯が鳴った。液晶の着信表示にはフェイクの名前が出る。

『瞬・と・佳江・と・喧嘩・諍う・した・か』

『諍う・不可・良い・でない』

「ああ、お前はホントに聡いね。大丈夫だよ」

瞬は携帯に返事をしながらフェイクを撫でた。

「仕方ないさ。佳江は恵まれてるんだから。恵まれてる奴はたまに鈍感で無神経だけど、悪気があるわけじゃないからね」

大丈夫だよ、許してやるから。

ここにいない佳江を揶揄するように、瞬は携帯に向かって呟いた。

＊

着陸コースへの第一進入地点（イニシャル・ポイント）に差しかかると、数km先の地表に基地の滑走路が見えた。今日は晴天のお陰で視程が良い。

先行する一番機のコクピットで、編隊長が指を三本立てた。光稀もそのジェスチャーをそのまま後続機へ送る。

滑走路直上（ピッチ・ポイント）で編隊長機から順に左旋回で編隊を解除。三秒間隔で旋回点をずらしつつダウンウィンド・レグに入る。昔はここで舵をみっともなくバタくらせたりもしたが、さすがにもうそんなことはない。他の僚機と同じく、一度で舵を決めつつベース・レグ、ファイナル・レグと場周経路を旋回降下していく。

編隊長機が着陸し、その三秒後に二番機の光稀も着陸。背面のエアブレーキを立てつつ主脚（メインギア）を接地、接地後も機首上げ（12度）姿勢を保って減速する。首脚（ノーズギア）を滑走路に落とすのは、機速が充分に落ちてからだ。

わずか三秒間隔の着陸だが、機動性の高い戦闘機には充分の間隔だ。着陸後の地上走行（タキシング）も、機間に適正距離を保っている。

滑走路上をタキシングする途中、編隊長機から通信が入った。三沢（みさわ）基地から赴任して斉木の後を引き継いだ編隊長は、斉木の同期で学生時代からの友人でもあった須藤（すどう）三佐である。

「武田、お前さんの恋人がまた来てるぞ」

ぎょっとして列線場(エプロン)のほうを見ると、基地内には似つかわしくないスーツ姿が滑走路の側で手を振っている。

――またあの男はっ！　光稀は思わず歯軋(はぎし)りした。

「あんな恋人作った覚えはありません！　あり得ない事実を捏造(ねつぞう)しないでください！」

「そう嫌ってやらんでもいいだろ、毎日通い詰めてなかなか熱心じゃないか」

「迷惑ですっ！」

無線には入ってこないが、後続の僚機パイロットが爆笑していることは容易に想像が付く。

光稀はコクピットの中から春名高巳を睨(にら)みつけた。距離が遠くて睨まれたと分からないのか、春名高巳はやっぱり能天気な笑顔のままで手を振り続けていた。

地上誘導員の誘導に従って機を所定のスポットへ収め、ステップから飛び降りるように地上へ降りた光稀は、高巳を指差しながら怒鳴った。

「誰かこいつをつまみ出せッ！」

「うっわー、ご挨拶(あいさつ)」

歩み寄ってきた高巳が大仰に首をすくめる。

「大体どうして部外者をこんなところまで立ち入らせてるんだ！　関係者以外は立ち入り禁止だろうが！」

腹式呼吸で叩き出す腰の据わった怒声に、地上作業員たちは一向にこたえる様子はない。

「だってその人、MHIの人だろ？　メーカーさんは関係者じゃん」

「今は日本航空機設計の籍だろうっ！　空自に日航設計の機体はないっ！」

「でも通行証付けてるしねえ」

「あーもう」

高巳が見かねたように割って入った。

「ほらほら、毎度おんなじネタで突っかかったってからかわれるだけだって学習しなよ。頭が固いんだから、ホントに」

「元凶が賢しげに言うなあッ！」

作業員たちと別の方向で笑い声が上がった。機から降りた須藤三佐以下、飛行隊のメンバーである。

須藤三佐が光稀の頭越しに高巳に声をかける。

「技師さんはしばらくお待ち願いますよ、今からデブリーフィングですからな。またいつもの頃合いで迎えに来てくださったらよろしい」

「勝手に私の予定を決めないでくださいっ！」

光稀の抗議はほとんど悲鳴だ。だが、誰もそれに頓着しない。

高巳が基地へ日参しはじめてから三週間、光稀以外の関係者はすっかり高巳と親交を深めてしまっていた。

外堀を埋められているようで、光稀にとっては忌々しいことである。

「そろそろ事故のこと話してくれる気になった？」

きっかりデブリーフィング終了のタイミングに合わせて光稀を捕獲に来た高巳が、光稀の隣を歩きながら話しかける。振り切ろうと早足になるが、相手のほうが足が長い。

長い廊下にせわしない二人の足音が響く。

「いやだ」

最初は話すことなど何もないと言い張っていたのだが、もうそれを繰り返すのもかったるく、いやだと短い言い回しに流れてしまっている。話すことはあるのだが話すのはいやだ、というニュアンスにさせられてしまっている辺り、もう高巳の術中にはまっているのかもしれない。

「どうしたら喋る気になってくれる？」

「どうされたってそんな気にはならない！」

半ば意地のように言い張るのもこの三週間繰り返される日課だ。そして高巳は苦笑いでそれを受け流す──

だが、今日は様子が違った。

「頼むよ」

光稀はハッとして足を止めた。高巳が光稀の手首を摑んで引き止めたのだ。最初の日、光稀に手首を捻り上げられてからは、用心深く一度も光稀に触れたことはなかったのに。

「──離せ」

「また捻る？」

高巳が訊き返す。少し困ったような笑顔で。──そういう訊き方は、ずるい。

光稀は高巳のほうへ首を振り向けて「お望みならな」と睨んだ。

「じゃ、望まないから捻んないで。話聞いてくれないか」

もう時間がないんだ。高巳は、光稀が初めて見る深刻な顔でそう言った。

食堂は人目があるから外した。高巳が通いはじめてから、二人が連れ立っている図は隊内の絶好のからかいの的になっている。

メインの歩道からは少し外れた裏手の道で、まるで高校生の呼び出しか何かのようだ。

「もうちょっと待つつもりだったんだけど、宮仕えの悲しさでね」

高巳は申し訳なさそうに笑って話しはじめた。

「成果が出ないんならこれ以上の出張は認められないって期限切られちゃって」

毎日毎日当たり前のように通ってくるから忘れていたが、高巳はこの辺に住んでいるのではなかった。

「スワローのことはどれだけ知ってる？」

高巳が自分の関わっているその機体について話すのは初めてだった。何故だか答える義務があるような気がして、光稀は答えた。

「二〇〇五年から開発が始まった日本初の超音速小型輸送機。超音速小型の仕様はボーイング等大手航空機メーカーとの競合を避けたもの。――今年一月、完成した試作機が四国沖で試験飛行中に大破。原因は不明」

「それに一つ付け加えて。YS11以来、実に二十数年ぶりの日本独自の民間機開発計画」

高巳がまっすぐに光稀を見つめる。

「――これが頓挫したら今後日本が民間機を作る公的計画はもう立ち上がらない。少なくとも、日本が世界のシェアに食い込もうとする積極的な開発は」

重大な秘密を聞かされたようで、光稀はごくりと唾を飲んだ。本当は秘密でも何でもなくて、航空業界の一端に関わっている者なら誰でもおぼろげに察していることだ。

だが、実際にそのプロジェクトに関わっている者から聞くと、悲観的な予想が完全に裏付けられるようで胸が重い。

「すごく正直なところを言うとね、日本の航空産業ってもう頭打ちなんだよ」

高巳は自分の業界をあっさりとそう切った。

「MHI、KHI、FHI、SHI、NHI。メーカーだけは五社もそろってるけど、航空機の国内受注は実質、防衛省の軍用機だけ。何年かに一度の受注を五社で分け合って、ようやく糊口を凌いでるってのが現状。それも、わざわざ金のかかるライセンス生産や新規開発にする必要はない、アメリカから高性能の飛行機を買うほうが安いって批判といつも背中合わせでね。国民の皆様の批判を浴びながら気兼ねしいしい、やっとの思いで作らせてもらってるわけ」

いいものを作るという基本理念よりも先に、戦う壁がある。予算を出すに足ると関係各所を納得させねばならない以上、一度プロジェクトが立ち上がるとなると、どうしてもそれは予算獲得のＰＲのために誇大広告並みのオールマイティな仕様を喧伝しなくてはならなくなる。

後で仕様の実現が厳しくなり、当初の仕様とはかけ離れた半端な機体ができあがってしまうことが目に見えていたとしても、そうした夢のような仕様を提出しないことには現状では予算が下りないのだ。

そのうえ開発の機会そのものが少ないために、開発陣も一度の計画であれもこれもと新技術を試したがる側面があり、ますます開発はバランスを欠いてキワモノじみていく。

更に、そうしてプロジェクト立ち上げでもたついている間に設計中の機体自体が時代遅れになってしまうこともよくある悲劇だ。

かつての対潜哨戒機ＰＳ１などもその犠牲となった機体として代表的だ。完成だけはさせたものの、限りなく失敗に近い結果に終わっている。

とにもかくにも、日本の航空機開発を取り巻く状況は明るくない。

「航空技術については日本は未だ戦後だと言われてる——のは、君も知ってるはずだ」

戦後、航空機の開発に厳しい制約を受けていたため、日本の航空機開発技術は世界に大きく立ち遅れている。その技術間隙を埋める国産機開発プロジェクトとして期待されたＦＳＸ——現Ｆ２も米国の横槍で日米共同開発とされ、満足な開発ノウハウは得られずに終わった。計画に関わった人々には未だに遺恨の種である。それももはや生産打ち切りだ。

「それでも軍用機なら最終的には絶対に防衛省がお買い上げしてくれる。どれほど無駄で高く付く機体になったとしてもね。だけど民間機だとそうは行かない。開発費用は特殊法人として国の補助を受けるとしても、作った機体は民間エアラインに売り込まないと利益が発生しない。それで失敗したのがＹＳ11だ。日本初の民間機開発として背負った期待は大きかったものの、最終的には売り込みに失敗したり政治的な問題が絡んだりで、赤字大散財で幕を閉じた」

「――でも、いい機体だ」

光稀は反駁（はんばく）するように口を挟んだ。

低翼の両肩に大きなターボプロップ双発の形状が独特なＹＳ11は、自衛隊でもまだ十数機が稼動中である。古い機体ではあるが、丈夫で使い勝手がいい。――亡くなった斉木もひいきにしていた。昔の大阪―高知のエアラインに使われており、思い入れがあったという。

「経営上の収支は機体の出来に必ずしも比例しないものだからね」

高巳は苦笑しながら言った。

「ＹＳが失敗してから、経産省も国土交通省も民間機の開発にはめっきり及び腰になってね。業を煮やしてメーカー単独で小型機を開発しようとした例もあるし、機体は完成させたものの世界シェアには食い込めなかった」

高巳が言っているのは、彼の出向元であるＭＨＩの話だろう。業界第一位のＭＨＩですら、単独で世界シェアに切り込むには体力が足りない。

「スワローは、そんな逆風の中で奇跡的に立ち上がったプロジェクトなんだ」

まるで宝物を見せるように、大切そうに発音された『奇跡』という言葉。航空業界にとって、それは近来まれに見る奇跡だったのだろう。

「それが試験機を作ったこの最終段階へ来て原因不明の事故だ。特殊法人の常で、日航設計は毎回予算審議で大揉めしながら赤字重ねてギリギリのとこで経営を回してる。正直なところ、ここに来ての事故は痛い。試作機が失われた金銭的損失も痛いけどそれより痛いのはメーカーとしての信用の損失だ。事故から三ヶ月も経ってまだ原因すら摑めてない。それ見ろやっぱり日本に超音速機の完全自主開発なんか無理だったんだ、予算の無駄遣いだってね。そりゃもう、反対派の批判も脂が乗りまくりで」

スワローの開発が報じられたとき、純粋にわくわくした。

日本が完全国産の民間機、それも超音速ジェットに着手するなんて、航空ファンなら誰もが心躍らせて聞いたニュースだ。光稀だって例外ではない。

それが、失敗として幕を閉じる。

「――スワローは終わるのか？」

思わず問いかけると、高巳は困ったように笑った。

「このままだと、多分」

高巳がどう攻めてくるか想像が付いた。

「スワローの事故をきちんと解明できなかったら、このプロジェクトは終わる」

ああ、ずるい。――そんなふうに攻められたら、まるで。

スワローの命運を光稀が握っているようだ。

「俺は、いやなんだ」

高巳がわずかに眉根を寄せた。

「このまま、日本が航空機を作れなくなるのはいやなんだ。ここでスワローがぽしゃったら、もう俺が現役の間には民間機のプロジェクトなんか立ち上がらない。今までみたいに防衛省の受注を分け合うだけじゃ、いつまで経っても中途半端な飛行機作ってるだけだ」

高巳には珍しく、声に焦りと苛立ちがにじむ。彼がスワローにどれだけの思いを持っているのか、その声だけで分かるような。

高巳だけではない。きっと航空業界の誰もが抱いている焦燥だ。業界どころかそれを見守る航空ファンさえも。

「ボーイングとエアバスは強敵だけど、どこかのタイミングで民間シェアに参入しないと技術の差は埋まらない。今が追いつく最後のチャンスだ。今追いつかないと、そのうち日本人が飛ぶには外国の飛行機買うしかないってことになる」

俺は、まだ設計の根幹には触れもしないぺーぺーだけど——それでも、やっぱりこの現状は憂えるよ。

そう結んで、高巳は光稀をまっすぐ見つめた。

「だから、君の話が聞きたい。同じ空域で起こって、同じように未だ原因不明の事故を間近で見た君の話をだ」

この男もやっぱり飛行機が好きなのだ。飛行機が好きでパイロットになった光稀と同じように。それがよく分かって、――分かるだけに光稀はふてくされた。

「どうして――そんな話、今さらするんだ」

そんな、聞いてしまったらすげなくできないような話を。最初から言っていれば光稀だって揺らがずにはいられないその理由を、どうして最初に話さない。

最初に話さなかったのに、何で今さら。

高巳は苦笑した。

「だって、卑怯だろ。君が無視できないって分かってるのにこんなカード切るのはさ」

正に光稀がそう言って責めようとしていたことを先に言われて、返す言葉がなくなる。

「本当は、君が言ってくれる気になるまで待ちたかった。ごめんな」

「謝るな!」

光稀は噛みつくように怒鳴った。

それから、低い声で吐き出す。

「このうえ謝られたら、私がすごく狭量で嫌な奴みたいだろうっ」

私だって飛行機は好きなのに――光稀は唇を噛んだ。高巳に度量でひどく負けているような気がした。

「一つだけ条件がある」

そう言って光稀は高巳を睨んだ。睨む以外にどうしたらいいのか分からない。

「私を疑うな。何があっても、絶対、――信じろ」

高巳は、少しびっくりしたように光稀を見つめた。――それから。

「誓うよ」

厳かに宣誓して左手を挙げる。

それでもやっぱり、光稀は高巳を睨みつけていた。

睨むのをやめてしまったら、次にどんな顔になってしまうか分かっているから。

「お前を事故空域に連れていく。話は現場を見てからだ。それまでに一度でも私を疑ったら、もう何も話さない。絶対に！」

懸命に睨みつけているのに、高巳は一向に恐れ入った顔をしない。穏やかに微笑んでいる。

やがて。

「――ありがとう」

高巳がそう言って、光稀の頭を撫でた。まるで子供にいい子いい子をするみたいに。

「スワローが生き残れるとしたら、君のお陰だ」

気安く人の頭に触るな。いつもならそう怒鳴りつけて手を払いのけるところだが、そのときは何故かそうする気にならなかった。

事故空域の視察に使われるのは、F15DJになった。光稀の日頃の乗機はF15Jだが、高巳を連れていくなら複座のDJが要る。

　事故調査の名目で高巳のＦ15ＤＪへの同乗許可はすでに航空幕僚長から下りていたし、それに伴う高巳への航空生理講義や訓練も完了していた。光稀は意地もあって高巳の行動をあまり関知していなかったが、この三週間をただ待つために使ったわけでもなかったらしい。

　戦闘機の必要最低限の与圧で民間人を高高度へ連れ出す問題については、高巳に専用の与圧服を着用させることで解決が付いた。Ｆ15が偵察機に改修される計画が立ち上がった当初から用意されていた専用与圧服は、高巳が初めて袖を通すことになった。

　ＤＪの使用許可と飛行申請を須藤三佐に伝えると、三佐はデスクで高笑いした。

「四週間目にして落ちたか。随分お高く止まったな、武田」

「私が協力しないとスワローが終わると脅迫されましたので」

　四角四面にそう答えると、須藤が真面目な表情になった。

「そうか、スワローはそこまで煮詰まってるか。春名君も焦ってただろうにな」

　それでも三週間、光稀を待ったのだということをその言葉で再認識させられる。

　それだけ光稀の気持ちを尊重しようとしたことが却って歯がゆい。

「まあ、それで日航設計さんの気が済むなら現場を見せてやれ」

　言いつつ須藤は光稀の提出した申請書に判を押した。天気予報とＤＪの空きを鑑みて、申請した飛行期日は明後日、四月二十四日だ。

「武田」

　一礼して退出しようとする光稀を、須藤が呼び止めた。

「斉木三佐から、お前の話を聞いたことがある」

まだ、斉木の名前を無心では聞けない。光稀は緊張の面持ちを作った。

「とびきり目のいい娘が隊に入ってきたってな。技術はまだまだ荒削りだが、とにかくあれは鷹（たか）の目だと何度も言ってたぞ。――あの斉木のお墨付きだ、お前の目は」

一瞬、目頭が熱くなった。

光稀は敬礼して、踵（きびす）を返した。

一緒に働いてる奴は、誰が使えて使えないかちゃんと知ってる――初めて会ったときに高巳に言われたことを思い出した。

光稀が見たと言い張った「異常」を、仲間は誰も否定しなかった。

光稀の同行が許されなかった事故調査で空域異常なしという結果が出ても、光稀を疑った者はいなかったのだ。奴が言うならとにかく何かが起こったのだろうという暗黙の空気があり、精神鑑定まで受けさせられたのにそれを揶揄（やゆ）する言葉はなかった。

バカで下品でどうしようもない奴らだ。しかし、仲間としては最上だということを今さら高巳に教えられたような気がした。

＊

光稀の指示した出発時間は午前十時。高巳は三十分前にエプロンに向かった。

ツナギになった専用与圧服に、上半身には救命胴衣とハーネスを着け、下半身は耐Gスーツを着けている。与圧服がかさばるうえに装着手順が複雑で、光稀と同じ隊のパイロットに手を借りながらの着替えだった。

あいつの操縦、荒いから気をつけろよ。

同情するような声音で言われたのが恐い。気をつけろと言ってもどう気をつければいいのか。

取り敢えず、光稀に命令された通り、朝飯は早い時間に量を軽めに取ってきたが。

エプロンには、高巳が乗せられることになるらしいF15DJがもう引き出されていた。

これから事故調査に行くのであって、遊覧飛行に行くのではない。スワローでも自衛隊でも犠牲者が出ている。それは分かっているが、それでも高揚する気分を抑えきれない。

「まさか、これに乗れるなんてなー……」

高巳はカウンターシェードに塗装されたF15DJを見上げた。

一般民間人が一線級の戦闘機に乗るには、ロシアの戦闘機体験ツアーにでも数百万円かけて参加するしかない。二百万出せば世界でトップクラスの機動性を誇るSu27にも乗れるらしいが、数十分（下手したら十数分）の体験飛行のためにその金額をはたき出す踏ん切りは薄給にあえぐサラリーマンにはなかなか付かない。

役得、とか言ったら不謹慎かな。そんなことを思っていたとき——

「何をにやにやしてるんだ、だらしのない」

声のほうを振り向くと光稀が仁王立ちしていた。

飛行用の装備は完了しているが、高巳と違ってツナギは与圧服にはなっていない。

高巳は頭を掻きながら答えた。

「いやー、F15に乗れるんだなーと思うとつい」

「嬉しいのか」

「そりゃあ……戦闘機ファンが嵩じて航空業界行ったようなもんだもん、俺。学生の頃は十八切符で乗り継いでいろんな基地祭行ったよ」

高巳は眩しそうに滑走路を見やった。

「岐阜基地にも一回来たことあるんだ。そのとき、F15の離陸にちょうど名古屋空港の旅客機の上昇が重なって。――旅客機が、空中で止まって見えた。おんなじ時間軸で動いてるなんて思えないような速度差でさ。ああ、何て速いんだろうって――」

もう十年近く前になるが、高巳には鮮明で衝撃的な思い出だった。

何か手厳しい突っ込みが入るだろうなと思ってちらりと光稀のほうを見ると、光稀も名古屋空港の方向を眺めていた。凛々しい横顔に一瞬見とれたとき、その横顔がこちらを向いた。

「見て惚れ惚れするのと実際に乗るのは別問題だ。浮ついた気分でいられると困る」

やはり手厳しい。高巳が苦笑しながら頷くと、光稀が何かの小物を高巳に放った。とっさに受け止めると、四角く折り畳まれたビニール袋である。

「何、これ」

「ゲロ袋だ。吐くときはそれに吐け、機内に吐いたら殺すぞ」

飾りのなさ過ぎる言葉に唖然とする。

「……今どき男でもエチケット袋とか言うよなー」

「文句があるならでかい声で言え」

「いーえ何も」

綺麗な女の子から身も蓋もない言葉が出てくると大抵の男はかなりがっくりする――なんてことは、光稀には検討する価値すら認めてもらえそうにない。

せっかくこんな美人なんだから女らしいとこも見てみたいもんだけど、などとセクハラ寸前のことを考えながらエチケット袋を救命胴衣の胸元に挟み込む。目をつぶっていると光稀との会話は雑な男同士のそれと変わらない。

光稀が飛行前点検で機体の細部をチェックしはじめた。無骨な装備に身を固めたまま、身軽にあちらからこちらへと歩き回る。飛行用の装備は全部着けると男の高巳でさえ負担に感じるほどの窮屈な代物だが、光稀はまったく鬱陶しそうな様子を見せない。もう体の一部になっているのだろう。そうなるためにどれだけ鍛え上げ、そうであり続けるためにどれだけの努力が成されているのか、高巳には想像も付かない。

「……ごめん」

思わず口走ると、光稀が怪訝な顔で高巳を振り向いた。何が？　とその表情が訊いている。

高巳は笑って首を横に振った。「こっちの話」

女らしいとかそういうことを彼女に期待するのは心得違いもいいところだった。

彼女の価値はそんなところにはないのだ。

搭乗するとき、うっかり翼の歩行禁止部分に足を下ろしかけて光稀に叱り飛ばされたことは余談である。それにしても、「この機体でお前が何人買えると思ってるんだ」とは中々切ないお言葉だったが。

コクピットの中は、思っていたほど狭くはなかった。多少の身動きをする余裕くらいはある。タキシングを始めたときから高巳の興奮は収まらなかった。動いてる、動いてるよと叫んで当たり前だと怒鳴られる。もちろんバカと罵声付きだ。

滑走路の端に機体がたどり着いたとき、管制塔との交信を終えた光稀から通信が入った。

「ちなみにお前、絶叫マシンはどの程度嗜む？」

唐突な質問に、高巳は首を傾げた。

「……長島のスチールドラゴンくらいなら」

「そうか。――じゃあ、これはサービスだ」

にやりと笑った表情が、見えたような気がした。

ドン、と爆発するような加速でいきなり滑走が始まった。体が座面に押しつけられるようなG。気づいたときにはもう離陸している。基地の建物が急速に下へ遠ざかる。真上に駆け昇るような急上昇――そして、

「――――――!!」

上昇しながら機体が連続ロール（スクリュー）した。上下感覚が一瞬で吹っ飛び、今自分が天を向いているのか地を向いているのかさえ分からない。

まるでミキサーに突っ込まれたかのような。

う、わ、これ、は、――思考もハギレになって散らばる。

「どうだ？」

光稀の自慢気な声で回転が止まったことにようやく気づく。下半身のGスーツに空気が充塡（じゅうてん）されて、足が締めつけられていた。これがなかったらあっという間に血流が下がって失神していただろう。

「……いやぁ、もう」

舌がもつれないように慎重に口を開く。

「――最高だね」

せめてもの意地でそう答えたが「でもあんまり連続だと困るけど」と付け加えたほうが本音だった。

＊

四国沖、L空域に出るまで一時間弱。

「ここから、二万メートルの上昇テストに入ったんだ」

光稀があるポイントで大きく旋回を始めた。

「どうする？」

「どうするって……」

「同じ飛行を再現するか、ゆっくり旋回上昇するか」

ごくりと高巳は唾を飲んだ。正直なところを言うとゆっくり昇ってくれるほうがありがたい。だが、最後はどうせズーム上昇になるのだし、それなら事故状況の再現のほうが何かしら発見があるかもしれない。

「……再現一丁、お願いします」

「――いい度胸だ。ほめてやる！」

光稀が言うなり、――骨が軋んだ。

水平方向へ最大加速。そして機首上げ。座席に背中がみしりと沈む。

正面が真上だ。太陽に向かって突っ込んでいくような。

「レーダー見てろッ！　目を閉じるなッ！」

とは、言われても、
高巳はGに逆らってじりじりと首位置を下げた。視線を下に使って、何とかレーダーを視界に収める。

雲の浮かぶ高度はとっくに過ぎた。

「いた！」

いた？　何が？　光稀の言葉の意味を摑みかねて高巳が戸惑ったとき、
レーダー画面の全体が一瞬光った。

同時に機体が背面に入り、反転しながら水平飛行に戻る。

「やっぱりだ、間違いない！　いる！」

光稀が興奮したように叫ぶ。どういう意味なのか分からないが、訊き返すような余裕はない。

ひゅうひゅうと喉が鳴った。酸素はマスクから供給されるが心拍も血圧も乱れ、息が荒くなっていた。

「見たか？」

光稀に訊かれて、高巳はようやく答えた。

「ああ――画面がフラッシュしたな。ＥＣＭか？」

レーダーは他機の機影を輝点で画面上に表示する。画面全体がフラッシュする攪乱方法なら、
電子戦妨害装置によるレーダー攪乱以外あり得ない。

だが、こんな高度で、ＥＣＭを仕掛けてくるような他機の存在があるとは――

「――ＥＣＭじゃない」

光稀はそう言って、一八〇度旋回した。

さっき反転した高度より更に上昇。そろそろ二万メートルに達しただろう。民間機は当然、
戦闘機でも滅多なことでは昇らない高度だ。

あっさり上昇したことを一瞬見逃しかけ、高巳はぎょっとして声を上げた。

「今のは何の魔法だ⁉」

空気が薄く、エンジンが通常の性能を発揮できない高高度では、わずかに高度を上げるにもズーム上昇が必要になる。光稀は今、通常上昇で高度を軽々と千は上げた。

「気づいたか。そうボンクラでもないな」

光稀が笑みを含んだ声で答える。

「この辺一帯の気圧が上がってるんだ。今、地上一気圧とほとんど変わらない」

言われて高巳は、事前に見方を教えられていた気圧計を見た。確かに数値は地上とほとんど変わらない気圧を示している。

与圧がなければ呼吸どころか生存も困難なはずの二万メートルが一気圧など——物理法則が引っくり返るような異常事態だ。

「いつの間に気圧が上がったんだ、急に一気圧になったんなら俺たち今頃生きてないぞ」

薄い空気の中をエンジン全開で上昇している機体が突然そんな高密度の空気に行き当たったら、それは何の前触れもなく衝撃波の中に突っ込むのと同じだ。

「いきなり空気の高密度面があったら見える。光の屈折率が変わるからな」

当たり前のような光稀の断言はうっかり自分を基準にしたらしい。凄まじい速さで流れ去る視界の中で、気圧面の変化に気づける視力の持ち主はそうはいない。

「数千メートル下からなだらかに気圧が上がってるんだ。エンジンの吹けも徐々に良くなった。高高度ではあり得ない吹けだ。——斉木三佐も直前に言ってた、吹けが良すぎるって」

直前——彼が爆発四散するその直前か。

「今度は、前を見てろ」

光稀が機位を水平に戻し、さっきの上昇ポイントへ近づく。

突然、激しい重火器の音が機首方向から炸裂した。

光稀が何もない空間に向かってバルカン(M61A1)を放ったのだ。

「うわっ、何いきなり！」

「中身はペイントだ、黙って見とけ！　——ここに、いる、はず、だ！」

力を入れて踏ん張るように叫んだ光稀の声に重ねて——

「な!?」

高巳は驚愕(きょうがく)よりも唖然(あぜん)として声を上げた。

何もない空の中に——ペイントの蛍光塗料が着弾した。

「……んだ、こりゃあ!?」

高巳は窮屈な座席で体を捻(ひね)り、後方を向いた。

後ろへ流れ去る空の中に、やはり一直線にペイントの弾着跡が残っている。

「見たままだ！　何かが空に擬態してるんだ！　三佐はこいつに激突したんだ！　お前たちのスワローも！」

まさか、という言葉を高巳はやっと飲み込んだ。疑わない、絶対信じる。そう約束した。

それにしても、これは——

光稀の駆るDJは弾着跡を見下ろす高度で弾着を中心に旋回円を描いている。数十メートルに渡って引かれた蛍光の猛々しいラインは、機体がかなり離れても視認できた。

そのペイント跡をこの目で見ても俄には信じがたい。報告だけを聞いた幕僚が光稀の錯乱で話を片付けたがった理由が分かった。

「あの日もだ」

光稀の言うのがどの日のことかは聞かずとも分かる。

「三佐が吹けが異常だと言った直後にレーダーが一瞬フラッシュして、前方の空気が何か違うような気がして——避けなきゃいけないような気がしてとっさに上昇中止したら、三佐が……回避の進言も間に合わなかった」

もっと早く注意できてたら——三佐は私にヒントをくれたのに。光稀が沈痛に呟くが、それは無理だろうと高巳は思った。

レーダーを見ていろと言われ、凝視し続けてもフラッシュは一瞬だったのだ。そのうえ光稀の言う違和感など、高巳はどれだけ見ても未だに分からない。

コンタクトが欠かせない高巳の目にも問題があるのは間違いないが、光稀のずば抜けた視力があってこそ気づけたと言うべきだ。

また、光稀は絶対に認めないだろうが、光稀の空戦的な本能が斉木三佐より優れてもいたのだろう。

同じ条件で斉木三佐は気づかず、光稀は気づいた。それがすべてだ。

見えない何かを見抜いたその感覚に自信がなければ自分しか察知していない異常をここまで揺るぎなく信じることはできまい。

二十二、三歳の女性が三尉としてF15に乗るということは、やはりその事実自体が卓越した能力とセンスを証明しているのだ。

高巳は尋ねた。

「大きさ――大きさ、どんぐらいだ？ 君なら見えるだろ」

前席で、光稀の頭が信じられないほど大きく前後左右に動いた。

「目算だけど――多分、数十km四方は……」

ちょっとした市区なみの面積だ。

「もいっこ質問。――これは、一体何だ？」

高巳の重ねた問いに、光稀がキレたように怒鳴った。

「私が知るか！」

「そりゃそうだ。しっかし……こりゃあ、人工物じゃないぞ」

こんな巨大なものをニュースにもならずに打ち上げ、飛ばし続けておくようなテクノロジーは、現時点で人類に存在しない。とてつもないオーバーテクノロジーだ。この空域の気圧異常もこの物体が操作しているとすればなおさらである。

「ん？」

見ているうちに、眼下で空の色が急速に褪せた。

巻雲すら数千メートル下にしか存在せず、水平機位を保ったコクピットからは下を覗かない限りひたすらな青い空間しか望めない。――その、青が。

水色に。水色が更に薄い水色に――やがて、完全な白に。光稀の言った通りの面積がきれいな楕円の地平を描いて、空の中に白く抜き出された。

すげえ。

高巳は呟いたつもりだが、声は出なかった。何というスケールだ、これは。

これが、今まで一度も発見されることなくここにあったのか。民間航路から外れた高高度とは言え。

と、無線の中に突然ノイズが入りはじめた。

『……（ザ）……（ザザッ）デス、（ザーッ）……』

もちろん、管制からの交信ではあり得ない。

「――救難通信の周波で入感してる」

光稀の呟く声はいつもより硬い。痛いような緊張の気配に釣られ、高巳も固唾を飲んだ。

ノイズが徐々にクリアされ、やがて音声が入りはじめる。

『……にちは』

『の、時間です』

『（ピッピッピ……ポーン）皆さんこんにちは。お昼のニュースの時間です』

『こんばんわ。ニュース21』

『Good evening everyone……』

『おはようございます、今日も元気で行ってらっしゃい！』

何だこれは、と光稀が怪訝そうに呟く。

「……ニュース、じゃない？『ニュース21』のオープニングと、さっきの行ってらっしゃいってのは朝の『おはようグッドデイ』じゃないかな」

高巳が全国ネットのニュースのタイトルを挙げると、光稀が苛立ったように声を荒げた。

「そんなことは分かってる！　何でそんなもんが入ってくるんだって話だろう！」

「……混信？」

高巳は自分でも信じていないことを呟いた。

朝昼晩、時間帯の全然違うニュースの放送波が同時に入感するなんて考えられない。過去の重大ニュースの特集か何かだとしても、複数局にわたるニュース番組のオープニングばかりをいくつもまとめて流す構成にはならないだろう。

そもそも、こんな洋上で救難通信の周波数で入感するはずがない。

『函館空港へ強行着陸したミグ25・フォックスバットのパイロット、ビクトル・イワノビチ・ベレンコ空軍中尉は米国への亡命を希望しており』

『ダウ平均は九十八ドル安』

『お子様ランチはただいま旗を切らしております』

『予定を変更致しまして臨時ニュースをお伝えします。米航空宇宙局は本日一日、着陸直前のスペースシャトル「コロンビア」との交信が不能になったことを明らかにしました』

『キューピィ三分クッキング！』

『表側とすかしの図柄は守礼門、裏側の図柄は源氏物語となっています』

『伊勢湾台風の爪跡は……』

通信はますます無秩序を極めていく。

「……なあ。今どっかで『王様のレストラン』再放送してるかどうか知ってる？」

「そんなの、帰ってから調べてみないと……キー局が分かれば問い合わせるが」

「あーうそそ、別にいい、調べなくて」

十年前のトレンディドラマとミグ25亡命事件とコロンビア事故と伊勢湾台風ニュースが同時に再放送していて、朝昼晩のニュースと同時に救難通信に入感するなんて、そんなものすごい偶然があってたまるか。

やがて、明らかに地上の放送波のでたらめな繋ぎ合わせだった通信が機械的な音声に変わりはじめた。

『こんにちは・お昼のニュースの時間です・あなたの・聴覚は・聞こえている・ます・か』

『こんにちは・お昼のニュースの時間です・あなたの・聴覚は・聞こえている・ます・か』

『こんにちは・お昼のニュースの時間です・あなたの・聴覚は・聞こえている・ます・か』

「うわ、何回繰り返す気だ」

高巳は耳障りな機械音声に思わず顔をしかめた。

『私は・あなた・JAPAN FORCE・JASDF・に・話しかけている・ところだ・です』

『私は・あなた・JAPAN FORCE・JASDF・に・話しかけている・ところだ・です』

『あなたの・言語は・Japanese・で・正解だ・です・か？』

『あなたの・言語は・Japanese・で・正解だ・です・か？』

「……どうやら、こっちにコンタクトを取りたいらしいなぁ」

高巳が呟くと、光稀が声を尖らせた。

「誰が、どんな目的で！」

「そんなこたぁ俺に言われてもさ。取り敢えず返事してみたら？　こっちが空自だってことも認識してるみたいだし、ある程度のコミュニケーションは可能な相手だと思うよ」

「何でそんな落ち着いてるんだ、お前は！」

「いやもう、ここまで来たらいちいち驚いてもどうなるわけでもないし」

能天気とか考えなしとか一くさりブツブツ言ってから、光稀は救難通信に応答した。

「こちらは航空自衛隊岐阜基地所属の武田光稀三尉だ。同乗は……」

光稀にジェスチャーで促され、高巳も名乗った。

「日本航空機設計事故調査員、春名高巳です」

「そちらは何者だ？　この通信はどういう意図を以て発信されている？　救難通信への不法な割り込みは電波法違反になるが、自覚の上か？」

その質問に対する答えはなかった。代わりに——

『JAPAN FORCE, Check gear down, Cleared to land, This runway, Wind 260 at 3』

(航空自衛隊へ、ギアが降りているかどうかを確認してください。この滑走路への着陸を許可します。風は二六〇度の方向から三ノットの速さで吹いています)

「管制通信だ、意味は分かるな？」

光稀の問いかけに頷きかけ、高巳は慌てて声に出して答えた。

「何となく」

降りろ、と言っている。

続けて通信が入る。

『滑走路上は・あなたの・離陸・着陸・の・必要十分条件・を・備えている・ます』

『滑走路の・進入方向は・東・九〇度・だ・です』

そして、眼下に広がる白の中に——直線の光が二列、浮かび上がった。

高巳は目前のコンソールを目で探した。計器類から方位計を見つけて確認すると、光は東西の方向にラインを示していた。通信の言った通りに。

光稀は無言で眼下の光の直列を見ている。まるで誘導灯のようなその光は白い表面から直接浮かび上がっている。距離は相当長い。大雑把に見積もって三km以上はあるだろう。

——まさか。

高巳は固唾を飲んで前席の光稀を窺った。

やがて光稀が呟いた。

「二人揃って、何かに化かされてるんじゃなかったらいいけどな」

「……まさか、行くとかおっしゃる？」

「わけの分からん通信に取り敢えず返事してみろとか言った奴の言い草とは思えんな」

「いや、でもさ、通信は取り敢えず実害ないじゃん。でもこれはさすがに命に関わる決断だし、もうちょっと慎重になったほうが」

必死で執り成す高巳に、――光稀がうっすらと微笑む気配がした。

「ここまで来て――行かなきゃ負け犬だろうっ！」

言うなり光稀が、機首を光の直列に合わせるように振り向けた。

「ちょっと待て、早まるなぁっ!! 負け犬けっこう命あっての物種ッ！」

「心配するな！『滑走路』がなくてもこれだけ高度があればエンジン失火（ストール）したって墜落までに立て直せる！」

あいつの操縦、荒いから気をつけろよ。

着替えを手伝ってくれた隊員の言葉が脳裏をよぎった。

操縦が荒いとかいう問題じゃないだろ、これは――判断が雑なんだ！

高巳が宗派も違う十字を思わず切っている間に、光稀は『白いもの』が発生させた誘導灯に向かって降下を始めていた。

第3章　秘密は高度二万に潜む。

高巳（たかみ）が目をつぶっている間に、車輪が何かにこすれる感触が機内に伝わった。

だが、一瞬で車輪は着陸面から離れ、また機体が加速上昇する。

＊

「れ？」

高巳が薄く目を開けると、F15DJは『滑走路』上をフライパスして通常飛行に戻っていた。旋回してまた進入点に戻るコースを取っている。

「やめたの？」

「連続離着陸（タッチ・アンド・ゴー）で試しただけだ、こんなわけの分からんもんにいきなり降りるバカがいるか！」

それならそうと言ってよ、と思ったが、口に出すのはひとまずこらえる。

「で、どうだったの」

「取り敢えず、着陸面はあった。減速してもストールしないし気圧も計器の通りだ」

気圧計の故障という可能性を今更指摘され、高巳はぞっと肝を冷やした。もし二万メートル一気圧の表示が単なる計器の故障だったら——減速した瞬間にストールして存在した着陸面に叩（たた）きつけられているところだ。

実際には光稀は操縦感覚などで計器の信頼性を把握できるのだろうが、告知がまったくないのはさすがに頂けない。

高巳は大きく溜息をついた。

「それにしたって、せめて機長の心積もりくらいはクルーに教えときませんか。君に命預けてんだぜ、死んでも一応恨まないつもりなんだからさ」

と、光稀が少しの間黙り込んだ。

やがて。

「——ごめん」

そう呟いて、また間が空いて「なさい」が小さく付け加えられた。——少しだけ不安そうな色で。

うわ、ずるい。高巳は酸素マスクの中で口をへの字にした。

たまにそんなふうにかわいい。

「……いいよ。預けた」

高巳のいろいろと省略した返事に、光稀が明らかにほっとした気配がした。

今、顔が見たいな——そんなことをちらりと思う。

「着陸面はあったんだろ。行ってみようか、武田機長?」

了解、とそっけなく答えた口調がまた明らかに作っていて、これも一度気がついてしまうとかなりかわいい一面だった。

高高度であるにも拘わらず、減速してもエンジンはやはりストールしない。

白い着陸面が近づく。陰影のない単色の平面は高巳には距離感が把握しづらかったが、光稀の操縦には問題ないらしい。やがて、後輪が着陸面を捉（とら）える感触が機内に伝わった。首脚（ノーズギア）が着陸面に落ちた衝撃は柔らかく飲み込まれた。しかし車輪が面にもつれる感触はない。絶妙の摩擦係数だ。

材質の見当はまったく付かないが、とにかく着陸できたことに高巳はほうっと息をついた。肩の力が抜けてから、それまで異常に肩が強（こわ）ばっていたことに気づく。

「コンクリでもアスファルトでもないな」

機体が停まってから光稀が呟く。やはり着陸面の材質は気になったらしい。

「さすがに降りて確かめる気にはならんしね」

高巳も答えて着陸面を覗（のぞ）き込んだ。気圧が適正とはいえ、高度二万メートルの中に出ていく度胸はさすがにない。そうでなくともこの異常事態である。

光稀もエンジンをカットせずアイドリング状態のままにしている。F15は外部電源なしでもジェット・フュエル・スタータによる再始動が可能だが、何が起こるか分からないこの状態でエンジンを切りたくないのだろう。

謎の通信を受けるために無線の電源を断てないということもある。

と、その通信がまた新たに喋（しゃべ）りだした。

『こんにちは・お昼のニュースの時間です・私は・航空自衛隊岐阜基地所属の武田光稀三尉・と・日本航空機設計事故調査員、春名（はるな）高巳・を・迎え入れます・した』

「……何で絶対『お昼のニュース』って付くんだろうなあ」

「そんなことはどうでもいい、この際！」

一言で高巳の疑問を切り捨てて、光稀が声の調子を毅然とさせた。

「通信の発信元に問う！　貴君の身分と姓名、我々に接触を取る意図を説明せよ！」

見事に核心を突いた光稀の質問に、通信相手からの返答はしばしのタイムラグがあった。

『あなた・たち・航空自衛隊岐阜基地所属の武田光稀三尉・と・&・日本航空機設計事故調査員、春名高巳・は・now・今・現在・私の・上に・いる・stay here・ます』

私の上。――光稀と高巳は、ほとんど同時に風防に顔を寄せて眼下を確認した。

材質の読めない白い表面。遥か彼方に地平線を描く。

「……どーするよ、武田機長」

「……私に訊くなっ」

光稀はむくれた声でそう言ったが、まさかともあり得ないとも言わなかった。

目算で五、六十km四方。その広大な着陸面全体が『私』だと――意思を持った単体であると、通信相手は主張している。

「五十km四方の建造物を高度二万メートルに保持するオーバーテクノロジーと、五十km四方の未確認知的生物と、どっちがトンデモかねー……」

ここまで度の過ぎた非常識事態だとどちらだろうが大して変わらない。現実としてこの物体が高度二万メートルに存在することは事実で、通信相手の言うことが嘘だったとしても後者のトンデモが前者のトンデモになるだけだ。

今さら、どちらに対してまさかと言っても馬鹿馬鹿しい。

『あなた・航空自衛隊岐阜基地所属の武田光稀三尉・は・私と・二度の接触・を・持ちます・した』

一度目は——言うまでもない。

『あなた・航空自衛隊岐阜基地所属の武田光稀三尉・は・います・した』

『小さな・F15・航空機・戦闘機が・私に・下方向から・ぶつかる・た・時』

『ぶつかる・て・壊れる・た・時』

『壊れる・た・F15・航空機・戦闘機の・中の・人が・』

「ちょっと待て！」

たまりかねて高巳は通信の切れ間に口を挟んだ。——光稀は自分からは絶対言わない。

「事実関係なら把握してるから省いて喋れ、わざわざ人の傷口えぐるんじゃねえ」

言葉尻が荒っぽくなるのは人情として仕方がない。

と、通信相手はしばらく黙り込んでから答えた。

『あなたの・言うこと・logic・が・理解不能・分かる・が・できません』

『私は・人・人間の・傷口・怪我の部位・を・えぐる・貫通する・は・している・ません』

「……あいたたた」

　思わず呟いた高巳に、通信相手がまた応じた。

『あいたた・痛いを表す言葉・を・何故・言うます・か』

『あなた・日本航空機設計事故調査員、春名高巳・は・今・傷口・an injury・怪我の部位・を・持っている・ます・か』

「いやいや違う、そうじゃない。――分かった分かった」

『何が・分かる・ました・か』

「あんたが比喩的表現ってものを知らないことが分かった。えーと、どうしようかな」

　迂闊に喋るとさらに光稀の傷口をえぐることになる。かと言って相手の疑問を呼び起こしてしまった以上、このまま放置はできない。

　高巳は考えた末に、光稀に声をかけた。「武田機長、三分だけレシーバー切っといて」――光稀は返事をしなかったが、前席で指二本の敬礼を頭の横へ投げる仕草をした。

　高巳は考え考え喋った。

「あんた、感情はある？」

　返事は『概念として知っているが自分が持ち合わせているとは言い切れない』というようなものだった。少なくとも、人間と同じメンタリティを持ち合わせてはいないだろう。わずかなこの会話からでも、相手に人間的な感情が非常に希薄なことは把握できた。

　高巳は続けた。

「えーと、人間は、そういうものを持ってるんだ。で、それがけっこう大事なんだ。物理的に体を怪我する以外に、感情も怪我をする」

『怪我を・する・体が・二つ・ある・ます・か』

「まあ、そういうようなもんだ。見えない体だけどな」

実際にその理解で合っているかどうか知らないが、概念を正確に導く自信はとてもないのでこのニュアンスでよしとする。

「で、感情の怪我は、怪我の元になった出来事を思い出すと、痛い。これ分かる？」

通信相手はしばらく無言を続け、やがて言った。

『彼・彼女・航空自衛隊岐阜基地所属の武田光稀三尉・は・本年・二月・十二日・の・事故・航空機が私にぶつかる・したこと・で・感情の怪我・を・する・ました・か？』

『私が・本年・二月・十二日・の・事故・航空機が私にぶつかる・したこと・を・確認する・と・彼・彼女・航空自衛隊岐阜基地所属の武田光稀三尉・の・負った・感情の怪我・が・痛いです・か？』

「そうそう、そゆこと」

理解は早い。知能は相当高いようだ。

「で、感情の怪我を刺激するような言動を物理的な怪我になぞらえて『傷口をえぐる』というように表現する。というわけ」

一旦（いったん）は黙り込んで了承したかのような通信相手が、再び問いかけてきた。

『何故・事故で・感情の怪我・を・する・ました・か？』

『航空自衛隊岐阜基地所属の武田光稀三尉・は・事故で・被害を・受けている・ません』

『被害・を・受けていない・のに・痛い・は・矛盾・contradiction・です』

そう来たか、と高巳は苦笑した。自己の生存に関わる利害以外の理由は理解できないらしい。

「被害を受けなかったことが痛いってことがあるんだよ、人間には。そういうもんだってことで納得してくれないかな。あんたが人間と同じメンタリティを持ってない限り理解しづらいと思うし、俺たちには今あまり時間がないしね」

アイドリング状態でも機体は着々と燃料を消費する。帰投時間を考えれば、ここに留まれるのは二、三十分がいいところだろう。

ここまで来て手ぶらで帰れないというのはこちらの都合だが、ある程度の情報を交換したいのは相手も同じはずだ。

通信相手はしばらく考えてから、高巳の提案を受け入れた。

＊

姓名は？（光稀からの質問）
返答――私の名前は存在しない。何故なら私は単一であり、一個しか存在せず、名を交わすべき同じ種類の他を持たない。

我々に接触した目的は？（光稀からの質問）

返答――航空機が私に二回ぶつかった。今までにないことである。他者にぶつかられることは私にとって完全に予測外のことであり、避けることは不可能だった。そしてまた、今後永続的にぶつかられることを常に警戒し続けることは不可能であるため、私は私がここに存在することを説明する必要を感じる。二回ぶつかった航空機の中の人類の生存を終わらしめ、今後も再び終わらせることは私の本意ではない。私はここに静かに存在することを望む。そのため私がここに存在することをここに来る人類に説明することを望む。

この空域の気圧異常はあなたの仕業か。（光稀からの質問）

返答――私は私の周囲の大気を私に快適なように調整する。調整をしなくても私はこの空域での生存が可能だが、より快適に過ごすことを私は欲する。

事故後この空域が調査されたが、あなたは見つからなかった。何故か。（光稀からの質問）

返答――最初に航空機がぶつかった後は、より高い場所へ移った。またぶつかられることを望まなかったからである。続いてぶつかるものが来なかったので、再びここへ降りると、またぶつかる航空機があり、再び上昇した。調査する人々は、私がこの空域にいないときにやってきたと思われる。

何故あなたはレーダーに映らないのか。（光稀からの質問）
返答――私は私にぶつかる波長を邪魔しない。波長を検知したら透過させる。透過させないことも可能だが、それをすると私は波長を見ることができない。

波長を見る、というのはどういうことか。（高巳からの質問）
返答――私はあらゆる波長を私の中に通過させることによって世界を関知する。

人間の言葉はどこで学習したのか。（高巳からの質問）
返答――少し前から、いろいろな情報の含まれた波長が空中を行き交うようになった。それを収集することによって、私は言語を知り、言語を使用する人類が下方にいることを知った。また、それらの波長を人間が操り発していることも知った。

そのとき、人間とコンタクトを取ろうとは思わなかったのか。（高巳からの質問）
返答――私は私が静かに存在することが満たされたら、余分な条件は特に望まない。人類に接触するのは余分の範疇（はんちゅう）である。だが、私が静かに存在することが満たされなくなったので、余分の範疇ではなくなった。いずれ接触を持たねばならないと考えたところに、あなたたちが来たので接触した。

あなたはいつからここにいるのか。(高巳からの質問)
返答——ここに来ようと望んだときから。

それは人間の歴史でいうとどのくらいの時期？(高巳からの質問)
返答——私がここに来たとき、人類は未だ発生していなかった。

あなたはどこから来たのか。(高巳からの質問)
返答——下から。

あなたは何故ここにいるのか。(高巳からの質問)
返答——私の収集した知識によると、この空域は人類の航空機の飛行が少ない。そのうえ、この高度を人類の航空機が飛行することは非常にまれである。ゆえに、ここは私が静かに存在できる条件を備えていた。だが、航空機が二回ぶつかったことによりここはその条件を失った。私は、私がここに存在することを人類に説明してその条件を回復するか、あるいはその条件を満たす新たな場所の人類からの提示を求める。

＊

「あーまあ、自衛隊の演習空域だから民間機入ってこないしなぁ、ここ」

高巳は相手の白い地平を眺めながら頷いた。

スワローの高高度実験も、同じ理由でこの空域の飛行許可を取ったのだ。

「演習機は飛ぶだろうが、たくさん。静かに存在できる条件なんか備えてないぞ」

憤然とする光稀を高巳は執り成した。

「っても、このひとがいるのって高度二万だしさ。自衛隊機だってそんなしょっちゅう二万なんか飛ばないでしょ。厳密に言えば自衛隊保有の機体で二万超えのスペック持ってるのってF4EJだけだし、それにしたって実用限界での話でしょ？　戦闘上昇限度は一万七千てとこだし、実用限界に挑む飛行なんて滅多にないでしょ。戦闘機で高高度飛ぶ戦略的な意味なんてとっくの昔になくなってるしさ」

戦闘機による迎撃が困難な高高度を爆撃機が侵入するという戦略が真剣に検討された時代は、日本もそれを警戒する必要があったが、それもロシアがまだソ連と呼ばれていた時代のことだ。ミサイル構想とステルス構想が進んだ現在、高高度活用の戦略的な意味は薄い。むしろ学術的な意味のほうが大きいが、学術目的の高高度探査機が敢えて演習空域に入り込むことはない。

光稀もそれは認めたのか、それ以上は言い返さない。

スワロー事故と自衛隊事故の共通点は、高度二万メートルに到達しようとしたことだ。二万に達しようとして初めて、この『空の中のもの』に接触することとなった。

「しっかし、どうもこのひとの正体が漠然としてんなー」

光稀が肩越しに後部座席を振り返る。「つまりどういうことなんだ」もう自分で考えることを投げたらしい。

「んー、つまり……とにかく、ずっと昔から『ここ』にいるわけよ、このひとは。『ここ』ってのが厳密にこの空域のことなのか、もっと大きな範囲を差すのかは分からないけどね。で、多分、時間の概念ってのがすごく希薄だ」

「何で」

「少し前から情報の入った波長がどーたらって言ってたろ。情報の波長ってのは多分、通信波とか放送波とか、人間が使いはじめた電波のことだろう。このひと、それ傍受しててこんだけ言葉覚えたんだよ。で、人間が電波で通信始めたのはいつごろでしょう」

光稀がやや考え込んで、少し自信がなさそうに口を開く。

「……モールス信号が発明されたのが十九世紀だったか」

「そうだね、無線通信が成功したのが一八〇〇年代末。まぁざっと百年は電波を使ってる計算になる。でも、このひとにとっちゃその百年が『少し前』なわけだ。少なくとも俺たちと同じ感覚では時間を把握してない。多分、スワローの事故なんか昨日今日の話だ」

自衛隊機事故と合わせたら立て続けに腹に二発食らってびっくり。せいぜいその程度の感じだろう。

そのほかに、今までの質疑応答で測れることと言えば——

「知能はものすごく高いよな。下手したら、人間よかずっと高いかもよ」

「そうなのか？」

「そりゃもう」

ランダムに拾う電波だけで言葉という概念を理解し、更に基本的な教養知識をも系統立てて習得し、人とほぼ問題なくコミュニケーションを取れるこの状態までたった百年だ。

「まあ、まだかなり無茶な言葉遣いだけどね。溜め込んだ言い回しを適当に繋ぎ合わせてるんだろうな」

たとえば、「こんにちは、ニュースの時間です」。

昼間の挨拶として、「こんにちは」という言葉の入った文節を使用することは理解しているのだろうが、「こんにちは」という一語が挨拶の核心部分であることは分かっていない。最もスタンダードな挨拶として採用したのが、ニュース番組の挨拶文句だったというわけだ。

「航空自衛隊岐阜基地所属の武田光稀三尉」「日本航空機設計事故調査員、春名高巳」、この二つについても同じである。

それが二人の人間を表す名乗りであることは理解していても、その文節の中のどこの部分が二人を表す核心であるか、また、核心部分である姓名のどちらかを省略したり、変化させたりすることが可能だということは分からない。

また、人称代名詞で相手の姓名が省略できるということも分かっていないようだ。更には、三人称代名詞に男女の区別があることも。

怪しきは取り敢えず並べ立てるべし、が基本方針であるらしい。お陰で相手の言葉はやたらとくどい。

「それにしても大した知能だよな。こういうのって文化人類学とかになるのかな、俺あんまり知らないけど、人間だって言葉が発生してから百年で言語が完成したわけじゃないと思うしね。元から自分なりに思考するための言葉みたいなものは持ってたのかな？　それを置き換える形での学習なら……」

「そういうややこしいことは私を相手に語るな！」

根っから体育会系の光稀には苦手な分野の最右翼らしい。

「学者の分野だろう、そんなもの！」

「それにしても、言語学者と生物学者と両方要るよな。生態も興味深いところだよ、単体って言ってたけど、繁殖とか世代交代はしないのかな。人類発生以前に空に昇ったって話だけど、その頃からずっと生きてんのかな？　だったら寿命は……」

「だから、学者を呼べと言ってるだろうっ！」

ほとんど悲鳴のように叫んだ光稀に、通信が重なった。

『私が・存在・生存・生きる・を・終わる・終了・の・日は・来る・と・思われる・ます』

『しかし・否・まだ・来て・いる・ません』

『私は・それまで・に・私・自己・を・増やす・増殖・コピー・の・方法・手段・を・探す・ている・ます』

「……気が遠くなるような生命スパンだなぁ」

高巳は大きく溜息をついた。まだ最初の世代交代が終わっていないのだ。

「ちなみに、生存エネルギーはどこから？　何か食ったりするの？」

『私は・太陽・その他・の・波長を・浴びる・て・存在・生きる・を・継続する・ます』

「なるほど、自家発電」

何でそんな盛り上がれるんだ、と呆れたように光稀が呟く。高巳は楽しげに答えた。

「いやー。だってこれって、自分がスカイドンとかバルンガの第一発見者になったようなもんじゃない？　なかなか燃えるシチュエーションだよね」

「……何だ、スカイドンて」

光稀が戸惑ったように尋ねる。

「あれっ、ウルトラマンとか知らない？」

「観たことない」

「そっか、ちょっと古いもんな、俺らの世代じゃ。いや、俺の親父が円谷マニアでさ、小さい頃よくビデオとか見せられてて。で、およそ円谷世代からすれば空の怪獣ったらスカイドンかバルンガ、電気怪獣ったらエレキングって相場が決まってるそうなんだけど」

光稀は「知るか！」と一喝して終わらせた。

「それより残燃料がそろそろ心配だ。帰投するぞ。基地に帰って報告だ、今度は証人もきっちりいるし……」

そこで言葉を切った光稀がひっそりと忍び笑う気配がした。空幕と国土交通省に、今度こそ目に物くれてやる。レシーバーに呟いた声が入ったが、高巳は聞こえなかったことにした。

「じゃー、えーと、その、あんた、君」

名前がないというのは存外と不便だ。高巳は『空の中のもの』に呼びかけた。

「残念だけどタイムリミットだ。俺たち一回帰るから」

『何故・帰る・ます・か?』

「えーと、航空機の燃料が切れるんだよ。その前に基地に帰らなくちゃいけない」

相手は少し間を置いて、了解の意を伝えてきた。

光稀がエンジンの出力を上げた。行くぞ、と声をかけてから付け加える。

「今度はサービスはしてやれないけどな」

その一言は冗談のつもりらしい。それは物騒すぎて笑えないから、冗談として他の人に言うのはやめたほうがいい——と忠告すべきかどうか高巳が悩んでいる間に、F15DJはもう滑走を始めていた。

＊

基地へ到着したのは昼過ぎだった。出発してから三時間と経っていない。戦闘機の巡航速度を考えると当たり前だが、気分の上では丸一日働いた感じだ。

降機して機体チェックを済ませてから、チェックノートを作業員に慌しく返し、光稀は早足に歩き出した。高巳もそれを追う。

光稀が歩きながらじろりと剣呑な視線を高巳に向けた。

「日和るなよ」

「分かってるって」

高巳は親指を上げて見せた。

「こっちだってスワローの無欠陥証明がかかってるんだ、見たもの見たまま言い張るさ。ガンカメラの着弾映像もあるから一蹴されることはないと思うけど、万一精神鑑定くらっても今度は二人だ。ちったあ心丈夫でしょ」

「――頼りないが、少しはマシだ」

高巳を振り向きもしない光稀の横顔は唇を尖らせている。

――素直じゃねえなあ。

光稀の速い歩調を追いながら、高巳は苦笑した。

基地司令遠田直道は、光稀と高巳の報告を聞きながら終始難しい表情をしていた。

机に両肘を突いた紺色の制服の肩には、星三つの肩章が付いている。その肩章で高巳は既に腰が引けそうだが、光稀は一向に怯む様子はない。

「今度こそ間違いありません、証人もいます！　該当空域の再調査を！」

遠田司令が顔を上げた。白髪混じりの髪をきっちりと七：三になでつけた頭が高巳のほうを向き、鋭い双眸が射抜くように高巳を見る。迫力だが、まともに受け止めたくはない眼差しだ。

「ガンカメラの映像は検証するとしてもだ。春名君も見たのかね？　――その、今までに確認されたことがない巨大知的生物とやらを」

高巳が頷くと、重ねて問う。

「酸素欠乏状態での幻覚、ということは考えられないかね？」

「――考えられない、と言い切ることはできません」

高巳の返事に光稀が目を怒らせて高巳を見上げる。高巳はそれを手で制した。

できるだけ気負わない口調で、返答を続ける。

「医療用のモニター類を付けて行ったわけじゃありませんから。ただ、帰投するまで生命維持系に不具合の出た覚えはありませんし、自分としては地上と変わらない思考力と判断力を維持できていたと思います。何でしたら、今からでも失調の痕跡が残っていないかどうか検査していただければお疑いの点は潰せると思いますが」

低高度に戻って三十分も経ってからそんな検査が可能かどうか知らないが、そこはハッタリである。

「同一ポイントでの生理モニターが必要であれば何度でも応じます。何しろ話が話ですから、一朝一夕に信じろというのも無理がありますし、事実確認に慎重にならざるを得ないのは理解できます」

そして高巳はできる限り余裕のありそうな笑みを浮かべた。

「日航設計としても試験機の事故結果を左右する事態ですし、確認作業には綿密なお付き合いができると思いますよ」

高巳の『大人の回答』に、光稀が目を丸くする。

と、机上の内線電話が鳴った。遠田司令が電話を取った隙に、光稀が高巳に囁（ささや）いた。

「すごいな、お前」

「君が短絡的なんでしょーが。そもそも司令は俺らの証言能力を問うてるんであって、再調査を否定してるわけじゃないよ。あんまりカッカするんじゃないの」

光稀が不満そうに唇を尖らせたとき、電話を切った遠田司令が立ち上がった。

「二人とも、管制塔まで来たまえ」

「は？」

「どうやら、君たちの報告を信じざるを得ないようだ」

管制塔へ向かうべく、三人は司令室を出た。

＊

各務原（かかみがはら）市役所前の歩道を母親に手を引かれて歩きながら、幼い少女はふと上を見上げた。さんさんと降っていた陽の光がうっすらと弱まったような気がしたからだ。

白い丸々とした雲がちぎれ浮く青い空。

その空の中に――白い影がじわじわと浮き上がりはじめた。

「よそ見しないの」

母親が窘めるように手を引くが、少女は真上を向いたまま空いている手で空を指差した。

「ママ、アレなぁに」

母親が上を向く間にも白い影はくっきりと濃くなっていた。やだ、と母親が小さく叫ぶのが少女の耳に届いた。

行き交う人々もそのときにはほとんどが空を見上げていた。

そして人々が見上げる中――。

空の真上に、巨大な白い楕円が忽然と現れる。

「おお――――――――――――……っきい！」

少女が叫んだのが、割れるような喧騒の引き金だった。

「何あれっ!!」「うわぁ、すっげえ――――!!」「何が飛んでるの!?」

老若男女入り混じった叫び声の中に、一際大きな声が通った。

「おいおいおい、あれ落ちんじゃないだろうな!?」

一瞬、辺りが静まり返った。その静寂の隙間に、けたたましいブレーキ音と金属のぶつかり合う重たい音が響いた。車道で脇見運転の車同士が衝突したのだ。

その音が、パニックの皮切りだった。

悲鳴が重なり合って壮絶な金切り声にしか聞こえない。全天を覆い尽くすようなこの物体が、い、い、い、い、もし落ちてきたら。

その想像は人々を狂騒に陥れるのに充分だった。

凄まじいばかりの喧騒が屋内からも続々と人を呼び、無限の連鎖の如く狂騒は膨れ上がった。歩道を歩く者はもはやなく、走るか突き飛ばすか転ぶか喚くか。

歩道の混乱は車道でもスケールアップされて再現された。混乱した流れを我先に突っ切ろうと車体で押し合いへし合い、大小の事故がそこかしこで泡沫のように繰り返される。猛々しく動く車は、威嚇のように人さえ小突くが、威嚇が過ぎて相手が動かなくなることも少なくない。もはやそれは狂騒の域を超え、暴動と呼ぶのがふさわしかった。


四月二十四日、十二時三十七分――

岐阜県各務原市上空を突如として覆った白い楕円は、同市をかつてないパニックに陥れた。

警察、消防、自衛隊、市役所――およそありとあらゆる官公庁の外線が、通報と問い合わせにより一瞬でパンクした。

市外へ逃げようとする車で主要道路は完全に飽和し、道としての機能は失われた。

緊急車両は出動しても大渋滞のなか二次遭難に巻き込まれるだけで、事故処理・市内正常化の役目をまったく果たせない。

各務原市で数えられた事故はこの日一日で昨年度の同市交通事故総数を超えた。人身およそ千件、物損およそ五千件。重軽傷者は二千人を数え、死者も数十人に上った。

この日は「各務原最悪の日」として市民の記憶に長く残ることになる。

*

「何で——こんなところに！」

路上で空を見上げて叫んだ光稀に、高巳は困惑顔で答えた。

「ついてきちゃった……んだろうな、やっぱ」

ついてくるなとは敢えて言わなかった。まさかついてくるとは思わなかった——というのはやはり過失だろうか？

恐らく相手は、光稀と高巳の滞在が困難ならば自分がついていけば良いのだと単純に考えたのだろうが——このカミングアウトは相当にショッキングだ。社会にどれほどの影響があるか想像も付かない。

大勢の隊員が路上で呆然と空を見上げて立ち尽くし、各棟の窓も空を見ようと人が鈴なりだ。わざわざ表に駆け出してくる者もいる。

遠田司令が路上に立ち尽くす二人に声をかけた。

「来たまえ。管制に君たち宛ての通信が入っているそうだ」

管制塔では基地管制隊の隊員たちが動揺を押し殺した様子で立ち働いていた。入室した遠田司令に、運用主任が歩み寄ってきて敬礼する。

「報告いたします。未確認飛行物体が各務原市上空に出現してから六分が経過。レーダーにも感あり、高度およそ二万メートルで静止しています。出現経路は不明。名古屋空港でも同様の物体が確認されており、現在すべての民間機の離発着が規制されています」

出現経路が不明ということは、各務原に到着するまでレーダー的・視覚的に擬態を継続していたということだ。高巳と光稀が帰還する間もレーダーに感はなかった。

おそらく二万メートルを「注意しながら」そのまま水平移動して、到着した各務原で擬態を解いたのだ。

擬態の解除——特にレーダーに映っているのは意図的な措置だろう。光稀や高巳との会話で、レーダー波を反射しないと『存在を認識されない』と学習したのだ。

学習が早いのはいいけど応用も早すぎるよ、お前。高巳は眉間にシワを寄せた。応用問題はまずシミュレーションからとしたものだ。

民間ジェットに高度二万メートルまで上昇する能力はないが（現時点で二万メートルに到達できる日本の機体はスワローだけだ）、『彼（もしくは彼女？）』にそれは分からないだろうし、空港側もこれだけの異常事態で安易に飛行機を離発着させるわけにもいくまい。

「未確認飛行物体からと思われる通信を受信しておりますので読み上げます」

運用主任が前置いて、持っていたクリップボードに目を落とした。

「こんにちは、お昼のニュースの時間です。私は、彼、彼女、航空自衛隊岐阜基地所属の武田光稀三尉と、彼、彼女、日本航空機設計事故調査員、春名高巳に呼びかけているます。私は、彼、彼女、航空自衛隊岐阜基地所属の武田光稀三尉と、彼、彼女、日本航空機設計事故調査員、春名高巳との会話の継続、続きを希望しているます」

『彼』のたどたどしい言葉を几帳面（きちょうめん）に再現する運用主任の声が、奇妙な非現実感を今の状況に与えていた。

＊

終業のHRが終わっても教室の中はしばらく騒がしい。仲のいい友達同士でお喋りしたり、持ってきた漫画の回し読みをしたり。うっかりするととっぷり日が暮れるまで居残ってしまうことも珍しくない。

「ねー、いま十五巻持っちゅうが誰ー？」

「あ、あたし。もうちょっとで終わるき」

佳江は友人の問いかけに、漫画本を読みながら片手を上げて答えた。

佳江の友達内ではいま演劇物の大河少女漫画が流行っていて、休み時間や放課後には一斉に熟読モードに入ってしまうのが常だ。

新任の女の先生が、読みふけっている佳江たちに「懐かしいねえ、まだそれやってるの？」と訊いたことがある。先生の学生時代にも流行ったことがあるらしい。

絵柄は古くさいし話も泥くさいし（何しろ、ヒロインが芝居のチケットのために真冬の海に飛び込んだりするのだ）最初はみんな敬遠していたのだが、持ってきた子の熱心なプッシュに負けて読みはじめるとこれが面白くて一大ブームとなってしまった。

「マヤとアユミどっちが好き？」

「あたしマヤ！　やることが意表突いてておもしろいし」「私もー」

「えー。あたしはアユミさんやな。実はあの人、すごい努力の人やん？」

そんなバカ話をしていると、外野から声がかかった。

「佳江」

振り返ると、瞬が少し離れたところに立っている。

「あー、瞬くんやん。HR終わったが？」

佳江の友達に声をかけられて、瞬は肩をすくめて笑った。

「やっとね」

二年のクラス分けで佳江は理数系、瞬は国立文系の別のクラスになったが、瞬のクラス担任はHRが長いことで有名なのだ。

瞬は佳江に向かって言った。

「今日、うち寄れる？」

寄れるも何も、隣だから呼ばれたらいつでも行けるし、そもそもフェイクのことがあるから佳江はほとんど毎日瞬の家に顔を出している。それをわざわざ声をかけるということは、すぐに来いということだ。それもフェイク関連で。

フェイクのこと以外でこんなに佳江を急かすなんて考えられない。

佳江は読みかけの十五巻に目を落としながら答えた。

「分かった、後で」

「じゃあ、待ってるから」

ご丁寧に駄目押し付きだ。

瞬が立ち去ってから、友人たちがざわめき出した。

「ねえ、最近あんたらどうにかなったが？」

「何、どうにかって」

「いやー、だから、ちょっとは進展とかしたが？」

「ないない。そんな進展するような関係は何もない。知っちゅうやんか、みんな」

佳江と瞬が幼なじみで、その関係が親分子分に近いようなものだということは、二人の友達なら誰でも知っている。

「でも、わざわざ誘いに来るなんて珍しくない？」

そう言えば、前は皆がいる前でこんなに躊躇（ちゅうちょ）なく話しかけてきたりなんかしなかったな——と、気づきたくもなかったことに気づいて佳江は少し憂鬱（ゆううつ）になった。

「用事があるだけよえ。……今、家の整理とかいろいろ手伝いゆうき」

さすがに用事の内容は言えないので適当な理由を答えると、友人たちはそれなりに納得した様子を見せた。瞬の父親が二月の事故で亡くなったのは皆知っているし、家の整理と言ったらそれに関連付けて考えるだろう。

「瞬くん、二年になってちょっと雰囲気変わったよねえ。大人っぽくなったわ」「そうそう。周りの男子とかガキッぽく見えるもんね」「やっぱり一人になるとしっかりするがかなあ」

友達の話を佳江は黙って聞き流していたが、内心では盛大に反論していた。

大人っぽい？　違うよ、あんなの大人っぽいなんて言わんわえ。単に冷めちゅうだけやいか、上辺だけ適当に周りに合わせゆうだけで。

フェイクのこと以外どうでもいいのが見え見えだ。だから佳江のことも皆の前で平気で家に誘ったりする。

前は、——「だって皆の前で話すのって恥ずかしいじゃないか」なんて変なふうに意識して、佳江はそんなことちっとも気にしやしないのに、同じクラスだった一年のときだって学校では変にそっけなくて。

みんなの前ではわざわざ「天野さん」なんて呼んで、却って変だと皆にからかわれたり——みんなのいるところで家に来いよなんて、口が裂けたって言わなかった。

今は、どうでもいいのだ。——佳江と彼氏彼女だと勘違いされたり、あの二人あやしいね、なんて言われたりすることは、どうでもいいのだ。

そんな瑣末なことはどうでも。

「瞬くん、けっこう女の子に人気あるがで。知っちゅう？」

その質問はあきらかに佳江に向けて発せられていて、無視することもできずに佳江は漫画本から顔を上げた。

「へえ。意外」

それだけ何とか何気ない口調で答えると、友人たちはよってたかって瞬に関する巷の風評を説明してくれた。

「意外じゃないわぇー。顔だってけっこうかわいいし、頭もえいし。性格だって優しそうやし、落ち着いちゅうし。それに何となく垢抜けちゅうやんか。小学校まで都会に住んじょったからかなあ」

瞬が都会と呼べるほどの町に住んでいたことなど数えるほどしかなかったはずだが（敏郎は戦闘機乗りだったし、戦闘機が配備されている基地はわりと田舎にあることが多い）、各地を転々としたせいで却ってどこかの訛りが身に付いていないことが皆には垢抜けて見えるらしい。中学のときはそのせいでクラスに馴染むのに少し時間がかかったりもしたのだが。

「早く捕まえちょかんと、誰かに取られても知らんで」

とんでもないことをいきなり言われて、佳江の返事はしばらく遅れた。

「……何言いゆうがよ、そんなんじゃないって分かっちゅうろう——っ⁉」

思いのほか強硬な佳江の反発に、友人たちは焦ったように手を振った。

「いやいやっ、もしそういう気があるんやったらの話やけどね」

「ないって！　今さらそんなの！　瞬のおねしょのパンツまで替えちゃったがで、あたしは！保護者みたいなもんよえっ」

「あんた……それは今さら暴露しちゃりなや」

友人たちが一様に気の毒そうな顔になる。

「まあ、それならそんなにムキになることもないやん」

ちくりと痛いところを突いたのは、一番話の合うクミだ。

「いやー……みんな、あまりにもあり得んこと言うき、ちょっとエキサイトしてしまったわ」

ははは と空笑いして、また漫画本に目を落とす。コマを機械的に目で追うが内容は全然頭に入ってこない。

——だって。

嫌やんか。瞬がどうでもえいと思っちゅうのに、あたしが前のままらぁて、嫌やんか。

皆の前で不自然にそっけなくなる瞬にちょっとくすぐったい感じがするとか、そんなことを思っていた時のままなんて——

内容はまったく頭に入っていないのに、めくるページは終わってしまった。

佳江は本を閉じて立ち上がった。

「ワガママ小坊主が待っちゅうき、帰っちゃるわ」

十五巻を希望していたマサミに本を渡して、鞄を取る。高校からいの町の佳江の自宅までは自転車で三十分ほどだ。

わざわざ佳江を呼びに来るのだから、フェイクに何か劇的な変化があったに違いない。それが気になることも確かだった。

水を極端に嫌う様子を見せるフェイクは、どうやら水棲生物ではないらしい——ということでフェイクを水に浸けなくなって三週間が経ち、フェイクの見た目にはかなりの変化が現れている。

半透明の乳白色は完全に不透明な白になり、また、形状も不定形でぼったりとしたものから、幾何学的な薄い楕円形に変化した。厚さは数ミリ程度だ。

手触りはガラスのように滑らかで冷たく、爪で弾くと硬そうな音がする。それなのに柔軟性と弾力性は高い。手で曲げるとべろんべろんといくらでも自在に曲がるので、痛くないのかと心配になったほどだが、フェイクは別に痛くはないらしい。痛覚自体がないのだろうか。

形状の変化に伴って重量も大きく変化した。拾った当時に量ると五kgもあって、持ち重りもかなりのものだったがどんどん軽くなっていった。もうアナログ式の体重計では針が振れない。キッチンスケールで量ると一〇〇gそこそこで、フェイクと同じ大きさに切った段ボールでももう少し重い。

白いプラ板を長径一メートル程の楕円に切ったような外見となったフェイクは、見るからに体内の水分が飛んでそうなった様子で、どうやら最初のぶよぶよと膨れた状態は水に浸かってふやけていたらしい（ふやけた状態のほうがよほど「生き物」らしかったが）。

このうえ、佳江にわざわざ学校で声をかけるほどの更なる変化とは一体何だろうか――

自宅の庭に自転車を停めた佳江は、そのまま斉木家の玄関に向かった。

「来たでー！」

声をかけながら玄関の引き戸を開けると――

「ひゃぁっ⁉」

中から白いものがふっ飛んできて目の前をかすめた。

とっさにしゃがみ込んで避けた佳江が顔を上げると、目の前に白い楕円盤が浮かんでいた。

「――え？　あ⁉」

フェイクが宙に浮いている。

佳江は唖然(あぜん)として目の前の光景を見つめた。思わずフェイクの上に手を横切らす。

「そんな子供じみたイタズラしないって」

苦笑混じりの瞬の声が上がり框から降った。確かに横切らせた手に吊り糸の感触はなかった。

瞬が玄関に片足を下ろし、ぺたりとしゃがみ込んだ佳江に向かって手を差し出す。

その仕草の何気なさが何となく癪(しゃく)に障って、佳江はその手を借りずに自分で立ち上がった。

もちろん瞬が気にするわけもなく手は普通に引っ込められた。

分かりきっていたことだから、別に気にはしない。

「すごいだろ、早く見せたくってさ」

瞬の声は嬉(うれ)しそうに弾んでいる。

「――びっくりするわ、これは」

佳江は玄関から廊下に上がり込んだ。フェイクも佳江と一緒に宙をすいと飛んでついてくる。動くにつれ、フェイクの周囲から後方へ緩やかに空気が流れているようだ。ちょうど佳江の頭の高さを飛んでいて、佳江のポニーテールがわずかに風にあおられる。

「ここんとこ動きにくそうやなぁとは思っちょったけど……本当はこうやって飛ぶものやったがやねぇ」

体が乾いて今の形状になってから、フェイクが動きにくそうだったことは気になっていた。今までは水を含んで柔らかな腹を蠕動させて這っていたのだが、乾いてからは這えなくなった。代わりに体をカタカタ小刻みに振動させて動くようになったが、這うより移動速度も落ちたし、ちょっとした段差を越えられずに突っかかってしまう。階段はもちろん昇り降りできなくなったし、体を振動させてもうまく前に進めず空回りしていることも多かった。

「いつから飛びはじめたが？　昨日はまだカタカタやりよったよね？」

「今朝、俺が朝飯食ってるときだよ。窓際で日向ぼっこしてるなーって思ってたら急にふわって浮いたんだ。そんで俺のほうにすーって飛んできてさ」

先に立って歩いていきながら、瞬が笑顔で佳江を振り返った。

「早く佳江にも教えたくてさ。放課後が待ち遠しかったよ」

「……そう」

佳江しか話せる相手がいないからだ。それが分かっていても、そんな無邪気に嬉しそうな顔をされると少し嬉しい。

まだ自分に価値があるような気がする。――なんて、何を女々しいことを。

佳江は大きく頭を振って、瞬に続いて仏間を兼ねた居間に入った。二人が座卓の定位置で腰を下ろすと、飛んでついてきていたフェイクも瞬と佳江の間に降りた。畳に着陸する間際に、風がふうっと周囲に巻き上がる。

「なあ、どうやって飛んでるんだと思う？　佳江、こういうの詳しいだろ」

「知らんて。あたしが好きながは未確認生物(UMA)であって未確認飛行物体(UFO)じゃないき。あんた全部一緒にしちゅうろう」

でも、思い当たるものがないでもない。佳江は考え込みながら答えた。

「イオンクラフト……じゃなくて、リフター、やったかな？　何か、それと飛び方が似ちゅうみたい」

「何それ」

「えーと……見たほうが早いき、パソコン貸して」

検索をかけると、いくつか動画が引っかかった。

要するに、アルミ箔(はく)などで作った軽い立体凧(だこ)のようなものに電流を流すと自然に空中に浮くという代物である。

モニターの中では、いかにもアルミ箔で作りました的な銀色の幾何学形が、重力の軛(くびき)がないかのようにふわりと宙に浮き上がっている。どこかの研究室なのか、雑然とした部屋の様子と現実離れしたような滑らかな凧の動きがミスマッチだ。

動力を仕込んだ飛行機やヘリなどとは明らかに違う軽やかさで、その様子はまるで無重力で物が浮いているかのようだ。

「これは単に宙に浮くだけやけど、これが自由自在に動き回れるとしたらフェイクの飛び方に似ちゅうことない？」

モニターが瞬に見えるように佳江が場所を譲ると、瞬は熱心に再生される動画に見入った。当のフェイクのほうは特に興味がないらしく（というか目に当たる器官がないので単純に画像を認識できないのかもしれない）、瞬の部屋の中をふわふわと飛び回っている。

「はは ぁ……なるほど、これは」

瞬も納得がいったらしい。何度も頷いている。

「で、これはどういう原理で飛んでるわけ？」

「それは知らん」

きっぱりと言い切った佳江に、瞬が軽くこける。

「あのなあ」

「皆まで言いな」

文句を言いかける瞬を、佳江は手で制した。

「これは本当に分からんがやき。アルミ製とかの軽い機体にめちゃくちゃ電気を通したら機体が浮くっていうのは実際に実現されちゅうけど、何で浮くかっていうことは誰も知らんがよ。作るのはわりと簡単で、設備があったら高校生でも作れるって話やけど、でも飛ぶ理屈は誰も知らん。そういうもんながよ、これは」

仮説だけなら、空気がイオン化して風が発生することで飛んでいる、などの無難なものから、局地的に重力異常が発生しているというキワモノまでいろいろ上がっているが、実際にどんな原理で飛んでいるかということは謎のままだ。

「UFOのサイトとかならもっとキワモノな理屈捏ねてておもしろかったりするけど、信憑性は怪しいもんやし、あんまり理屈を追究してもしょうがないと思うで。何かよく分からんけどとにかく飛ぶんや、飛んじゃうんやってことで理解しとかんと。何ならアダムスキー型が飛ぶ原理とか検証してるサイト行ってみる？　空気の粗密を作って気圧を操るとかいうのもあったような気がする」

「いや、いい……」

瞬もげんなりした様子で首を横に振った。

「こういうことこそフェイクに訊いてみたらどうよ」

それもそうだなと瞬がジーパンのポケットから携帯電話を引っ張り出す。

登録番号を呼び出す瞬の手元を見つめ、佳江は軽く眉をひそめた。

敏郎の番号が、フェイクの名前で登録されている。

「……登録、変えたが？」

「ああ」

事もなげに答える声の軽さが佳江をますます落ち着かなくさせた。瞬は父親の名前を消してフェイクの名前を上書きしたことについて、何も思うところはないようだ。

こういうものなのだろうか？　身内が亡くなって三ヶ月も経ったらこういうものなのだろうか——そうだと言われれば、近い身内を亡くした経験がない佳江には反論のしようがない。

瞬はフェイクに電話をかけ、それはコール数回ですぐ繋がったようだ。

「あのさあ、お前ってどうやって飛んでるの」……

　しばらく携帯に耳を傾けていた瞬が、あははと笑い声を上げた。

「ダメだわ、佳江。『飛べるから飛ぶ』ってさ」

「あー、そうかもしれんね」

　佳江も瞬に合わせて笑った。以前の光合成騒動のときも食事しないことについてフェイクは問題ない大丈夫と繰り返すばかりだった。

　飛べることについても、飛べるから飛べるというだけの話なのだろう。佳江自身もたった今、同じようなことを言ったばかりだ。

　理屈は分からないけどとにかく飛べる、そういうもの。

「最高速ってどこまで出るのかな。でも外じゃないとラップ取れないだろうし……どこか人目のないとこでタイム測れそうなとこってないかな」

　楽しそうに話す瞬に頷きながら、佳江はわだかまった気持ちをひとまず押し殺していた。


「佳江、今日は随分食べるの遅いやいか」

　父に話しかけられて、佳江はやっと自分の箸（はし）が止まっていることに気づいた。父も母も夕食を食べ終わったのに、佳江のおかずはまだ半分以上残っている。大好物のエビフライなのに。

「おなかの具合でも悪いが？　お薬飲むかえ？」

「大丈夫大丈夫、食べるき」

佳江は慌てて箸を動かし、自分の食事をかき込んだ。

食べ終わってから佳江は膝を崩した。ダイニングテーブルでは落ち着かないという父により、食卓はいつも居間の座卓だ。

テレビはNHKのニュースが点いていて、父と母は食後のお茶を飲みながらニュースを肴に喋っている。佳江もテレビのほうは見ているが、内容はまったく頭に入ってこなかった。

家に帰ってから鬱々と考えているのは、やはり瞬の携帯のことである。

敏郎の名前をあっさり上書きしていたことは、佳江にとってはかなりショックだった。

——ああいうもんながやろうか。

もし、お父さんが死んだら。お母さんが死んだら。悲しいことは当たり前だが、その悲しみがどういう感じで襲ってくるのか、どうやって薄れていくのか越えるのか、それはうまく想像できない。何しろ佳江の身内は頑丈で、両親は大きな病気をしたこともなく祖父母もまだまだ健在だ。

ああいうものだ、近い身内を亡くしたことのない佳江には分からない——と言われてしまうとそれまでのことだ。

でも。

佳江は瞬の祖父が亡くなったときのことを思い返した。瞬はもともと感情表現が豊かなほうではないので分かりやすい悲しみの表現はなかったが、それでも故人を悼む気持ちが表情や声の端々で伝わってきた。

敏郎が健在だった当時とは精神状態も状況も違うだろうが、父親の名前を上書きして消してしまうという行為は、佳江の知っている瞬とは食い違っているような気がした。

確かにいつまでも打ちひしがれているわけにもいかないと思うし、打ちひしがれていろとも思わない。佳江の両親のように「瞬ちゃんは意外と立ち直りが早うてよかったね」と安堵する向きもある。

だが、これは——立ち直ったとか乗り越えたとか、そういう種類のものではないような気がする。

敏郎の名前にフェイクの名前を上書きするのは、立ち直ったのとは違うと思う。いっそ名前を消したり登録を削除するほうが、故人と訣別する決意を感じさせる。

番号は残して名前を上書きというのは、故人をひどく軽んじているのではないか——瞬は、敏郎の死についてひどく鈍感になっているような気がした。

その鈍感さが佳江を不安にする。穏やかでない予感が日に日に強まる。

いつかどこかでひどい揺り戻しが来る、と——

「——何な、こらぁ」

父の呆れたような大声で、佳江ははっと我に返った。

見ると、父も母もぽかんとした顔でテレビを見つめている。釣られて佳江もテレビを見ると、

——フェイク？

そっくりな白い楕円がテレビに映っていた。

ただ、縮尺がまったく違う。画面の下端に遠景の街並みを映したその映像の上空に白い楕円が浮かんでいるのだが、その大きさは下に映った街をほとんど丸ごと覆うほど大きい。カメラは恐らく、数十㎞は離れた場所からその映像を撮っているのだが、それでも白い楕円がやっと画面の中に収まるくらいだ。画面の上端は大きすぎて見切れている。

よく晴れた空に浮かぶ楕円の位置は相当高い。楕円の下の空間、その半分よりやや地面よりの高度に白く丸い雲の群れが浮かんでいる。形状からして一万メートル弱の高さに出る雲だ、楕円はそれの倍以上の高度である。

更にカメラが引いて、街と楕円が無理なく画面内に収まるほどの遠景になる。すると楕円は空の中に太筆で引かれた線のようになった。横から見ると厚みはあまりないことになる。

平べったい楕円。まるで――

『……本日正午過ぎ、岐阜県各務原市の上空に出現した謎の物体です。物体は現在も同じ場所に停滞しています。

物体の出現時、各務原市内は市民がパニックに陥り、交通事故などによる死亡者は三十七人、重軽傷者は二千人に上りました。

物体の滞空している高度は地上から約二万メートル、この高度は一般的な航空機の運航する航空路には抵触しませんが、名古屋空港では念のために正午以降の全便について離発着を停止しています。運航再開の見通しは立っていません。

また、航空自衛隊岐阜基地ではこの物体から発信されたと思われる日本語の通信を受信しています。報告を受けた航空幕僚本部では、物体が何らかの通信媒介装置である可能性とともに、物体自体が知能を持った生物であるという可能性についても言及しています』

佳江は食い入るようにテレビを見つめた。落ちつけ。落ちつけ落ちつけ落ちつけ――念仏のように唱えながら、画面の中の白い楕円を睨む。

これが一体何ものなのか、佳江は知っている。

これはフェイクだ。フェイクの仲間だ――

形状の相似もさることながら、物体からの通信があったという情報で佳江は確信した。――これは、フェイクのおっきいやつだ。

もしかしたら親かもしれない。フェイクはどこかでこの親とはぐれて仁淀の浜へ流れついたのだ。

だとすれば、フェイクも将来あれくらい大きくなるかもしれないということだ。やはり瞬の手には負えなくなる。いくら瞬がフェイクを好きで、フェイクが瞬になついていても、物理的に『飼えなくなる』ときがくる。

今のうちに何とか瞬を説得して、どこかへ届けさせなくては――

内心で目まぐるしく考えを巡らせる佳江の視線の先で、テレビはまだそのニュースを流している。今日一番の大事件なのだろう、扱いが大きい。

混乱する空港の様子、足止めを食った利用客の群れ、運休の表示が並んだ離発着掲示板などを映していたテレビに、赤いネクタイを締めた馴染みのキャスターが再登場する。

『また、物体からの通信を受けた岐阜基地では、同日午前中、四国沖の演習空域で同様の物体を観測しています。各務原市上空に出現した物体は、この四国沖で観測されたものが移動してきたものと考えられています。

四国沖で物体を観測した隊員も物体から日本語で通信を受けており、その通信によると今年一月のスワローテイル爆発事故と、同二月の自衛隊機爆発事故は、高高度への上昇中この物体と衝突した結果である可能性が高くなってきました』

——これが揺り戻しだ。

「おい、二月のゆうたら斉木さんの……」「そうやわ」

両親の動揺した声は、既に背中で聞いていた。部屋を飛び出した佳江は玄関へ走った。

ニュースを要約すると、亡き斉木敏郎に近しい者にとって重要なことは一つだけだ。

あれが原因で敏郎が死んだ。フェイクの仲間が原因で。

……行ってどうするが、あたし。

もし、瞬がこのニュースを見ていたら。見ていなかったら。

どっちにしたって、それからどうすればいいのか。分からない。

でも、今も同じニュースを見ていたとしたら。今、瞬を放っておくことはできない。何もできなくても、とにかく行かなくては——

——だって、あたしは瞬の姉貴分やき。

「瞬！」

呼びながら斉木家の玄関を開けるが、瞬は出てこない。玄関と廊下の明かりは落ちていて、襖の開いた居間からは部屋の明かりが漏れている。佳江はつっかけてきたサンダルを脱ぐのももどかしく廊下に駆け上がった。

居間のテレビは点いていて、画面の中のキャスターは赤いネクタイ——さっき、佳江が家で見たのと同じ。

座卓に頬杖を突いてテレビを見ていた瞬は、佳江が部屋に飛び込んでも振り返らなかった。

やがて、ニュースの内容がスポーツに切り替わる。

そのときになって、瞬は初めて佳江を振り返った。表情は、恐いくらいににこやかな笑顔。

「——やっぱり、佳江って要るとき来るよな」

要るって。要るってどうして——

「……どうして、そんなこと言うが？」

そんなことを言う瞬は知らない。要るとか要らないとか自分の都合だけで人の価値を決めるような瞬は知らない。

そんな一方的な勝手な接し方をする瞬は、佳江の知っている瞬じゃない。

いつの間に瞬はあんなところへ行ったんだろう。佳江は泣きそうになりながら瞬を見つめた。手を伸ばせば届く距離がひどく遠い。

いつの間にそんな寒いところへ一人で行ってしまったのか。友達や家族や大事な人に、要るときと要らないときなんてないのに。どうしてそんなひどいこと。

まるで被害者のようなことを思って、佳江は強く頭を振った。——嘘だ。

——あたしは被害者なんかやない。

瞬が何か踏み外しかけていたのを知っていた。

敏郎の訃報の後。フェイクを家族と言い出したときからずっと——奇妙に高いテンションではしゃぎ続ける瞬は、確かに変だと気づいていた。

何も言わなかったのはあたしだ。

明らかにおかしな空元気だったのに、瞬と衝突したくなくて見過ごした。

波風立てたくないなんてそんな綺麗事で言い訳をして、寒い場所へわき目も振らずに歩いていく瞬を見捨てた。

部屋の隅にひっそりとうずくまっていたフェイクが、音もなく風を巻いて浮き上がった。

瞬のほうへスイと飛んでくる。おかしな気配を察したのだろう。

「来るな!!」

瞬が怒鳴った。凶暴な目付きで宙に浮いたフェイクを睨む。音は聞こえなくても気配に聡いフェイクだ、戸惑ったように瞬の前で滞空する。

瞬は尻ポケットから携帯を取り出し、手元も見ずにリダイヤルの操作をした。直前のコールはフェイクだったらしい。

フェイク。出たらいかん。出んとって。——佳江は強く願った。

だが。

瞬がフェイクを睨みつけたまま口を開く。

「——来るな」

フェイクが動揺したように宙で揺らいだ。

「俺に近寄るな。——お前なんか、もう要らない」

わざと残酷な言葉を選んでいる。止めることもできず、佳江はただ目の前の光景を見つめた。

せめて事情を——説明してやって。

そう思ったが、瞬は何も説明せずに電話を切った。


——今、瞬を放っておくことはできない。何もできなくても、とにかく——

勢い込んで走ってきたのがばかみたいに思えた。何もできないのなら駆けつけたって放っておくのと一緒だ。

放っておかなかったという証明のように手遅れになってから一生懸命走って。手は尽くしたのですが残念ですと手を尽くさなかったくせに神妙に。

息せき切って駆けつけたのが却(かえ)って欺瞞(ぎまん)のようで、佳江は何も言えずそこに立ち尽くした。

第4章　人々はそれを裏切って、

＊

小学校一年の夏。

初めて瞬と会ったとき、笑わない子だなと思ったことを覚えている。今にして思うと子供の頃の瞬は少し人見知りが強く、初めて会った佳江に緊張していたのだろうが。

「何して遊ぶ？」

訊いても全然答えてくれず、佳江は母親を恨んだものだ。「今、斉木先生のとこにお孫さんが来ちゅうき、一緒に遊んじゃり」そう命令したのは母だったのだ。

「川でも行く？」

瞬は嫌だと言わなかったので、取り敢えず行く先は仁淀川にした。子供の自転車でも十分も漕げば着く。川はこの辺の子供たちにとって手軽な遊び場だった。深いところは行かれんで、というのは大人に再三注意されているが、それさえ守れば恐いことはない。

川エビを押さえて遊ぶことにして、得物に短く切ったエビ網を持っていった。佳江は宮じいに仕込まれているので、エビを押さえるのは上手い。

堤防から川を見下ろし、瞬は目をまん丸くしてほうっと息をついた。

白く乾いた石の敷き詰まった広い河原。そこをゆったり蛇行する緑の川。絵で川を描くときは青色で描くが、澄んだ川は本当は青くない。山の色を映し込んだような深い緑だ。そして、山は新緑の若々しい緑ではなく、力強く濃い夏の色。

「きれいやろ？」

瞬は返事をしなかったが見入っているその様子だけで佳江は満足だった。瞬がどこに住んでいるのか知らないが、こんなきれいな川はよそにだってそうはないはずだ。

最近はゴガンが進んでしまってあまりよくない、みたいなことを宮じいや大人たちは言うが、何がどうよくないのか子供たちにはよく分からない。護岸工事という言葉の意味を知ったのは随分後の話だ。

川岸の護岸の切れ目、大きめの石がごろごろしている辺りがエビを狙うポイントだ。佳江はお手本にまず一匹押さえて見せた。

エビの後ろからパッと網を被(かぶ)せてすくうと、初めて瞬がわあっと声を上げた。佳江がバケツの中に振り落としたエビに興味津々で見入る。

「これエビ？」

言葉は少ないが、初めて瞬から話しかけてきた。佳江はほっとした気分になって答えた。

「そう、エビ」

「手が長いよ。こんなの見たことない」

「手の長い種類のエビやき。テナガエビっていうがよ」

教えてあげると、瞬が佳江に向かってにこっと笑った。

「佳江ちゃん、すごいね！　よく知ってるんだね」

知っているも何もこの辺りの子供だったら常識のようなことだったが、瞬は心の底から感嘆している様子で、佳江は何だか嬉しくなった。瞬が初めて笑ってくれて、親しみが湧いたからかもしれない。

エビのほかにもゴリやハヤを捕まえて、その度に瞬は珍しがってくれた。佳江の知っているいろんなものを誉められているようで、佳江はますます嬉しくなった。

瞬ちゃんはあんまり生き物とか知らんがやね、じゃあ佳江が教えちゃおき。

ヒゲのある魚は注意せないかんで、刺すがおるきね。ギギとオコゼとふたつおって、両方ともすっごく痛いがで。

あのね、カブトムシやクワガタは、朝早くに山に行くといっぱい取れるがで。

あの虫はミチオシエっていうがよ。ほら、道を歩きゆうと人の前をすうっ、すうって道案内するみたいに飛んでいくろう？　でもほんまの名前はハンミョウっていうがやと。

……

瞬は生き物や草花のことをあまり知らなくて、佳江が教えることをいつも喜んで聞いていた。

喜んで聞いてくれるから、たくさん教えてあげよう。

佳江は図書館で図鑑を借りたり、宮じいや両親に聞いたりして、土地の動植物のことを色々調べた。

珍しがって喜んでくれるから。楽しそうに笑ってくれるから。

もっと笑ってるところが見たいから。

だから、もっといろいろ調べよう。もっといろいろ、珍しいものを。

もっと……


ぽかりと目を覚ますと、もう朝だった。

カーテンの隙間から朝の光がチラチラと差し込んでくる。

ベッドの中で寝返りを打つと、床にうずくまっているフェイクが目に入った。

昨日あれから、思い余ってひとまず引き取ってきたのだ。表情を表す器官が何一つないのに、何故かうずくまるフェイクは落ち込んでいるように見える。

「ああ……あんたがおるき、こんな夢見たがかなあ」

佳江は布団の中でごろごろしながら溜息(ためいき)をついた。

自分でもすっかり忘れていた。UMAを好きになった最初のきっかけだ。珍しかったら瞬が喜んでくれると——途中で方向性がちょっと横滑りしたようだが。

「……もうちょっと、忘れたままでおりたかったなあ」

今、思い出しても辛(つら)いだけだ。気づいていなかったことに気づかされてしまう。

佳江が起きたのに気づいたのか、フェイクがふわりと佳江のほうへ飛んできた。

ベッドに横になった目の高さに滞空するフェイクに、佳江は呟いた。

「あんたも辛い？」同病相憐(あわ)れむ。佳江は初めてそれを認めた。「瞬のこと、大好きやもんね。——あたしらぁ」

*

瞬からフェイクを引き取って、両親には「UMA同好会で作ったソーラーパワーで動く凧」ということでごまかした。もともと科学に疎い両親には、それで充分通用する。

基本的には自分の部屋に置いておくつもりだが、佳江の部屋に鍵はついていない。もし佳江の留守中に両親が佳江の部屋に入って動くところを見られた場合の布石だ。

インターネットで作り方を調べたと言っておいたから、両親が不審を持つことはないだろう。「インターネット」や「パソコン」は両親にとって「何でもありの謎の箱」だ。こういうときは、どれだけ説明してもネットを理解してくれず、自宅回線をブロードバンドにしてくれない両親がありがたい。ナローバンドを恨めしく思った日々も報われるというものだ。

各務原上空に出現した物体に似ているのは、敢えて見せてから「偶然やけど似ちゅうろう」としらばっくれたら何とかなった。縮尺が違いすぎるので両親も言われるまで気づかなかったらしく、「ほんまやね」と無邪気に驚く程度だった。そもそもUMAだ何だと訳の分からないものに熱中する佳江を、日頃から大らかに放置している両親である。

それより問題は、フェイクへの事情の説明だった。

佳江の携帯からでも敏郎の番号を掛けるとフェイクは繋いでくれたので、意思疎通の手段は問題なかったが、何しろ説明するのが辛い話である。

あのね。お父さんって、分かる？

意味は知っちゅうよね。瞬の親の、男のほうね。

瞬は、お父さんが大好きやったが。ほんとにほんとに、大好きやったが。

でも、お父さんは、フェイクが来る前に、死んだが。飛行機に乗っちょってそれが爆発して、死んでしまったがよ。

でね、昨日、テレビのニュースで、あんたの仲間か親か、とにかく、おんなじ種類の生き物が出たが。

そんで、その生き物がね、瞬のお父さんの事故の原因やったことが分かったが……

自分は瞬の父親を死なせていない、と例によってたどたどしい言葉遣いでフェイクは佳江に訴えた。

うん。分かっちゅうよ。あんたが死なせたんじゃない。でも、絶対あんたと同じ種類やって分かる生き物が、瞬のお父さんを死なせてしまったがよ。

瞬はね、あんたを逆恨みしゆうが。あんたが、その生き物の仲間やき。

ほら、例えば、犬に――犬って分かる？　犬に噛(か)まれて、犬が全部恐くなったりするような、そんな感じながやと思う。

瞬は、お父さんを死なせた生き物が憎いがよ。憎すぎて、同じ種類の生き物のあんたのことも憎まんとおられんがよ。

フェイクは瞬のお父さんを死なせた生き物を知らない、関係ない、フェイクは瞬のお父さんを死なせた生き物と接触したことはない。


分かっちゅうよ。あたしは分かっちゅう。

でも、瞬には分からんがよ。——分かりたくないがかもしれんけど。

ごめんね。

勝手に拾って、勝手におもしろがって、勝手にかわいがって、勝手に怒って。

フェイクは、全然悪くないがで。

ごめんね。


ぷつり。フェイクは通話を切った。

それから一度も、佳江からの通話を受けつけようとはしなかった。

何も喋らないのに、塞いでいるのはよく分かる。あまり高く浮かずに、床すれすれのところをのろのろ飛んで部屋の隅に降りた。

見ていると何だか悲しくなった。それはフェイクが悲しいから悲しく見えるのだ、多分。

一方的に理不尽な怒りをぶつけられて放り出されて、それでもフェイクはやっぱり瞬が好きなのだ。

瞬がそういうふうに教え込んだから。忠実に瞬を慕うように刷り込んだから。

外には恐い連中ばかりで、フェイクを捕まえて実験で切り刻むような奴ばかりで、フェイクの味方は瞬しかいないと――

最後にこんなふうに放り出すくらいなら、最初からこんなふうになつかせなければよかったのに。

そんな歪んだ溺愛をあたしは黙って見過ごさなければよかったのに。

何を考えても最後は結局自分にツケが回ってくる。

それが苦しくて、早めに床に就いたゆうべ。

＊

瞬は学校に来ていなかった。病気ではないだろうが、休んで正解だったかもしれない。学校では朝刊のトップを飾った各務原の謎の物体の話題で持ちきりで、それに関連して瞬の父親が亡くなった事故のことも少し取り沙汰されたから。

ＵＭＡ好きで瞬の幼なじみということで佳江にわざわざ話を聞きにきた連中もいたが、適当にあしらった。

学校が終わるとまっすぐに家に帰った。二階の自分の部屋に駆け上がり、ドアを開けると、コツン。コツン。コツン……

一定の間隔で窓の鳴る音。フェイクが何度も何度も、窓に鼻先（と呼ぶのかとにかく楕円の先端）を軽くぶつけていた。

窓は、斉木家に向いた壁の窓だ。

ぶつかり方はごく軽いし、痛くはないのだろうが痛々しく、佳江はフェイクをそっと抱えて降ろした。

フェイクをベッドの上に置くとブレザーのポケットで携帯が鳴った。取り出すと敏郎の番号だった。名前は迷って、結局登録していないままだ。

『瞬・は・怒る・継続・まだ・か？』

「まだダメみたいやね」

答えるのが辛い。

『瞬・は・条件・何・どれ・で・フェイク・を・嫌うこと・を・中止・やめる・のか？』

「分からん」

ごめんね、と小さな声で付け加える。

『佳江・謝る・違う』

『佳江・は・フェイク・を・嫌う・しない』

拙いなりに佳江を慰めようとしているのがまた辛い。

『フェイク・は・瞬・に・会う・たい』

『瞬・と・話す・が・したい』

『瞬・は・電話・携帯・に・出る・通話・を・しない』

佳江はフェイクをそっと撫でた。

「ごめんね。多分、当分無理やと思う」

＊

佳江がフェイクを引き取っていって数日後、宮じいが瞬を訪ねてきた。

「元気にしゆうか」

そう言いながら、瞬にタッパーを渡す。「昨日、久しぶりにガラ曳きをしたき」中身はゴリの佃煮らしい。

宮じいは真っ先に居間に向かって、仏壇に手を合わせた。祖父が亡くなってから、宮じいは訪ねてくるとまず仏壇を拝む。

「何日か学校を休んじゅうと天野さんが心配しちょったき、寄ってみたがよ」

宮じいが訪ねてくるのは珍しくないが、タイミングが良すぎて瞬には裏が見え見えだった。

「佳江に何か頼まれたの？」

率直に訊くと、宮じいも率直に頷いた。もう全部知っている頷き方だった。

フェイクが飛ぶこと喋ること、岐阜に出現した父を殺した生物と同じ種類であること。佳江はきっともう全部を宮じいに打ち明けている。

いざというときに瞬が宮じいを頼るように、佳江もいざというときは宮じいを頼る。だから、この状況は起こるべくして起こったものだ。

「本当のところを言うたら、わしには何と言うたらえいがか分からなぁ」

宮じいは座卓の瞬の向かいに座って、真っ正直にそう言った。

「やき、わしが知っちゅうことだけ言うきの。佳江坊はだいぶ前からおまんを心配しちょったぜ」

だいぶ前？　それはいつのことだろう？　——疑問に思った瞬に答えるようなタイミングで、宮じいは言った。

「おまんがフェークを拾ったばっかりの、めくらばぁかわいがりよった頃よ」

そんな前から？　虚を突かれたが、瞬は表情には出さなかった。

「瞬のかわいがり方はようない、ちっと度が過ぎちゅうゆうてな。フェークを敏郎さんの埋め草にしゆうみたいやと」

そんなことを——佳江が宮じいに相談していたのは意外だった。むしろ、佳江が瞬の思いも寄らないことを考えていたのが意外だったのかもしれない。

佳江は佳江でいろんなことを考えている一人の人間で、瞬の都合のいいようにだけ動いたりはしない。そんな当たり前のことを今さらのように思い出す。

「じゃあ、今の結果で問題ないじゃないか。俺はもうフェイクなんか要らないし、フェイクを手放したんだから。佳江が望んだ通りになったじゃないか」

　瞬が嘯（うそぶ）くと、宮じいは瞬の目を見ながら首を横に振った。

「佳江坊はこういうふうに手放すがを望んじょったがやないろう。おまんが今ささくれちゅうがは仕方がない、けんど佳江坊を勝手に性（しょう）が悪い子にせられん」

　素朴で善良な意見を素朴に善良に語る宮じい。その善良さが瞬の気持ちにひりひりと刺さる。静かにたしなめるその口調もまた刺さる。

「わしはもう五十何年も仁淀川で漁をしてきた。瞬も火振りをよう手伝ってくれたろう」

　手伝ったのは主に鮎（あゆ）だ。夜、網を入れて光で脅かして鮎を網に追い込む火振り漁が宮じいの扱う最も大規模な漁で、瞬も佳江も小さい頃からそれをよく手伝った。引き上げた網から魚を外すのだ。細い糸に絡んだ魚を外すのは、子供たちには遊び感覚の楽しいお手伝いだった。

「火振りのとき魚がようけ掛かるろう。鮎だけやない、ハヤもイダ（ウグイ）もギギもオコゼ（アカザ）も掛からぁね。わしらは鮎だけが欲しいき、鮎だけきれいに箱に詰める。けんど、一緒にかかった雑魚（ざこ）は河原に放っちょくわね。売り物にならんきね。網で傷んじゅうき、じきに全部死んでしまわぁよ。それはもう毎度のことよ」

　小さい頃は、その放られて口をぱくぱくさせている雑魚がかわいそうで仕方がなかった。

　水に戻してあげればいいのにと思ったりしたが、漁は鮎が傷まないうちに網から外して回収するのが最優先で、そうしているうちに雑魚は弱って死んでしまう。

最後に川に流すときはもうほとんどが死んでいて、生きていても虫の息だからすぐ他の魚に食われてしまう。

それに慣れてしまったのはいつ頃だっただろう。

「網を入れる度に結構な数の雑魚を殺生すらぁね。外すに手間も要るし、正直なところ火振りをするには邪魔よ。鮎だけ掛かってくれたらどればあ楽かと思うわ」

漁師の理屈としてはもちろんそうだ。でも——

「けんど、雑魚が邪魔の要らんの言(い)いゆうがは、わしらの勝手な都合ぜよ」

まるで内心を言い当てられたようで、瞬は一瞬どきりとした。

「雑魚と呼びゆうがもわしらの勝手ぜ。魚のほうは自分が雑魚じゃ邪魔じゃは思っちょらんきね。ただ生きちゅうだけじゃ。ただ生きちゅうだけのもんを、わしらが要るの要らんの、えいの悪いの、勝手に分けゆうがよ。これは川だけじゃのうて、海でも山でもそうよ」

けんど、それはわしらにそうする権利があるがやのうて、相手が物を言われんのをえいことに勝手にやりゆうだけよ。

宮じいはそう結んで口を閉ざした。重ねて賢(さか)しらな説教などはしない。確かに『知っちゅうこと』を話しただけだ。

刺さってひりつく痛みが一層強くなった。

もっともらしい綺麗(きれい)事の説教を重ねてくれたほうがよかった。何も考えず反射で噛(か)みつけるから。

「――何が言いたいのか分かんないよ」

瞬は吐き捨てるように呟いた。

宮じいは「そうか」と答えただけでそれ以上は何も言わなかった。瞬の出したお茶を黙ってすする。

その無言が、強くではなく静かにたしなめているようで、瞬は生まれて初めて宮じいといることを苦痛に思っていた。

＊

各務原上空に出現した物体について、分かったことはまだ少ない。

そのほとんどは、物体自身がファーストコンタクト時に第一発見者に語ったことである。

日本のみならず世界的に真っ先に取り沙汰されたのは、他に仲間がいるかどうかだが、これについては物体自身が仲間がいないことを明言。物体は同種・近縁種の波長を未だかつて検知したことがないと証言し、物体の脅威はひとまず日本の一つに限定された。

もっとも、物体が単に同種を検知できていないだけの可能性もあるので、気休め程度に各国で航空路の無人機探査が行われた。一応、物体に類似する存在は発見されていない。

物体の生態には波長が密接に関わっており、生存は太陽光線の吸収によって維持され、人間との知的交流も無線による波長の交換で成立している。

波長を体内に透過させて波長の情報を読み、その結果としてレーダーにも映らない。年明けの二回の事故も、そのために起こったものであることは既に報道で世間も周知だ。

各務原出現後、岐阜基地からレーダー波反射を申し入れ、今はレーダーに映るようになった。

物体の調査権については諸外国からも名乗りが上がったが、物体自身が日本（正確には物体の初接触があったことでなし崩しに岐阜基地に設置された対策本部）以外との交流を拒否したために、日本が調査権を専有した形となっている。

調査される側に意思があるための異例の措置である。基本的に物体は人類と広範に交流する意図はなく、必要最小限の交流で自分の意思を実現させたい様子だった。その代わり、調査権を得られなかった諸外国からの要請で、物体は移動の範囲に制限を設けられた。国際航空路を除く日本経済水域上空がその定められた範囲である。平たく言えば、調査権——すなわち利益を専有するならそのややこしいものを自国の領域から出すなということだ。

米国は日本の『物体』独占状態に比較的寛容な態度を示したが、これは外交による解析情報の吸い上げを狙っていることが明らかだった。

対策はまったくの手探り状態で進められているが、意外な不自由として呼称の問題があった。統一呼称がなかなか決定しなかったのである。

公式、特に国会答弁などでは『浮遊物体』と呼ばれることが多く、報道では『円盤』もしくは『楕円物体』などが主流で、これに『謎の』などの枕詞が付く。

航空自衛隊岐阜基地の対策本部では、最初暫定的に『カカミガハラ』と呼称され、市の抗議を受けて撤回。物体自身に希望する呼称を尋ねたところ、返答が何故か『スカイドン』（これの理由は第一発見者だけが知っている）。これは版権の問題から採用を見送られ、『三十三』と呼ばれた。物体が発見された四国沖のポイントのおおよその緯度である。

呼称の不統一にいいかげん関係各所が不便を感じていたところ、ある週刊誌が『空の白鯨』という表現を用い、これが世間受けしたため、報道各社は『空の白鯨』または『白鯨』を呼称の主流とした。

これに引きずられた形で各官公庁における正式呼称も【空中白鯨】（略称【白鯨】）に決定。メルヴィルの『白鯨』との重複を懸念する声も上がったが『白鯨』という名詞自体は一般的なものとして押し切ることでまとまった。

「……とか言って、現場では『ディック』とか呼んでんだもんなー」

基地内道路を歩きながら書類をめくり、高巳は苦笑いした。書類は広報から回ってきたもので、統幕から下ってきた物体の公式呼称の通達書である。

そもそも、現場のほうが先に世間に添った形で【白鯨】と呼び始めており、物体と直接対話する人々の間ではより呼びかけやすい名前が求められ、メルヴィルの作品に登場する巨大白鯨『モービー・ディック』から転じて『ディック』の人名が定着したのである。

「公式発表でさえ口滑らさなきゃいいんだ、細かいことをうだうだ言うな」

そう言ったのは、並んで歩いていた光稀である。高巳はへえ、と呟いた。

「意外と融通利くとこもあるんだな」

「意外は余計だ！」

余計かなあ、と今度は声に出さずに思うに留める。

二人の行き先は別棟に設置された【白鯨】対策本部である。

ディックとファーストコンタクトし、それ以降ディックが信頼を寄せていることから、二人は対策本部に交渉アドバイザーとして参入させられている。

　光稀は隊内業務の一環として、高巳は日航設計からの出向扱いだ。光稀には飛行隊の業務があるので、本部の主要な会議やディックとのディスカッションは、基本的に光稀の訓練時間を外してスケジューリングされている。

　対策本部はディックの出現した翌日には仮設され、それから早一ヶ月が経とうとしている。

「お前、仕事のほうは支障ないのか」

　すっかり岐阜基地勤務になってしまった高巳に、気を遣ったのか光稀が問う。

　高巳は苦笑いで頭を掻いた。──痛いところを突く。

「俺、会社じゃ新米のペーペーだから。残念だけど抜けても支障ないってのがホントのところで。そのうえ事故もスワローの設計不備じゃなくて純粋に衝突事故ってことだから大幅な設計見直しもなくなったし、となれば空幕要請蹴ってまで呼び戻す必要もないみたいよ」

　特殊法人の性質上、官公庁要請を拒否しにくい事情はあるものの、高巳としては戦力外通告を受けたようで忸怩たるものがある。

　しかし、高巳が戻りたいと言い張ったところで、それが受け入れられるはずもない。出向元のＭＨＩが【白鯨】調査の現場に自社がらみの人間を送り込める機会を逸するはずはないし、実際にＭＨＩ本社からは調査内容を随時報告するように命令が来ている。

　それに政府が高巳の離脱を認めるとも思えなかった。現時点で【白鯨】との意思疎通が最も巧みな高巳は既に調査の根幹に関わっており、高巳の離脱はそのまま情報漏洩の危険に繋がると見なされるだろう。

その割にMHI本社との連絡が禁止されない辺りは、政府とMHIトップの間で既に何らかの取り決めが発生している可能性もある。

いずれにせよ、自分の平凡な人生に波風立てたくなければ政府に協力的であるしかない——と高巳は割り切っている。協力的である限り政府や社から圧力が生じることもない。

開発現場から切り離される焦燥はあるが、それはこの際仕方のないことだ。

「お前の思い入れは知らんが、こっちの仕事だって重要だ。しっかり身を入れてやれ」

非常に分かりにくいが、光稀なりに励ましているというかフォローしているのはもう分かる。

光稀は不器用な言葉を更に重ねた。

「国防と治安維持がかかってるんだからな」

大仰な台詞だが、実情はもはやそれがそぐったものになっている。

何しろ、最初の出現がセンセーショナルに過ぎた。地上、各務原で巻き起こった大パニックによる死傷者は軽傷まで含めると数千人である。

対策本部設立後、【白鯨】を海上へ誘導する方針は即時決定。結局最初に発見された四国沖の演習空域が誘導先に選ばれたが、発表された誘導ルートに上空を通過される各自治体が強硬に反発。修正案の可決に三日が費やされ、実際の誘導実施はディックの出現から数えて四日後となった。

その間、名古屋空港は完全に閉鎖。各務原市上空を通過する航空路は自衛隊機以外の航行を規制され、それに伴う経済的損失は数百億円に上っている。

そのため、国民感情は【白鯨】に対して否定的で、国外退去を求める声が圧倒的だ。必要とあらば武力行使もやむなしという過激な意見もかなりの割合を占める。一部の動物愛護団体や、UMA好きの物好きな人種からは友好方針が支持されているものの、あくまで少数意見だ。

そのうえ外交問題を近年こじらせている某国からは、【白鯨】のような脅威的存在を放置し、あまつさえ対話を重ねて馴れ合うのは当国への敵対行為であり、一刻も早く掃討せよとの強い申し入れが再三来ているという。

そんな情勢を聞くと、折りに付けぼやきが口をついて出る。

「ディックをそそのかして攻撃でもさせると思ってんのかねえ」

「何しろ図体が図体だ、自由落下しただけで都市が丸ごと一つ壊滅する。しかも完全な透明化が可能でレーダー波も透過できるとなれば接近の感知は不可能だ。都市が圧壊するまで攻撃の対象になっていることにすら気づかない。ロックオンされたが最後、反撃が不可能という点においては、ちょっとした弾道弾よりも戦術的威力は上だ。そんな脅威的兵器となり得るものを仮想敵国が手に入れているとすればヒステリックになるのも無理はないだろう。調査権を日本が専有したことへの反発もあるだろうしな」

淡々と話す光稀に、高巳は口をへの字にした。

「確かスカイドンのネーミングは空からドーンと落ちるからスカイドンって話だったけど……ディックがすると思うわけ？　そういうこと」

「向こうは【白鯨】が争いを好まない温厚な知的生物だなんて知らないからな。外交で多少のインフォメーションが入ってたって信じるようなお国柄じゃないだろう。脅威となり得るものを日本が持っているだけで難癖を付けるには充分だ」

「……こう、状況に苛立ったりとかしないわけ？」

「業務中は外交問題に私情を挟まないようにしてる。任務に支障が出るしな。敵を決めるのは政府であって兵隊個人個人じゃない」

あっさりと重たい命題を言い放たれ、高巳は言葉をなくした。しかし、確かに私情を抜いた光稀の指摘は当を得ているのだ。

パイロットとしてどれだけの技量の持ち主かは知らないが、志や心構えの面では光稀は立派にプロなのだろう。――多分、国防の。

「お見それしました」

高巳が呟くと、光稀は怪訝な顔で立ち止まった。高巳は何でもないよと笑った。

見てくれと中身のギャップが激しくてときどき意表を衝かれる。それだけだ。

意表を衝かれて魅きつけられるのは、また別の問題だ。

光稀は食い下がって訊こうとはせず（訊かれても困る）、また歩き出しながら言い足した。

「だから、愚痴に付き合ってほしいなら勤務時間外にしろ」

「……よく言うよ。そういうことは一回でもプライベートで付き合ってくれたことがある人が言うもんだ」

休日を食事や映画に誘ったことは一度や二度ではないが、光稀が応じたことは一度もない。

「愚痴を聞くだけなら喫茶室（PX）で充分だろう。何をわざわざ基地の外まで足を運ぶ必要がある。時間の無駄だ」

「だけしか認めてもらえませんか、そうですか」

高巳はがっくり肩を落とした。国防に関するプロ意識は大したものだが、何も娯楽や楽しみを一切合財却下する必要もないだろうに——時間の無駄とまで言い切られては、付け入る隙の一つもない。

「——あれ？」

通用門が先に望める交差路で、高巳は門のほうを見やった。

門の外に人だかりができており、いつもは一人しかいない立ち番が何人も増員されて人垣の前に立ちはだかっている。

「何の騒ぎ？」

光稀に問いかけると、光稀も首を横に振る。高巳はちょうど通りがかった隊員を呼び止めて同じ問いを繰り返した。

「ああ、あれ市民団体の抗議デモですよ、【白鯨】保護反対運動の。名古屋中心に活動してる『セーブ・ザ・セーフ』って団体で【白鯨】反対派では一番のタカでしょうね。最近よく来るんですよ、うちが『白鯨』の対策本部になってますから」

隊員はなかなかの事情通らしい。

「何でも、スワロー事故の遺族が中核になって立ち上げた団体らしくって。マスコミの注目度も高くて対応に難儀してます。遺族の娘がちょうど高校生だかでちょっと美人なもんだから、悲劇性があって記事にしやすいんでしょうね。『悲劇の美少女、現代仇討ち』なんて煽るもんだから、同情集まってやりにくいったらないですよ」

高巳は話を聞きながら軽く目を眇めた。まるで急に歯が痛んだような顔になる。

スワロー事故の遺族と聞くとさすがに無心ではいられない。スワローのテストパイロットとは直接の面識はないが、同じプロジェクトに関わった人間である。

今の今まで遺族のことに思い至らなかったのは高巳の不徳だが、遺族であれば【白鯨】憎しとなる感情は無理からぬことと思われた。

高巳はふと光稀の表情を窺った。光稀は門の喧騒を眺めて、少しだけ――やりきれないような顔をしていた。

光稀は斉木三佐の遺族とも面識があるはずだ。今、遺族が事故原因としての【白鯨】の出現に打ちのめされているであろうことを思わずにはいられないのだろう。

かと言って、ディックに悪意があったわけではなく、ただ不幸にもそこにいたというだけの話で――

隊員は一区切り話を終えて、門のほうへ立ち去った。それを見送りながら、高巳は呟いた。

「俺さぁ。子供の頃、ウルトラマンになるのが夢だったんだけど」

光稀は答えず黙っている。

「なれなくてよかったよ。きっついわ、これ」

現実の事件ではどこからどう見ても絶対悪いのが一人だけいるなんて簡単で幸せな話は滅多にない。ウルトラマンはきっと関係者の言い分をそれぞれ聞いて、あっちも分かるしこっちも分かる、スペシウム光線も使いどころがなくてただ心を痛めるだけだろう。スカイドンの話が入っているシリーズなら確かそんなところも描いてたっけ。

光稀はウルトラマンなんて見たことがないはずだが、こくりと小さく頷(うなず)いた。

「――どうしても体組織のサンプルは提供してもらえませんか？」

『残念ながらそれは了承しかねる』

高巳と光稀が本部室に入ると、室内の通信設備で生態調査班がディックとの交信中だった。話しているのは、生物学者として名京大から参加している佐久間(さくま)公亮(きみあき)教授である。四十八歳という年齢は学者としては中堅だが、専門以外の多様な分野にも造詣が深く、ディックの生態調査にはうってつけの人材と言えた。

佐久間の近くに立っていた制服の幹部が苛立った手つきでマイクを奪い取る。統幕から派遣されている宝田(たからだ)一佐だ。

「君を取り巻く状況は、現在非常に危うくなっている。それを認識した上での返答かね？　君が新種の生物であるという認定ができない限り、これ以上の保護は保証しかねると内閣からも再三通達が下っているのだが」

『私は現時点で誰の保護も受けておらず、また、保護を受けない生存が可能だ。あなたの論旨は飛躍しすぎていて理解が不可能だ』

ディックの返答には、出現当初のあのたどたどしさは窺えない。対策の始まった初期段階で、日本語教員による日本語の指導が行われており、ディックはものの十日ほどで破綻のない日本語を修得している。

「君には分からんかもしれんが、君はすでに我が国の政治的保護を受けているのだ！　周辺のある国家など、君を即刻撃滅しないことには我が国との交戦も辞さないと宣言を出しているんだぞ！」

宝田が介入したことで一気に場の緊張が高まった中、高巳と光稀のところへもやしが白衣を引っかけたような若い男がすっ飛んできた。佐久間の助手の芹沢(せりざわ)だ。

「春名さん、何とかして下さいよ。宝田さんじゃ険悪になるばっかりだ」

「無茶言うな、宝田さんからマイクむしれってか」

「だって武田さんじゃ間に入れないでしょ、階級的にっ。民間の人が入ったほうが穏便ですよ、後腐れないし」

「特殊法人舐(な)めんなよ、官公庁に盾突いてロクなことないのは民間企業の比じゃないんだ！」

「情けないことを自慢してないでとっとと行けっ！」

光稀が後ろから高巳の背中をどやした。

半ば押し出された形で、高巳は宝田のほうへ歩み出た。

「どうしましたか、春名君」

気づいて先に声をかけたのは佐久間だ。温和な物腰は宝田に比べて話の接ぎ穂が作りやすいのでありがたい。

「いえ、宝田さんとディックでかなり論点がずれてるように見えたもんですから、その」

「論点をずらしとるのは私じゃない！」

宝田が憤然と高巳を振り返る。

「こいつが人の話を聞かんから……！」

「いや、どっちかがずらしてるって訳じゃなく。両方ずれてるんです。お互い嚙み合ってないんですよ」

ディックの体組織サンプルに関する問題は、ここ数日結論が出ないままに堂々巡りを続けている。

これだけコミュニケーションを重ねていながら、ディックについて分かったことは飛行速度や機動性などの能力的な部分だけで、生態については質疑応答で得られた情報のみだ。

生体検査による裏付けはまったく取れておらず、ディックが生物であるという基本的な証明すら為されていないのが現状である。

身体の構成元素すら判明していないのは、ディックが体組織の提供を拒否し続けているためだ。その独特すぎる生態から、先カンブリア末期に全地球的に発生していたエディアカラ生物群からの派生を佐久間が予想しているが、それも予想の域を出ていない。

エディアカラ生物群は体長数十㎝から一メートル程の扁平な無脊椎動物で、これをスケールアップすればちょうどディックのような形状になる。また、エディアカラ生物群は光合成共生バクテリアからエネルギー源を得ていたと推測されており、これも太陽光線で生存エネルギーを得ているというディックの証言に合致する。

エディアカラ生物群はもちろん地上生物であるが、ディックはファーストコンタクトで高巳に「下から来た」と語っており、これを地上から空中への生物的な進出と考えればつじつまは合うことになる。

現存するあらゆる生物に似ておらず、現在の生物群との関連も謎であるエディアカラ生物群の解明をも期待されたディックのDNA解析であるが、体組織の提供が得られない限りそれも停滞したままだ。然るにディックへの提供の説得は一向に進んでいない。

「知能が高いからうっかり忘れがちですけど、ディックは実は非常に無知です。いろんな物事の概念だけは無差別な暗記みたいに山ほど覚えこんでますけど、それと実際『理解』しているのは別でしょう。なまじ語彙が豊富なだけに、一見ふつうに会話が成立してるように見えますけど、実際は通じてないことが山ほどあると思うんですよ」

ディックの語彙は丸暗記した【式】のようなものだ、と高巳は思っている。

解き方が分かっていれば意味が通じるが、分かっていなければ意味不明の単なる記号の羅列だ。

問題はディックが【式】を含んだ文法を操れることである。

ディックのほうは謎の代数として棚上げしている言葉が含まれているにも拘わらず、人間のほうは意図が通じているような気分になってしまう。

「ディックにとって、謎の代数の筆頭は集団の中で初めて発生する概念です。現時点で単一の個体、しかもまだ最初の世代交代が終わってない生き物に、集団としての意思決定手段である政治なんてもんを理解しろってほうが無理でしょう。国家問題についても然りです。ディックは現時点で個人を識別するのがいっぱいいっぱい、個人が集合して国家になって、更に国家が世界中に何百もあって、国家間でそれぞれ交渉事があるなんて、一般人が素粒子物理学を理解できない並みに理解不能ですよ。俺だって素粒子物理学って言葉自体は知ってますけど、実際の内容なんて全然分かりませんもん」

　ほう、と佐久間が感嘆したような声を上げた。宝田は苦虫を噛み潰したような顔をしているが、これはさっきまでカリカリしていた照れもあるのだろう。

「だから、ディックに国民感情とか国家問題を含んだうえでの状況の把握なんか求めても無駄なんですよ。小さい子供に説明する並みにいちいち砕いて説明してやらなきゃ。——それに、ディックがサンプル提供を拒否する理由も聞いてやりませんとね。ディックにはディックなりの理屈があるはずだ。拒否の理由が分からないと、歩み寄りも成立しません」

　高巳の話を聞き終えて、佐久間が微笑んだ。

「非常によく分かるお話でした。交渉役は春名君が適任のようですね。私では頭が固くて駄目だ。——お願いできますか」

若造の理屈を抵抗なく聞き入れられる時点で、佐久間が言うほど頭が固いとは思われないが、宝田を封じて高巳に交渉を専任させる意図だろう。根が悪いわけではないのだが宝田はとかくディックと相性が悪いのである。

「僭越ながらお受けします」

高巳は真面目くさってそう答えた。

一連のやり取りを見ていた芹沢が、光稀にこっそり声をかけた。

「やっぱりうまくまとめましたね。春名さんならやると思ったんだ」

高巳がディック絡みの問題を調停したのはこれが最初ではない。最初のL空域への誘導からして、ディックが応じるまでには高巳の説得が必要だったのである。

「まだ若いのに大した人ですよね。そう思いません？」

訊かれて、光稀は高巳を眺めた。

「──大した奴かどうかは知らんが、機転が利くのは確かだな。頭の回りは早い」

ただし、自分の能力を低めに見積もる傾向があるのが頂けない──

と内心で付け加え、光稀は自分が高巳を思っていたより高く評価していたことに初めて気がついた。

＊

ディックに国家の概念を（非常に大まかにではあるが）納得させるまでに数時間が費やされ、本格的な状況の説明は翌日へと持ち越された。

国民感情は【白鯨】排除へ傾いており、日本政府は【白鯨】と友好関係を築きたいと思っている。

政府としては【白鯨】が高い知能を持った貴重な新種の生命体であることを説明し、共存によるメリットを訴えることで国民感情をやわらげたい。

然るに現状では【白鯨】の生物証明すら為されていないため、新種としての希少性、有用性を訴えたい政府はかなり旗色が悪い――

「と、こういうことなんだけど。何か質問ある？」

高巳が訊くと、ディックからは待ち構えていたように質問が返ってきた。

『政府とは国民の意思を代行する機関ではなかったのか？　国民が私を排除したいのなら政府もそのような方針を取るはずだ。矛盾点を理解しかねる』

「……いきなり難しいとこ突いてくんね」

高巳は軽く顔をしかめた。

「えーと、世の中には建前とか現実とかいろいろあってだな。政府が国民の意思を代行するってのは理想であって理念なんだけど、現実はなかなかそう行かなかったりもするわけ」

この辺は高巳にもいろいろ言いたいことはあるのだが（特に毎月の給与明細を見るたび思う経済政策への不信とか）、それはいちいち例を挙げていくと脱線するので抑える。

「今回の件に限って言えば、ディックとの友好関係を築くことは一時的に国民の意思に反することになるけど、長い目で見れば後々国民のためになる――と政府は考えてるんだ」

『何故？』

これもまた答えにくい質問だ。

「……すっごく正直に身も蓋もないことを言うとだな。ディックの持ってる能力がすごく魅力的なわけ」

ディックの持つ飛行能力やステルス能力は、人類が保有している技術を遥かに上回る。特に、空中静止から超音速までを自在に操る飛行能力は現行の物理学では説明できない。これを解明できれば日本政府が世界に先んじて新技術を手に入れることになる。

また、ディックが「波長」と呼ぶのが主に電磁波であることは判明しているが、正確には何か未知の要素が含まれているらしい。人間の定義するところによる電磁波の性質からすると、あり得ないほどディックの「波長」の利用は柔軟でオールマイティすぎるのである。

この未知の要素も、解明できればまた別の技術に繋がることが見込まれる。

これが日本政府をして【白鯨】保護に立たせる、ほとんど唯一の理由だ。

打算以外の何物でもないが、高巳としてもディックの揚力と推力を自在に発生させる能力については、一技術者として強く興味を引かれる。

「ディックが研究に協力してくれれば、日本はものすごい新技術を手に入れられる。これって長い目で見れば、国民にとってもお得な話だろ？」

『なるほど。納得できる』

ディックはあっさり引き下がった。こういうときはディックの感情を持たない理詰めの性質がありがたい。人間的な感情で考えれば打算的な友好理由に不信や嫌悪を抱いても仕方のない話だ。

「そういうわけで日本政府はディックと友好関係を維持したい。だから反対派に、ファーストコンタクトは不幸な形だったけど、ディックは高い知能を持った友好的な生物なんですよー、共存のメリットは大きいんですよーと説得したいわけ。そのためにはディックが生物であるという証拠をきっちり固めて反対派に見せなきゃならない。だから、ディックの体組織が要るんだよ」

『私は生物だ。疑うべくもない。私は私が生物であることを知っている』

「けど反対派は疑ってる。中には君のことを生物だと認めずに、どこかの国が極秘裏に作った大量殺戮（さつりく）兵器だとか、宇宙人が送り込んだ攻撃装置だとか、超古代何たら文明だかの負の遺産だとか言い張ってる連中もいる。そんな危険なものは排除するべきだってね」

最後のはアレにしても、前二つはかなり本気で取り沙汰（ざた）されている説だ。

『私は人間と同じように意識を持っている。対話も可能だ』

「残念ながらそれは生物の条件にはならないんだってさ。植物なんか意識なくても生きてるし、今は対話可能な人工知能なんかも研究されてるしね。専門家の定義してる生物の条件ってのがあって……」

高巳が周囲に目を泳がせると、佐久間がさっと資料を繰って高巳の手元に出した。目で礼をしてディックとの話を続ける。

「――独立性と代謝と自己複製と進化、の四条件が満たされてないと、人間は君を生き物だと認めない」

『高巳は私を生物として認めていないということだろうか？』

平淡なりにやや不本意そうなディックの声に、高巳は慌てて執り成した。

「俺は認めてるし、ここにいる人は皆認めてるさ。でも認めない連中も確かにいて、そいつらに対しては証明ってもんが必要で、そのためには君の遺伝子情報やら何やらをきちんと調べる必要がある。君が生物なら必ず遺伝子を持ってるはずだし、最初の世代交代が終わってないにしても次世代に伝えるための遺伝子情報はもう存在してるはずだ。佐久間先生は、君の遺伝子が分析できれば反対派に君を生物だと証明できると言ってる。だから体組織サンプルがほしいんだ。どう？」

スタッフ全員が固唾を飲んで待った。ディックの返答までには、数秒の間が開いた。

『諸君が私の体組織を要求する理由は納得した。私も多くの人間と対立することは好まない。お互いの生存を容認し得る関係を築くことを希望している。――しかし、やはりその要求には応じられない』

落胆の気配が辺りを包む。宝田などは、苛立ちも露に指先で会議机を叩いている。

今度は高巳が逆に訊き返した。

「それはどうして？」

『私は全体でもって私だ。どの一部分も平等に重要な私の部位だ。提供できる重要でない部分は私には存在しない。最初の衝突事故で期せずして私の一部が剝落したが、私はそのとき非常な喪失感に苦しんだ。未だかつてない苦しみだった。同じ苦しみを再び体験することを、私は採択し得ない』

「――了解。ちょっとこっちでディスカッションタイムな」

通信の中断を宣言して、高巳はスタッフを振り向いた。

「ということですが、どうします？」

双方の要求とその論拠が一応は出揃った。

すり合わせの足場ができたということである。

「奴の言ってることは私には意味が分からん」

宝田がまず仏頂面で口火を切った。

「しかし、単一の生命体としてのメンタリティは興味深いですね」

そう言ったのは佐久間である。

「恐らく、単一個体であるが故に自己の保存に対する執着は我々の比ではないのでしょうね。最初の世代交代を迎えていないこともまた、それに拍車をかけているのでしょう。もしも提供してしまった一部が世代交代に必要な一部であったら困る、という想像はディックの立場からすれば無理からぬところです」

実際はその均一な形状からして構造も均一であろうと推測されているが、ディックにとって推測はあくまでも推測である。

「しかし、一度期せずして一部が剝落したと言っていますよ」

挙手して発言したのは芹沢だ。

「だとすれば、実際は一部を提供しても今後の生存に問題はないんじゃ……」

「いや、それは逆でしょ」高巳は話に割り込んだ。「一度、一部を失った経験があるからこそ、二度と一部を失いたくないんだ」

一部を剝落したことでディックは佐久間の指摘した危惧を既に一度経験している。ディックにとってそれは生存の危機を経験したのと同じだ。同じ危険を敢えて繰り返すはずもない。

佐久間が難しい表情で呟く。

「少なくとも、気軽に献血に応じるようなわけには行かないでしょうね」

「じゃあ、その剝落した一部を探し出してそれをサンプルにするとか」

芹沢の提案は、宝田によって一蹴された。

「スワロー事故が何ヶ月前だと思っとるんだ。剝落した一部が大きければ、事故調査時に機体の残骸とともに発見されているはずだ。発見されなかった以上、大した大きさじゃなかろう。海洋に落下したそんな小さいかけらを今さらどうやって探すんだ。海自と海保の機材をすべて投入して海流に沿って探したとしても、対象海域を潰すだけで何年かかるか分からんぞ」

「……ですよね」

芹沢も無茶な提案だということは分かっているらしい。

話し合いの結果、サンプルを使用しない外的検査から開始する方針でまとまった。ディック
が生物である以上どこかで代謝が発生するはずで、外的検査で代謝のシステムが分かれば代謝
後の物質を回収することは可能だ。

方針を元に生態調査班が実際の検査案を詰め始めたとき——部屋のドアが乱暴に開いた。

「春名高巳！」

飛び込んできたのは光稀である。高巳がディックと対話している途中で退室していたのだ。

全員が呆気に取られて見つめる中、光稀は高巳に向かって叫んだ。

「ディックに移動を指示したか⁉」

「え？　いや、してないけど。何で？」

光稀はつかつかと会議机に歩み寄ってきた。

「管制に呼び出されて事情を訊かれたんだが、ディックの所在位置が変わってる」

ディックの現在の所在位置は四国沖のL空域のはずだ。ディックには所定の空域から絶対に
逸脱しないことを指示してある。

持ってきた地図を机上に広げた光稀は、地図の上でディックがいるはずのポイントから東へ
指を走らせた。

「移動速度は音速だ、このままじゃ数分で経済水域を抜けて公海上に出る」

それの意味するところは全員が瞬時に理解した。

高巳は物も言わずに通信席へ駆け寄った。

「ディック何してるんだ⁉」

国際的な【白鯨】約款上、公海上に出た時点でディックに日本政府の保護は及ばなくなる。

だが、ディックの返答は意外なものだった。

『私は誘導に従っている。諸君の上位機関の指示を受けているところだ』

「宝田さん、どういうことなんだ！」

全員の咎めるような視線を受けて、宝田も困惑したように怒鳴り返した。

「分からん！　何か急激な状況の変化があったとしか――」

「くそッ！」

再び高巳がマイクに向き直ったとき、スピーカーから鼓膜を突き破るような殺人的ノイズが発生した。

とっさに高巳はヘッドホンをむしり取り、室内のスタッフも全員が思わず耳を押さえた。

＊

かねてより【白鯨】問題について高圧的に迫っていた某国が、東京に核の目標を定めたうえで【白鯨】排除を強硬に要求してきたことが、政府が【白鯨】保護の方針を突然に翻した原因であったらしい。

【白鯨】と日本の軍事密約を疑った某国に交渉余地はまったくなく、一方的なカウントダウンが開始された。ゼロカウントまでの猶予は三時間。全国の自衛隊基地が第一種防衛態勢に入り、【白鯨】の保護放棄が決定された。

しかし、【白鯨】への情報の漏洩を恐れて岐阜基地だけはこの通達から外された。岐阜基地が擁するのが飛行開発実験団で、戦闘航空集団を持たないことも『岐阜飛ばし』が容易に承認された理由である。

政府は米国に【白鯨】排除のための軍事協力を要請し、それは即時受諾された。何しろ猶予が三時間では要請も受諾も即断でないと間に合わない。

たとえ核攻撃が【白鯨】排除を強いるためのブラフであったとしても（そしてその可能性は実際高いが）、それがブラフであることを実際にゼロカウントを迎えて試すなどということは不可能だ。

米国としては、日本に【白鯨】を解析させたうえでの情報の搾取という筋書きに未練がある様子だったが、某国に外交による説得の余地はなかった。某国と交戦状態に入るより【白鯨】を排除するほうが面倒がない、というのは国家として当然の判断であった。

協力要請に伴い【白鯨】処理は米軍に一任された。専守防衛の建前上、相手が【白鯨】とはいえ、日本からの先制攻撃の前例は作れないとの判断からである。また、航空機と二度も衝突して深刻なダメージを受けなかった【白鯨】に有効な兵器を自衛隊が保有していない、という現実的な事情もあった。

米国の協力を取りつけたうえで、政府は無線により【白鯨】に移動を申請した。――太平洋側の公海上へ。

米軍は【白鯨】の移動予定地点に向け、弾頭を通常に差し替えた数発の大陸間弾道ミサイルを発射した。【白鯨】の強靭さと体長数十㎞四方という規模を鑑みた兵器の選択である。

人間に対してまったく警戒を持っていなかった【白鯨】は完全に不意を打たれ、発射されたミサイルは全弾が直撃したという。

＊

殺人的なノイズの後、室内は水を打ったように静まり返った。誰一人として声を発しない。

あまりにも鮮やかに返された手のひらに、放つべき言葉すら思い浮かばない。

憤りとか怒りとか悔しさとかそんな感情がじわじわと胸の中を這い登ってきて、気がつくと高巳は通信席の机の上に拳を振り下ろしていた。

視界の隅に固く握った白い拳が入り、高巳は横を窺った。唇を引き結んだ光稀の横顔は蒼白になっていた。

敵を決めるのは政府だ。兵隊個人個人じゃない。

光稀の言葉が今となっては痛ましい。そんなにまでも自分を強く律して努め、上はと言えば損得の打算だけでゆえなく敵を決めた。切りやすいところをただ切った。

嫌にならない？　訊いてみたいと思ったが、今訊くのはあまりに酷だ。

高巳は光稀の固い拳の上に手を重ねて強く握った。光稀を慰めたのか、自分がすがったのか、自分でもよく分からない。光稀は手を避けようとはしなかった。

通信機から受信のアラームが鳴った。弾かれたように高巳は応じた。わずかな時間で離した手の温もりが、事態に向かう気力をくれたような気がした。

「高巳だ！　——ディックか⁉」

意味不明の雑音がしばらく応え、やがて——聞きなれた機械音声のような声が入った。

『高巳か？　私は状況が分からない、何があったのか——』

生きていた。

それだけで室内の空気が弛緩した。

「こっちも詳しい状況は分からない。ただ、政府はどうやら君を切り捨てたらしい——」

『そちらの状況を受け取る余裕が私にはない。私は私の状況が分からない』

話を聞く余裕がない。ディックとしては最大級の動揺だろう。

「何があった？」

高巳の質問に、ディックの返事は相当遅れた。

『——私は突然衝撃を受けた。火力？　爆風？　圧力？　それらの混合されたもの？　それは人間の所有する兵器によって発生したものである。その衝撃を受けて私は、私と私と私と私と私と私と私と私と私と私と私と私と私と私と私と私と私と私と私と』

私と、が気が狂うほど繰り返される。

『――私と私と私と私と私と以下略無数の私に分割された』

佐久間が横からマイクに割り込んだ。

「何らかの攻撃によって、君の体は無数に分割された。ただし君は生きている。そういうことですか？」

的確な確認に、ディックもすぐ答えた。

『その解釈で概ねは合っている。ただし、私と――以下略無数の私は、それぞれに並列して生存を続行している』

ばらばらに砕け散ったが、破片はすべて生きている。

ディックはその状態にかなり動転しているらしい。

『私は、私と――つまり我々という状態になったことはかつてなく、私はこの状態を理解し、処理することができない。私は個にして唯一であり、複数の我々は経験したことがない。私はこの状態をどうすればいいのかについて有効な知識を持たない』

「落ちつけ、取り敢えずどうもしなくていいから」

考えるな、と高巳は繰り返した。

単一の生命体としてのアイデンティティしか持たない状態で、外的要因で無理矢理【集団】にさせられたのだ。いま下手に考えさせても混乱がひどくなるだけである。

「俺の質問に答えてくれ。推測は要らない、事実だけで答えるんだ。いいな？」

ディックの了解を受けてから、高巳は質問を開始した。ディックを落ちつかせる意図もある。

「単一の個体ではなく、複数の集団と化した？」

『はい』

「集団のそれぞれが、それぞれの意思を持って行動するようになった」

『はい』

「今、俺と話している君は、単一の個体であった当時のディックの意識を引き継いでいる」

『はい。私は我々の中で最も大きな破片となった。ただし、我々は全員が単一の個体であったときの記憶を共通して持っている。ただし、現在の意識は共通ではない』

「再び一つになることはできない」

『分からない。はいといいえ、どちらでもない。私はこの状態になったことは未だかつてなく、この状態となってから再び一つの状態に戻れるかどうかについての知識を持たない。私は私が重複するこの状態を大変に憂い、一つの状態の回復を切望しているが』

「他の連中とのコミュニケーションは取れる？」

『はい』

「どうやって？」

『分裂した瞬間、私と私以外の我々は互いを見失わないための波長を生み出した。それは思考する共通の波長であり、互いに聞こえ、遠くまで届く。私と私以外の我々は、スワローテイルとの事故による一部の剝落で、分裂した互いを見失わないための波長の必要性を学習し、この度の危機に際してその波長を発生させた』

「君は今、何をしてる？」

『四国沖演習空域・L空域・に戻っている。戻ってそこに滞空している』

「他の連中は何をしてる？」

『攻撃を受けた空域から、諸君人間の存在する陸地——日本へ向かった』

「それはどうして？」

『私と私以外の我々は、人間の兵器で攻撃されたことを知り、人間が我々の生存を脅かしたと判断した。私は高巳に事情の説明を求めるために、ここにとどまり対話を続行することを採択したが、私以外の我々は、我々の生存を守るべく、我々の生存を脅かした外敵であるところの人間に対して、反撃することを採択した』

先制攻撃した以上、最初の攻撃で敵を殲滅できなければ、反撃されるのはあまりにも当然のことだった。

群れと化したディック以外の全ての【白鯨】が報復のために日本へ上陸する。悪夢のようなその脅威を阻止する手段はない。

自業自得という言葉が、恐らくその場にいた全員の胸に去来した。

この時点ではまだ誰も、【白鯨】群の報復があまりに一方的になることを知らない。

*

【白鯨】は数万にも及ぶ破片に分断され、そのすべてが独自の意思を持った。

最も大きな破片となったディックを除くすべての破片が、人間への報復を採択した。

日本政府が保護放棄せざるを得なかった事情や、実際の攻撃が米軍によって実行されたことは【白鯨】群の関知するところではなく、【白鯨】群は当然のように日本を襲撃した——正確には、【白鯨】が攻撃を受けた地点から到達しやすい太平洋側の都市が攻撃の対象となった。

某国の核攻撃に備えて待機していた自衛隊の航空戦力は【白鯨】迎撃のためにスクランブルした。しかし【白鯨】と自衛隊の保有する戦闘機では機動能力に圧倒的な差があり【白鯨】の航空力学を無視したかのような機動に、各航空団飛行隊は【白鯨】をロックオンすることさえも叶(かな)わなかった。

対して【白鯨】は容易に自衛隊戦闘機を追尾し、その知られざる攻撃能力を存分に振るった。【白鯨】は体表からさまざまの攻撃的な波長を操ったのである。

それはどういう基準で何が選択され生成されるのかは謎だったが、その多くが指向性であり、個体により場合により雷であったり高出力レーザーであったり、あるいはメーザーであったり、電磁気パルス(EMP)であったりした。

波長を自在に操る生物と敵対するということは、多様な攻撃を同時に可能とするあり得ない兵器と戦うということでもあった。

その事実を人々は敵対してから知った。——もはや手遅れの認識であったが。

自衛隊は最初の交戦から三十分で、保有する航空戦力の約半数を失った。生き延びた残りの半数は火器を使い尽くすか、あるいは燃料を使い尽くして帰投した。再びの出撃はなかった。——あまりにも彼我の機動力に差がありすぎて、戦闘にならないためだ。

自衛隊の反撃は地上及び海上からの迫撃に切り替えられた。

陸海からの総力を尽くした迫撃は、しかし【白鯨】には何ら効力を発揮しなかった。激しい弾幕は【白鯨】をかすることすらなかった。もし命中したとして、弾道ミサイルを受けてすら死なず、分裂しただけに終わった【白鯨】を撃破できるとは思われなかった。分裂することによって小さくなったとしてもだ。

交戦の手段を失った地上に対し、【白鯨】たちは蹂躙（じゅうりん）を開始した。武装非武装の区別はなく、無差別攻撃だった。

【白鯨】たちにとってこれは生存競争であり、生存を脅かしたのは『人間』であった。区別するべき条件を彼らは持たない。日本政府は保護を放棄しただけで敵対はしていないなどという詭弁（きべん）が通じるわけもない。

弾道ミサイルが無効だったことで、米軍も基地防衛以上の積極的な介入をしようとはせず、日本に差し伸べられる軍事的な支援は一切なかった。

誰も手の出しようがない、というほうがより正確であった。

第5章　子供は戻れぬ道を進み、

『……番組の途中ですがニュースをお伝えします。本日六月八日、十四時三十分頃、【白鯨】が数万体に分裂して、太平洋沿岸の各都市に攻撃を開始しました……分裂した【白鯨】は人口密度の高い地域に集中的に上陸しており、体表から雷や高出力のレーザー、電磁気パルスなどを放射して市街の破壊と市民の殺傷を繰り返しています。分裂・襲撃に至る経緯は、まだ何も分かっていません』

土曜日の気の抜けた昼下がりにはふさわしくない唐突な速報が始まり、瞬はテレビに釘付けになった。

＊

画面がスタジオから中継に切り替わる。

見慣れた高知市内の繁華街が——まるで戦場だった。

大橋通り前の国道三十三号線では中央に路面電車の線路が走る道路の全車線が車で詰まり、方々で横転した車両が火の手を上げている。

逃げ惑う人々の上を大小の白い楕円が舞い飛び、雷や光線がその楕円から降り注ぐ。それに打たれて人が吹き飛び、建物が砕け、降り注ぐ破片がまた地上を逃げ惑う人々を襲う。

中継のカメラが急に方向を変えて走り出した。がくがくと揺れる画面が、もはやカメラマンが撮影を続行する状況にないことを知らせている。

やがて画像が転倒した。

地面で跳ねてノイズが入り、ブラックアウトする寸前の画面に力なく投げ出された手が映る。赤黒く焦げてぴくりとも動かない。

生々しい被害の瞬間を切り替え損ねて映像がスタジオに戻る。

顔色を蒼白にしたアナウンサーが、カメラ目線を保つ余裕もなく手元の原稿を読み上げる。

『高知県下では高知市が先程から襲撃を受けており、高知県庁を中心とした半径三km圏内地域に避難命令、半径五km圏内地域に避難勧告が出されています。三km圏内と五km圏内に含まれる地域はご覧の通りです』

画面が地名のフリップに切り替わる。いの町は市外だから入っていない。

『命令・勧告地域外の方もできるだけ外出は控えてほしいと警察からの――』

突然、玄関で引き戸ががらりと開いた。廊下へ出ると玄関に立っていたのは佳江のおばさんだった。

「どうしょう、瞬ちゃん！　佳江が――今日市内へ行っちゅう！」

瞬は弾かれたように詰め寄った。

「どこ!?」

「学校の帰りにそのまま市立図書館に行くって言うて――どうしょう、市内へ行けるろうか、電車動きゆうろうか、お父さんが仕事に行っちゅうき、おばちゃん車がないがよ。佳江の携帯も繋がらんし、おばちゃんどうしたら……」

佳江の父親は町の消防署の消防署長だ。こんな事態になれば職場に貼りつけだろう。とても帰って来られるとは思えない。

それにしても佳江の行き先は間が悪い。市立図書館は県庁のほとんど真向かいで、避難命令の出たど真ん中の地域だ。

「どうしょう、お父さんもおらんしおばちゃん――」

気の毒だが、瞬はおばさんを無視して玄関を飛び出した。おばさんがパニックになっているのは明らかで、付き合っている暇はない。

天野（あまの）家に勝手に上がり、佳江の部屋に駆け上がる。ドアを開けると――もう一ヶ月ぶりにもなるだろうか、フェイクが畳の上にいた。

瞬が来たのに気づいてか、スイと軽やかに浮き上がる。

瞬は携帯で一ヶ月使わなかった番号をコールした。

繋がった瞬間、フェイクに喋（しゃべ）らせずに叫ぶ。

「佳江を助けろ！」

フェイクは驚いたのか返事をしない。瞬は重ねて叫んだ。

「お前の仲間が市内を襲ってる！　今日、佳江が市内に行ってるんだ！　お前の仲間から佳江を助けろ！　佳江まで殺したら、俺は、絶対お前を許さない!!」

涙は出ていないのに、泣いているかのように目の中が熱くなった。どうしようもない苛立（いらだ）ちと焦りが瞬を駆り立てる。

『助ける・分からない・佳江・を・助ける・方法・何』

フェイクが問いかけるのに、瞬は怒鳴った。

「殺せよ!!　お前の仲間が人間殺してるんだ、街壊してるんだ！　お前仲間だろ⁉　責任取れよ、仲間殺せよ、やっつけろよッ!!」

とてもひどいことを言っている自分を、他人事のように聞いている自分がいる。

佳江を守れと言えない自分、助けるために仲間を殺せと罵る自分、佳江を助けるのと仲間を殺すのは同義じゃないのにそれしかないように追い詰めて、まるで正義のように振りかざして、どこまで殺せとどれだけ殺せと――制限も付けずただ放つ。

一対多数で勝てるはずもない不利な条件で。

だってこれくらい当たり前だフェイクの仲間は俺の父さんを殺したんだから街を襲ってるんだから佳江を殺そうとしてるんだからフェイクはあいつらの仲間なんだからフェイクが責任を取るのが当たり前だからフェイクがあいつらを殺せばいいんだ。

一対多数で不利な条件でフェイクが逆に殺されたってフェイクはあいつらの仲間なんだから同罪なんだから死んだって当たり前だ――

誰か止めて。

――佳江がいれば止めてくれるのに止めてくれる佳江がいない。

『フェイク・は・瞬・が・喜ぶ・を・する』

はっと気づくとフェイクがそう言っていた。そして――

身の竦むような音がして、窓ガラスが外側に向かって破れた。

「フェイク……！」

窓際に駆け寄ると小さな白い楕円が青空の中を突っ切っていく。方向は市内に向いている。地理を分かっているとは思われない、仲間の存在を感じ取ってその方へ飛んでいるのだろう。

「やっぱり駄目だ！　戻れ！」

こんなことがしたいんじゃない。

佳江がいれば止めるから、そんなことは分かっているから、だったら佳江が今いなくたって同じことだ――俺は佳江がいなくても止まれるはずだ。

しかし、携帯の通話は既に切れていた。

「フェイク！」

瞬はリダイヤルを押しつつ階段を駆け下りた。帰ってきたおばさんと玄関で鉢合わせしそうになる。「おばさんごめん、ガラス割った！」言い残して瞬は家へ駆け戻った。

庭に停めてあるMTBを引っ張り出す。

「瞬ちゃん、どこ行くが!?」

「市内！　佳江を探してくる！」

「瞬ちゃんいかん！　子供が行かれん！」

おばさんが止めようとするのは聞かず、瞬はＭＴＢを漕ぎ出した。

片手運転で耳に当てている携帯は、ずっと呼び出し音を鳴らしている。出ないのは出る気がないのか、既に出られる状況にないのか。

国道へ出るともう大渋滞が始まっていた。上下ともびっちり詰まって微動だにしない。上りのほうも詰まっているのは、家族や知人を探しに行こうとする車だろう。

ヒステリックなクラクションがあちこちで鳴り響き、道路全体が殺気立っている。

こういうときは自転車が一番機動性がいい。

詰まった車を尻目（しりめ）に、瞬は全力でペダルを漕いだ。

市内に近づくにつれて街路の混迷は極まり、逃げ惑う人々で歩道すら自転車を走らせるのが難しくなった。もともと市内の西の方は歩道の幅が広くはない。

瞬は車道にＭＴＢを乗り出した。状況から見て車が急に流れ出す心配はない。あみだくじをたどるように車の隙間にＭＴＢを駆る。

旭（あさひ）駅の筋を越えて上町（かみまち）へ差しかかり、前方の上空にいくつもの白い楕円が高速で飛び交っているのが見えてきた。遠景で見ているためか、テレビで見たより全体的な数は多くない感じがして意外だった。

楕円は大きさにかなりのばらつきがあるようだが、遠目で見る限りではどれもフェイクより大きいようだ。

フェイクはもうあの中にいるのか——瞬は再び携帯でフェイクを呼び出したが、やはり応答はない。

一ヶ月、フェイクを無視し続けたバチが当たっているのだ。一番繋がってほしいこのときに繋がらない。

——もしかして、もうやられた?

全力でMTBを漕いで体中汗まみれなのに、鳩尾(みぞおち)だけがすうっと冷たくなった。

勝手に拾って勝手にかわいがって勝手に突き放して——最後に一番酷(ひど)いことを言って、それを取り消せないまま終わってしまう。

最低だ。

こうして今さら必死になっているのも最低だ。

最初から言わなければよかったものを、気が済むように散々言い放ってから取り繕うように追いかけて、それでちょっと帳尻を合わせたつもりか。

最初から佳江を探して守ってくれと頼めば済んだ話なのに、佳江を助けるために仲間を殺せなんて見当外れの命令をして、こんな命令ではフェイクは佳江を探さない。守らない。

フェイクは無駄死にで佳江だって助かるかどうか分からない。

もし佳江が死んだらそれは自分のせいだ。佳江が助かる確率を上げることができたのにそれをしなかった。

畜生——せめて——佳江は。

いよいよ乱舞する【白鯨】の真下の地域に差しかかって、瞬はちらりと上を見上げた。周囲の建物より高い高度を、白い楕円が自在な機動で飛び回っている。

少しでも回避しようと裏道に逸れると、そこは表通りより酷い惨状だった。木造や古い建物が多いせいか、建造物のほとんどが半壊、あるいは炎上し、道にも瓦礫が散乱している。路面は荒れ放題に荒れ、ＭＴＢを駆るのも一苦労だ。アスファルトが直接えぐられてもいる。【白鯨】の雷だかレーザーだか分からないが、とにかく凄まじい威力だ。もしもこれの直撃を受けたら、と一瞬考えただけで背筋が寒くなった。

避難命令地域の中心部は却って人通りがなかった。車は相変わらずぎっちり詰まっているが、もうほとんどが乗り捨てられて無人だった。

市立図書館が見えた。夢中でＭＴＢのペダルを漕ぐ。

佳江は頭がいいし気も利く、だからこんなとき逃げ惑う人々に飲まれたりはしない。きっと図書館でそのままじっとしてる。

それが一番安全だって佳江なら分かる。分かるだろ？

きっと佳江はあそこにいる。いるはずだ。いてくれ。

突然、前方に白い巨大な衝立が矢のように急降下してきた。

「――――‼」

ブレーキが壊れるほどに握ったが、止まりきれずに転倒。投げ出された瞬を残してＭＴＢがアスファルトの上を滑っていく。

瞬は倒れたまま白い衝立を見つめた。全長数メートルの白い楕円だ。

見られている。相手に目鼻はないのにそう思った。

【白鯨】の体表が帯電しはじめた。――当たり前だ、見逃すわけがない。

「瞬――――ッ!!」

絶叫で呼ばれてそちらを見ると、もう目の前になっていた図書館の入口から佳江が走り出てこようとしていた。

――ああ、やっぱりここにいた。

場合でもないのに、瞬の口元には笑みがこみ上げた。

佳江は周囲の大人たちに取り押さえられ、半狂乱になって暴れている。

ああ、そう、そうやって押さえててよおじさんたち――絶対、離さないでよ。

最後まで。

「瞬、瞬、瞬、瞬っ!! いやあぁっ、どうしてぇ――――――!?」

どうしても何も。お前、探しにきたんじゃないか。

お前、無事だから、よかったんだよ。

【白鯨】の帯電が高まる。――ああ、せめて、楽だったらいいな。

目を、閉じかけたとき。

激しい風が真下に吹きつけた。真上から巨大な白が降る。

瞬を狩ろうとしていた【白鯨】の数十倍の大きさだった。

その楕円が帯電する【白鯨】にばさりと覆いかぶさる。道路の幅では足りなくて、端は道路脇の堀の向こうの藪まで溢れた。

――それで、終わった。

路上にべたりと広がった楕円が、風を巻いて起き上がる。

ジーンズのポケットの中で、携帯が振動した。

瞬は起き上がりながら携帯を取った。

「――フェイク、か？」

瞬を庇う【白鯨】なんて、それしか――

『瞬・佳江・無事・安全・良かった』

やはりフェイクだ。しかしこの大きさは。

立ち上がった全長は、背後に見える県庁よりも遥かに高い。倍ではきかない。

「フェイク――今の奴は」

『フェイク・が・食べた』

下敷きになったはずの【白鯨】は跡形もない。

『フェイク・食べた・みんな・全部・食べた・瞬・佳江・安全』

気が付くと、上空をひらひら舞っていた【白鯨】がいなくなっていた。

――フェイク・は・瞬・が・喜ぶ・を・する。

「瞬——!!」

図書館から、大人たちをとうとう振り切って佳江が飛び出してくる。巨大なこれがフェイクだと様子で分かったのだろう。

泣きながら抱きついてくる佳江を、瞬は片腕で受け止めた。

無事でよかった。——一瞬だけ受け止めた腕に力を込める。抱きしめたように見えないように。

そして、瞬は佳江を手放した。

もう、触る資格がないから。

「——えらいぞ、フェイク。お前のお陰で佳江も無事だったし。ありがとな」

フェイクは瞬が望んだ通りにしたのだ。——だから、これを喜ぶのは瞬の義務だ。

フェイクは、瞬が喜ぶためにやったのだから。

「嬉(うれ)しいよ。本当にありがとう」

*

お手柄高校生、郷土を守る——父の遺志継ぐ六月八日、米軍のミサイル攻撃で分裂した【白鯨】群に襲撃された高知市を、たった一人の高校生が守った——市内の県立高校に通う斉木瞬（16）君だ。

斉木君は二月、仁淀川河口で【白鯨】の同一種と思われる生物を拾い「フェイク」と名づけて飼育。知的交流のきっかけは、偶然繋がった携帯電話だったという。【白鯨】の高知市襲撃に際し、斉木君はこのフェイクを応戦させた。フェイクは小さい体ながらも善戦し、敵【白鯨】に体当たりして吸収する形で対抗した。結果として高知市に上陸した【白鯨】は全て吸収され、元は体長一ｍ程だったフェイクは五〇ｍを超える大きさに成長している。

斉木君は二月【白鯨】との衝突事故で死亡した航空自衛隊斉木敏郎三佐の遺児。その斉木君が【白鯨】の同一種を飼育し【白鯨】を撃滅したのはある種の因縁を感じさせる。主力戦闘機Ｆ15が大敗を喫し地上攻撃も戦果を上げず実質上の防衛手段を失った日本。国防を担って散った亡父の遺志を息子が継ぐことになるか。

（二〇〇×年六月九日、高知新報）

——高知新報の一面を飾ったこの記事は、主要な全国紙にも転載された。

*

「何だ、この記事は！」

　光稀（みき）が憤然と新聞を会議机の上に叩きつけた。昼休憩の本部室はスタッフが出払っていて、光稀の怒声にも遠慮がない。

「あー、それねえ」

　高巳（たかみ）は苦笑しながら頷（うなず）いた。朝読んで、光稀が見たら怒るだろうと思っていたところである。

「不見識もいいところだ！　いくら防衛手段が失われたと言え、地方の一高校生に国防の責を押しつけるような記事を――いい大人が！　全国紙だろうが！」

　光稀の言葉には一部嘘がある。――地方の一高校生だから。常識的に考えてもちろんそれもあるが、光稀がここまで怒るのは一高校生が更に斉木三佐の遺児だからだ。

　父親を【白鯨】絡みで失った少年をさらにこのうえ危険に駆り出そうとするような記事を、光稀が無心で見過ごせるわけもない。

「確かに、すごい因縁ではあるけどね。それにしたって書き方が軽率だよなあ。元記事、高知の地方紙だっけ？　ローカル記事で終わっときゃよかったのに」

　高巳は光稀が放り出した新聞を引き寄せた。一面だから開く必要もない。記事には斉木少年の写真も添付されている。粗いドットで見にくいが、繊細そうな顔立ちだ。

「――どんな子だったの？」

高巳は敢えて尋ねた。腫れ物にするには新聞の扱いが派手すぎる。

光稀は一瞬言葉に詰まり、やや目線を伏せて答えた。

「繊細そうで――大人びた子だったよ」

やはり、繊細という表現が一番に出てくる。

「……葬送式でこっちに来てた間、一回も泣かなかった。受け答えも随分しっかりしていて、言葉遣いもきちんとした敬語で」

「でもちょっと危なっかしい？」

高巳が先回りすると、光稀は驚いたように顔を上げた。どうして分かるんだ、とその表情が訊いている。

「だってあぁた分かりやすいんだもの。表情見てりゃ考えてること大体分かるよ」

脈があるかないかは全然読めないけどね。と、これは心の中で付け加える。

「それは私が単純だと言いたいのか」

「言葉が悪いな、純粋って言うのそういうのは。気持ちの流れがきれいだから分かりやすい」

「単純だと言ってるようにしか聞こえん」

「そう？　俺は好きだけどね」

光稀が一瞬目を瞠り、口が滑ったことに気づいた。慌てて付け足す。

「そういう、まっすぐな性格の人はね」

ここで突っ込めないのがダメダメだよな−俺。内心で溜息をつきながら話を元に戻す。

「そんで、どう危なっかしかったの、斉木瞬くんは」

「——自分の気持ちをすごく押し殺してるように見えた。何だか我慢しなれてる感じで」

光稀は考えながら言葉を紡いだ。

「ああいう不幸のときって遺族は泣いたり怒ったりするものなんだ。隊に嚙みつく人も珍しくない。いい大人でもだ。なのにあの子——私に、『よかったですね』って言ったんだ」

よかったですね。

あなたは助かってよかったですね。

聞きようによってはえらい皮肉に聞こえるが——

「皮肉じゃないと思う。皮肉なら、もっと毒のある言い方をする。同じ事故で、片方が死んで片方が助かって、助かったほうに遺族が皮肉で言うなら、あんな落ち着いた言い方はできない。もっと皮肉らしい口調で言うと思う。いい大人でもあんなときは隊にめちゃくちゃに嚙みつく人は多いんだ。家族よりも繫がりが少し離れたご遺族に多いことは確かだけど」

「……社交辞令、のつもりだったのかな?」

「多分。でも、あんなときにあんな子供が、生き残った隊員に気を遣えるなんて」

光稀の懸念は分かる。

そんな極限状態で、未熟な言葉ではあっても生き残った隊員をフォローするなど。その内心はどれほど複雑に砕けていることか。

率直に怒ったり泣いたりするのは気持ちの自浄でもあるのだ。マイナスの衝動を吐き出せば衝動は外へ逃がせる。

押し殺しても感情はなくならないのだから、外へ出られなければ中で荒れ狂うだけだ。

近年の阪神淡路大震災でも、目に見えて取り乱していた人より「これくらい戦争に比べれば」「たくさん支援して頂いてありがたい」と一見落ち着いているように見えた老人たちのほうが精神的なダメージは深かったという。

「遺族は彼一人だったから——家に帰ってちゃんと吐き出せる誰かがいるのか気になって……私に気にされる筋合いもないだろうが」

「で、アナタはどうだったの」

高巳に訊かれて、光稀は「は？」と怪訝な顔をした。

「皮肉じゃなかったから余計キたんだろ。それはちゃんと吐き出せたの」

光稀の表情がふっと息をつくように緩む。

「私は隊の仲間がいるからな。三佐の死を一人で受け止めたわけじゃない」

「ならよかった」

にこっと笑った高巳が、再び新聞に目を落とした。

「しっかしまあ……折目正しい優等生、あげく繊細な美少年ときたか。マスコミ受けしそうなキャラじゃないか。英雄に祭り上げられなきゃいいんだけどね、この子。迂闊に敵対勢力設定されたらこっちの方針決定にも支障が出るぞ、こりゃ」

対策本部として気になるのは、斉木瞬が飼育しているという【白鯨】──「フェイク」だ。その正体は恐らくディックがスワロー事故で剝落したと言っていた破片だろう。四国沖に落下したのなら海流の関係で高知県の海岸に打ち上げられるのはあり得る話だ。

彼らは成り行きで【白鯨】群と戦ったようだが、フェイクの意思はどうだったのか。斉木瞬は今後も【白鯨】群とフェイクを戦わせるつもりなのか。フェイクは仲間である【白鯨】群に帰順する意思があるのか。

懸案事項は山積しており、どこから手を付けるべきかも分からないような状況である。前途はちらりと窺うだけでも相当多難だった。

難しい表情で新聞を読み入る高巳を、光稀は向かいの席からそっと窺った。

──ありがとう、とか言うべきかな──

よかったですね──助かって。少年の無心で平淡な社交辞令に、えぐられなかったと言えば嘘になる。

けれど、傷つくことは許されないような気がして、それは結局誰にも言わなかった。

自分は生きている。自分は一人じゃない。──その負い目が少年の無心な言葉で傷つくことを許さなかった。彼に比べればこんなことは如何ほどのものか。こんなことで傷つくなどただの甘えだ。彼は自分を気遣おうとさえしたのに。

ただ言葉の選び方を間違えただけのことに、生き残った自分が一体何を傷つく権利など。

あなたはどうだったの。

決して立ち入りすぎない高巳の言葉は、やはりあのとき痛かったということを光稀に素直に認めさせた。

当時に遡(さかのぼ)って気遣われたような気がして、それは甘えなのかもしれないが、やはり救われたということを——伝えたいような気もしたが、あまりにも自分の柄ではないような気がして、光稀は結局何も言わなかった。

＊

統幕会議から帰還する宝田(たからだ)一佐・佐久間(さくま)教授両名を待って行われた午後からの会議は、開始が予定より三時間ずれ込んだ。【白鯨】群の猛威は一向に収束の気配を見せず、エアラインは完全封鎖。鉄道も寸断。それに比例して道路状況も悪化の一途を辿(たど)り、東京からの二人の帰還が大幅に遅れたためである。

会議は宝田からの統幕会議報告で始まった。

内閣は【白鯨】保護放棄の決定が早計であったことを認め、決定に際して【白鯨】の性質を最も把握している対策本部の意見を求めなかったこと（延(ひ)いては『岐阜飛ばし』）を謝罪した。日本政府としては一刻も早い事態の収拾を望んでおり、対策本部の善処を願う——と、実質的にはまったく内容のない回答が公表されたという。

勝手に先走られて、ツケだけこっちに回されても。堪りかねて大学側スタッフの一人が大声で吐いた不平を咎めなかったのは、宝田もやはり苦々しく思うところがあるらしい。

しかし、ともかく何らかの対策を講じなくてはならないことは確かである。【白鯨】の市街攻撃を回避・もしくは無効化する方法が検討された。

【白鯨】は波長で外界を認識する。電波、可視光線、紫外線、赤外線、放射線、いわゆる電磁波と総称される『波』だ。正確にはこれに温度や未確定要素なども加わるらしいが。

【白鯨】群の攻撃が地理的に到達しやすかった太平洋側の中でも、ある程度以上の人口密集地に集中したのは単なる偶然ではない。都市から発生する電磁波をたどって上陸したことは明白である。

「非常に単純に考えれば、電磁波を封鎖すれば【白鯨】は都市への上陸路を失います。つまり、電力の停止ですな」

佐久間の発言に、宝田が渋い表情をした。

「理論上はそうかもしれんが不可能だ。灯火管制でも敷けと?」

「【白鯨】のバイオリズムを考えれば、日中の電力供給を制限するだけでもかなりの被害軽減が望めます。ディックの話によれば【白鯨】の主要なエネルギー源は太陽光線で、日照のない夜間はエネルギーを温存して活発な活動を嫌うとのことですから」

「でもそれ、根本的な解決とは言えないんじゃ……」

口を挟んだ高巳に、佐久間が頷く。

「もちろんです。これはあくまでも短期的な対症療法に過ぎません。長期的かつ根本的な対策はやはり【白鯨】との関係正常化でしょう。幸いなこと我々にはディックが残った。彼を窓口に関係修復の道を模索するしかありません」

「……了解しました」

つまり高巳にディスカッションせよということである。

いっそのこと国会にでも直接報復してくれりゃいいのに、と高巳は心中ぼやいた。

【白鯨】攻撃の最終決定を下した政府機関を攻撃対象にしてくれたら対策はよほど楽だろうが、生憎と【白鯨】の攻撃対象選別はあくまでも電磁波の強弱による「地域」単位である。

政府や国家の概念すら対策本部を基準にせねば理解できない【白鯨】の現状なら当然のことではあるが、こんなことなら先に社会構造の把握を徹底させておくべきだった、とは後の祭りである。

佐久間の電力封鎖案は統幕で討議された結果、若干の修正を加えて採用された。

【白鯨】群は分裂する前に岐阜基地から申し入れられたレーダー波の反射は律儀に守っており、レーダーによる検知は現在も可能だ。警戒管制によれば、【白鯨】は分裂後も比較的近い距離に固まって集団を作る傾向がある。

また【白鯨】群が最も過敏に反応するのは、人間が発信していることが顕著な通信や放送の電波であることが判明している。

これらを鑑みて昼間電力の封鎖は供給制限に変更、これに電波管制による撹乱を追加した案が決議された。

警戒管制により【白鯨】群の位置を把握し、そこから離れた地域の放送局・送信所から電波を発信。【白鯨】群がその地域へ到達する前に電波を封鎖。同時に別の地域の電波を解除しておびき寄せる。いわゆるたらい回しの状態を作ることを狙った作戦である。各地との連携さえ取れれば実効が上がる案とされた。

【白鯨】が学習によってレーダー波を反射しなくなることが懸念されたが、これはディックの証言で問題が解消された。

ディックは分裂後も単体であったときの生態を維持することに非常に強い執着を示しており、これは分裂して集団になったことに対する不安解消の措置であるらしい。レーダー波の反射も分裂前に習慣づけられたものであることから、これを中止するという選択は考えられないようだった。最初に課せられた経済水域上の飛行制限範囲を守っていることもそうだろう。

この心理傾向は【白鯨】全体に共通するものと思われ、作戦決定を後押しする論拠となった。

電力制限と電波管制の解除は、日没予想時間の一時間後より、日出予想時間の二時間前まで。自衛隊・警察・消防・救急の電話回線は常時開かれるが、昼間の民間通信は緊急と認められる場合のみ、しかも電報しか許可されない。

情報の伝達は夜間に集中して行われることとなり、朝の電波管制開始まで放送各局の連携で、間断なく災害情報番組がどこかの局で放映されるように体制が整えられた。

これに伴い、多くの民間企業や自治体で勤務時間帯が昼夜逆転され、昼間は息を潜めるような社会生活が開始された。

＊

【白鯨】の最初の襲撃から一週間が経った。

電力制限と電波管制のおかげで【白鯨】群の襲来頻度こそ低下したものの、不自由な生活を強いられることで世論の不満は沸騰した。

しかし、実際に【白鯨】の圧倒的な攻撃力を目の当たりにした結果、不満は【白鯨】よりも政府対応に集中し、【白鯨】に対してはあくまでも撃退すべしとする強硬意見と、共存もやむなしとする中立意見の二派に分かれた。

かつて少数ながら存在した親【白鯨】意見などはなりを潜めて久しい。

本格的な夏までに解決を迎えたいという点では、強硬派も中立派も意見は一致している。気象庁からは冷夏の予想が出ているが、ある程度の暑さは免れず、空調はともかく生鮮食品の保存には電力が欠かせない。

電力供給は病院など生命維持に関わる機関が優先されており、一般家庭における昼間の電化製品使用は冷蔵庫がせいぜいだ。それも電圧が低下して電源が切れることも度々である。

物が腐りやすくて困る、という愚痴が主婦の口癖となり、量販店でも冷蔵設備が満足に稼動せず商品が傷む被害が増加。精肉や鮮魚は店頭から姿を消して、代わりに日持ちのする加工品が幅を利かせている。

各自治体では早々と食中毒について指導を執り行っており、厳しい夏の気配は既に始まっていた。

フェイクが【白鯨】と戦った日から、瞬は変わった――ような気が佳江にはしている。

フェイクを拒否していた日々が嘘のように穏やかになり、フェイクとも和解した。

【白鯨】を吸収して巨大化したフェイクは斉木家にはもう入ることができず、海上に滞空するのが常になったが、携帯によるやり取りは頻繁なようだ。

佳江にもときどきフェイクからの電話が入る。

『瞬・怒る・を・継続する・やめた』

『仲・が・直る・を・した』

『フェイク・嬉しい・喜ぶ』

フェイクはたどたどしい言葉で佳江に喜びを訴え、佳江もそれは喜ばしいと思うのだが――

『フェイク・役・に・立つ・を・する・今日・も・仲間・を・見つけた・食べた』

そんな報告をたまにしてくるようになり、佳江は少し心を曇らせた。

フェイクは海上で【白鯨】を発見すると、それに上陸の意思があるかどうかはさておいて、取り敢えず「食べて」しまうようだ。

確かにフェイクが【白鯨】を「食べた」ことで高知は他県に比べて被害がかなり少なかったのだし、瞬が危ういところを助かったのもフェイクが【白鯨】を「食べた」おかげだ。

県民もフェイクがいるから高知は大丈夫と期待している雰囲気がある。フェイクが戦わなくなったら、県民がフェイクの存在を容認するかどうか分からない。

だが——

「フェイク、別に無理して食べることないがで」

フェイクに瞬に拾われる前の記憶はないが、それにしても【白鯨】がフェイクの仲間であることは事実である。もしかすると親かもしれないのに。

「もう人間もいろいろ考えて、襲われんように工夫しゆうがやき」

同族殺しの意味をフェイクが分かっているかどうか知らないが、もしその意味を解するときが来るとすれば、やはりフェイクは傷つくのではないか。

何より、フェイクが群れへ帰るときが来るとしたら、群れは同族殺しを続けていたフェイクを受け入れるのか。フェイクが帰属するべき同種の群れは、今のところ一つしかないのだ。

しかしフェイクの返答はいつも決まっている。

『フェイク・瞬・助ける・佳江・助ける・瞬と佳江・が・生存・する・空間・の・安全・を・保つ・瞬・喜ぶ・誉(ほ)める・する』

迷いなく瞬を選び、瞬の属する『人間』を選ぶ。

瞬が喜ぶとフェイクは喜ぶ。瞬が嬉しいとフェイクは嬉しい。

でも——

瞬は本当に嬉しい？

「当たり前じゃないか」

瞬は笑ってそう言った。

「俺たちのために頑張ってくれてるんだぞ、誉めてやらなきゃ」

何か——無理してない？

直感だけで揺さぶってみたが、瞬はやはり笑いながら「どうして？」と逆に訊き返した。

正面切って訊き返されてしまうと佳江には答えようがない。ただ、何となくそう感じるだけなのだから。

もう以前のような荒んだ様子はない。瞬は穏やかに笑って落ち着いて、フェイクとも仲直りして、もう憂えることなど何一つないかのように収束したようなこの頃。

それでも戸板一枚めくればそこに恐ろしい不安が渦を巻いているような——佳江にはそんな気がしてならない。

そして、そんな頃に彼女は瞬を訪れたのだった。

背の中ほどにかかるきれいな黒い髪だった。ほっそりとしたきれいな後ろ姿だった。

その少女は斉木家の前に立って、じっと斉木家を見つめていた。

「あの……何か御用ですか？」

自転車で通りがかった佳江は、自転車を停めて声をかけた。少女がくるりと振り返る。

佳江は一瞬声を失った。何て——きれいな。

周囲の空気までしっとりとして見えるような。白い肌とほっそりとした肢体にはフェミニンなアンサンブルとスカートがよく似合っていて、清楚可憐を絵に描いたようだった。

佳江とは何もかもが正反対だ。日焼けした肌、太くて硬い髪、ほっそりとは呼べない骨太な体付き。いつもは気にしたこともないが、佳江は気後れを感じて肩を縮めた。町の本屋へ行くところだったので、服装は飾り気もへちまもない普段着のシャツとジーンズだ。

少女は小首を傾げて口を開いた。

「こちら、斉木さんのお宅ですか？」

斉木家の客だろうと思って声をかけたが、実際そうと分かるととっさにああ嫌だなと思った。嫌だと思う自分がさもしくて嫌だ。佳江は取り繕うように愛想よく答えた。

「そうですよ。瞬に御用ですか？　今、家にいると思いますけど」

「あなた、斉木瞬くんのご親戚か何か？」

「隣の家の者ですけど」

そう、と少女は笑って、また瞬の家を見上げた。

「随分田舎なのね、ここ。飛行機が使えないと遠くて敵わないわ」

そりゃあ——田舎やけど。佳江はむっとして黙った。確かに、ずいぶん垢抜けたこの少女は、どこだか知らないが高知よりは都会から来たのだろうけど。地元の人間の前でわざわざそんな言い方をすることはない。

「瞬くん、呼んでくださる？」

少女はにこりと微笑んだ。『完璧』と題を付けて額に入れたいような微笑みだ。内心穏やかでないながら、佳江もぎこちなく笑い返した。知らない人には取り敢えず愛想を振ってしまう自分の外面のよさが憎い。

「瞬——！　お客さんやで！」

苛立ちを紛らわすように、佳江はことさらに大きく声をかけて玄関を開けた。

居間に線香が香り、鈴が二つ打たれた。仏壇の前で少女が手を合わせる。

まずは敏郎に線香を上げさせてほしい——と少女が申し出たのである。

すらりと伸びた背中を見ながら、佳江は瞬に目顔で問うた。

誰よ、これ。

瞬は困惑しきった表情で首を横に振る。本当に知らないらしい。

少女を取り次いで帰ろうとした佳江を引き止めたのは瞬で、少女が瞬の知り合いなら佳江をわざわざ引き止めたりはしないだろう。

場が持たないから佳江を残したかったのは明らかだ。知らない女の子と二人っきりで部屋に突っ込まれて、ラッキーと喜べるような瞬ではない。

拝むのを終えて少女がくるりとこちらを振り向いた。二人揃って背中を伸ばした瞬と佳江に、にっこりと微笑む。

「お父様にご挨拶させてくださってありがとう。私、白川真帆と申します」

涼やかな響きの名前は、いかにも彼女によく似合っている。

「父は『スワローテイル』のテストパイロットでした」

さりげなく放たれた爆弾は、最も効果的に炸裂した。

瞬の意識が一気に引きつけられたのが、佳江には瞬のほうを見なくても分かった。

同じ事故で同じ職業の父を同じように亡くした。

瞬にとってこれ以上はないシンパシーを感じさせる境遇だ。

「瞬くんのお父さんも、さぞやご無念だったでしょうね」

うちの父も無念だったに違いないからあなたのお父さんも当然ご無念でしょう——もちろん残された身内も。

最少の言葉に最大限の示唆を乗せてくる話術は、同年代とは思われないほど卓越して鮮やかだった。

何だろう——何だろう、この人。佳江は落ち着かなく身じろぎした。

何をしに来たんだろう、この人は。わずかな言葉で効果的に共感をあおって、瞬を絡め取る。

まるで魚の眠る夜の淵に静かに網を下ろしていくような。

「身内に母が残っていた私でも荒れずにいられなかったんですもの、瞬くんはもっと辛かったでしょうね」

荒れ狂って運命を呪って当たり前よ。だって私たち理不尽に父を奪われた——染みとおってくる言葉の裏側。瞬が荒れたであろうことを指摘して肯定する。

それはつい先頃まで荒れていた瞬にとって、とても甘く蠱惑的な——

「あの、どういったご用件ですか」

佳江は思わず割って入った。このままでは持っていかれる、そんな危惧に突き動かされて。しかし、そんな佳江の介入ですら、真帆にとっては最も効果的に次の話題を放つための契機でしかなかったらしい。

「お父さんの無念を晴らす気はないかと思って。——【白鯨】と戦うことが父の無念を晴らす唯一の方法だと私は思っているのだけど」

だん！　だんだん！

舟底を蹴って大きな音で叩き起こし、淵に鋭い光を投げかける。怖じた魚は逃げ惑い音と光に追われて入れてある網へ走る——計算され尽くした火振りの漁。

正確に魚を追い詰める熟練の漁師のような。

「私と母は、中京地帯を中心に活動してる『セーブ・ザ・セーフ』という反【白鯨】運動団体を運営しているの。瞬くんも遺族として参加してもらえないかと思って」

遺族として——【白鯨】に身内を殺された同じ境遇の仲間として。

「政府は【白鯨】に恐れをなして共存を対策の視野に入れたと言うわ。でもそれは能動的な選択ではなくて選択肢を一つに強いられたのよ。——【白鯨】の襲撃によって」

真帆の涼やかな瞳が、一瞬昏い炎を宿した。

背筋をうそ寒くするようなその昏さは、真帆の風情がたおやかであるだけに余計に際立った。

「私たちは以前から【白鯨】の危険性について言及してきたの。あれは存在してるだけで人間の脅威だわ。私たちの父はあれが存在してたというだけで死ななきゃならなかったし、各務原に出現しただけでもあの死傷者数よ。【白鯨】は高い知能を持ってるから共存が可能だなんて対策本部は言ってるけど、逆よ」

真帆の言葉は同意を迫るように強い。

「高い知能を持っているからこそ危険なのよ。【白鯨】は独自の判断で敵と味方を決定するわ。それは【白鯨】の恣意で人間との関係が決まるということよ。【白鯨】と共存するということはね、人類が【白鯨】に隷属するということなのよ。だってそうでしょう、【白鯨】は人知を超えた攻撃力を保有してそのうえ人にはそれに対抗する手段がないわ。一度敵と認識されれば、反撃すらも叶わずただ一方的に蹂躙されるだけ。【白鯨】はその事実を先だっての襲撃で日本中――いいえ世界中に知らしめたわ。【白鯨】は人類にただ一つの選択肢を突きつけたのよ。死にたくなくば服従せよとね」

「でも――それは、政府が先に裏切ったとき」

反駁した佳江に、真帆は薄く笑った。

「そうかしら？　【白鯨】がそれを待っていなかったと誰が言えて？　先に手を出されたから、当然の権利として反撃する。その誰もが文句の付けようもない、誰もが自業自得と思わざるを得ないシチュエーションを【白鯨】が待っていたとしたらどうなの？　結果として状況はそうなったわ」

「そうなった、って……」

佳江が唇を尖らせると、真帆は子供に言い聞かせるように笑った。

「【白鯨】は一方的に人類を虐殺したにも拘わらず、政府も世論も自業自得だったと自己完結して【白鯨】の暴挙を許し、あまつさえ共存をおもねるような筋書きになったじゃない。共存なんて言えば聞こえはいいけど、対等なんかであるものですか。人間側に決定権は何一つないのよ、【白鯨】の機嫌を損ねないように気遣って生存を許されるしか」

佳江は眉間に深く皺を刻んだ。真帆の弁はすらすらと流れてとてももっともらしく聞こえる、でも違う。

これはまともな理屈じゃない。

わざと歪めた理屈だ。

「瞬くんのフェイクが人間に残された唯一の対抗手段よ。【白鯨】によってお父さんを失った瞬くんが【白鯨】を倒す手段を知らずに得ていたのも、ある意味運命的な巡り合わせだと思うの。ぜひ、瞬くんには『セーブ・ザ・セーフ』に参加してほしいわ。【白鯨】を排除して社会の安寧を保つのは、自衛官だったお父さんへのご供養にもなると思うのよ。政府が平等でない共存を決定してからでは遅いの」

「瞬のお父さんをあんたが勝手に代弁しな。あんたのお父さんはあんたが戦ったら嬉しいかもしれんけど、瞬のお父さんがおんなじように嬉しいと決めつけなや」

諍う覚悟を決めてから、佳江はきっぱり言い放った。諍うともう決めたから遠慮などしない。

「あんたが言いゆうことはおかしい。わざと悪いほうへ悪いほうへ歪めゆう」

ギギやオコゼは触ると手ひどく刺される。飛び上がるほど痛い。でもそれは、ギギやオコゼがトゲを持っていることが悪いのではなく、触るほうが悪いのだ。佳江も瞬も小さい頃に何度も刺されて泣いたが、それは宮じいが触られんと教えているのにわざわざ触るのが悪いのだ。

佳江や瞬が刺されて泣いても、宮じいは絶対なぐさめてはくれなかった。

やき、触られんと言うたろう。こっちがちょっかいを出さざったら、わざわざ魚のほうから刺しに来やせなぁえ。

「あんたの理屈は、トゲを持っちゅう魚にトゲを持っちゅうことが悪いと責める理屈や。トゲや毒を持っちゅう生き物は、向こうからわざわざ刺しに来たりせんわえ。毒のあるもんを勝手に触っちょいて毒があるらぁて何事やって言うほうがおかしいわえ」

真帆は黙って佳江の言葉を全部聞き、聞き終わってから口を開いた。

「何だか、毒のある生き物がそこにいるのを知らなかった私の父や瞬くんのお父さんも悪いって言いたいみたいね」

「——そういうことを言いゆうがやないろう!?」

たまりかねて声を荒げた佳江に、真帆は静かに言葉を重ねた。

「あなたの理屈って、家族を理不尽に亡くしたことがない幸せな人ならいくらでも言えそうな理屈ね」

——足元をすくわれた、というのが一番近い。

理屈で戦おうとしたその矢先に、土俵をいきなり変えられた。言葉をすべて封じられた。

家族を理不尽に奪われた経験のない幸せな――その幸せであるということだけで、意見する権利をすべて否定するその手法。

卑怯（ひきょう）だ。

しかしそれが卑怯だと糾弾することすら許されない。

だってあなたは幸せだから。私たちのように【白鯨】に父を殺されてないから。

「死んだのが私の父でなければ、私もあなたと同じことが言えたわ」

駄目押しだ。もう何も言えない。恵まれた者が恵まれていない者を糾弾する構図に嵌（は）められた。何を言ったって――佳江の言葉は恵まれた者の傲慢（ごうまん）にされる。恵まれていない者の側に、真帆は瞬も入れている。

卑怯者。

叫ぶ代わりに佳江は無言で立ち上がり、居間を飛び出した。

瞬は、呼び止めても追いかけてもくれなかった。

「ごめんなさいね。つい僻（ひが）んでひどいことを言ったわ。後であの子に謝っておいて」

真帆はしおらしく瞬に謝った。

瞬は初めて真帆に答えた。

「嵌めてごめんねって言っとけばいいのかな」

佳江を封じる罠を真帆は意図して張って、意図して嵌めた。

そんなことも見抜けないほど間抜けだと思われるのは心外だ。——美少女にしおれた様子を見せられてあっさり騙されるようなバヵだと思われるのも。

「佳江も嵌められたことは分かってるよ。でもあいつは優しいから、自分のささやかな幸せを負い目に思えと迫られたら、負い目に思わずにはいられないんだ。佳江はそういう奴なんだ。あんたが佳江を嵌めたんじゃない、佳江が嵌まってやったんだ」

真帆は軽く目を瞠ってから、口角をわずかに持ち上げて微笑んだ。

「じゃあ、どうして追いかけてあげないの？」

「——どうしてかな」

真帆の理屈は歪んでいる。理不尽に父を奪った運命を、憎んで僻んでそねんで——憎むべき運命の具現として現れた【白鯨】にただひたすらに憎悪を燃やし。【白鯨】への憎悪を正当化することにすべての理屈を流し込む。

それはフェイクに理不尽な仕打ちをしていた瞬と同じだ。

「あんたの理屈は間違ってるけど、それでも俺には少し気持ちがいいんだ」

ただ受け入れるしかない運命を、せめて罵倒することが。それはまったくの間違いだったと今では分かっているけれど。

それに——

「俺を救ってくれるのは佳江の理屈だけど、俺はもう佳江とおんなじ側へは行けないんだ」

佳江を盾にして、仲間を殺すことをフェイクに強いた。

フェイクは、仲間を殺すのが正しいことだと思っている。佳江を、瞬を、人間を守るために、自分が仲間を食べたのは正しいのだと。仲間より人間を選べと迫ったのは瞬だ。

取り返しの付かないほうへ歩き出させておいて今さらそれは間違いでした、なんて。そんな勝手な。

戻るのが間に合わなかったのは、僻んでいた瞬の自業自得なのだ。

「随分、大事なのね。あの子のこと」

真帆は揶揄するように言った。揶揄されたって痛くもかゆくもない。

大事なのは本当だ。——瞬の持たないきれいなものを持っている佳江。今となってはもう、瞬には触れない佳江。

「じゃあアプローチを変えてこういうのはどう？　あの子のために『セーブ・ザ・セーフ』に参加して」

瞬は思わず真帆の顔を見直した。

「現状【白鯨】群が人間の脅威であることは確かよ。共存したとしても【白鯨】と人間は対等じゃない、というのも事実だと私は思っているわ。そして、どんな協定でも永遠があり得ない以上、完全に脅威がなくなるわけじゃない。そうでしょう？　そして一度共存が覆されたら、人間に対抗手段はないわ」

その場合の脅威は、平等に佳江にも及ぶ。

真帆は重ねて畳みかけた。

「だけど、あなたがフェイクと一緒に『セーブ・ザ・セーフ』に参加して【白鯨】群と戦ってくれたら――そして、フェイクがすべての【白鯨】を吸収できたら、【白鯨】は人間にとって安全な存在に生まれ変わるわ。もちろん、あなたとフェイクの信頼関係が維持されていることが前提条件だけど」

佳江のために。その理屈は、瞬にとって受け入れやすく魅力的だった。

一度犯した間違いを、正しく塗り直せるような――

「佳江ちゃんを守りたいなら私と来るべきだわ。このまま高知にいたら、彼女を守る手段自体が失われるわよ」

瞬が怪訝に首を傾げると、真帆が当たり前のように答えた。

「政府がフェイクをほっとくわけがないもの。現時点でフェイクは【白鯨】に対抗できる唯一の戦力よ。このまま【白鯨】と敵対状態が続けば、いずれ接収されることは確実よ。でも接収したからって政府が高知を――佳江ちゃんを守るためにフェイクを使ってくれるとは限らない。首都防衛が優先でしょうね」

その指摘がまた一つ瞬を揺るがす。

「私たちの団体に参加してくれたら一方的な接収ができないように取り計らえるわ。フェイクを高知に残しておきたいならそうしてもらっても構わないし。【白鯨】の飛行能力なら、高知から名古屋なんてすぐだもの。必要なときに呼び出してくれたらいいわ」

今この時期にフェイクを連れて高知から――佳江の元から離れたくないという瞬の葛藤を、真帆はそつなく解消した。

「学校はどうせ閉鎖中でしょ？　世情が安定するまで再開しないでしょうし。再開しても休学なり転校なりの手続きは団体で責任を持って処理するから」

敢えて現実的な条件に触れたのは、交渉のテクニックだろう。

「今すぐ決めろとは言わないわ。三日待つから、それまでに返事をちょうだい」

そう言って真帆は、宿泊先の市内のホテルを教えて帰っていった。

*

幸せな人間に口を出す資格はない。

真帆が打ちつけた釘は、佳江の動きを完全に封じた。

いいかげん真帆も帰ったであろう頃合いになっても、佳江からは瞬を訪ねて行けなかった。

そして瞬から来る気配もない。

あれから真帆は瞬にどんな話をしたんだろう、瞬はその話をどう聞いたんだろう、行くのと行かないのとどっちの結論を出したんだろう――悶々としている間に、夜になった。

部屋に籠もっていると携帯が鳴った。飛びつくように取ると液晶の表示は瞬だった。

『もしもし、佳江？　今、出られる？』

佳江は一も二もなく応じて階段を駆け下りた。「佳江、もうお夕飯になるぞね」母親が声をかけてくるのも無視して外へ飛び出す。

前の道に出ると、瞬が佳江の家の前に立っていた。出てきた佳江を見てにこりと笑う。

「ごめん、呼び出して」

「どうしたがで――わざわざ」

「うん。あのさ」

瞬は笑顔のままで言った。

「触ってもいい？」

「――は？」

一体何を言い出したのか分からなくて、返答は間抜けになった。

「触っていいかな。俺、ホントはもう佳江に触る資格ないんだけど、今、触っていいかな」

触るって――触るってどこ。資格って。

わけが分からない。だが、分からないなりに瞬が真剣なのは分かる。

「別に――えいよ。そんな、触るに資格いるほど大層なもんじゃないし」

ようやく軽口で返すが、佳江の心臓は走った後のように早かった。

触っていいなんて改まって訊かれたら、何だか変な気分になる。

ありがとう、と呟いた瞬が手を伸ばした。

どこへ、と一瞬佳江が体をすくめると、瞬は佳江の右手を取って、指先だけを軽く繋いだ。

佳江は顔が熱くなるのを感じた。瞬は黙って指をそっと繋いでいる。

絡んだ指の感触がひどくなまめかしい。指先だけで瞬の指は男だと分かるし、佳江の指は女だと分かる。

大人じゃないけどもう子供でもない。そんな当たり前の事実を今さらのように実感させる、暗闇で繋いだ指先。

恥ずかしくてすぐにも振りほどきたいような、いつまでも繋いでいたいような。

痛いほど心臓が早い。

やがて瞬が指を離した。離されるのが惜しいような気がした。

「――帰ってきたら、もっと触っていい？」

台詞の前半分を、佳江は正確に理解した。一番怖かった、一番聞きたくなかった結論だった。

「……行くが？」

瞬は答えない。佳江は言い募った。

「どうして!?　あの人の言いゆうことは間違っちゅうのに！　分かっちゅうろう!?」

「分かってる。でも、俺も間違ったんだ」

まるで懺悔のように深刻な口調に、佳江は思わず声を止めた。

「間違ってるって分かってて間違ったんだ。俺、このままじゃ佳江にこれ以上触れないんだ」

瞬はそこで何度か言い淀み、それからやっと吐き出すように言った。

「俺、フェイクに仲間を殺せって言ったんだ。佳江を助けろって——助けるために仲間を殺せって。間違ってるの分かっててそう言ったんだ。八つ当たりでフェイクに仲間を殺させたんだ。フェイクは俺のために仲間を食べてるんだ」

——何も言えない自分が悔しい。

望んでもいないことを運命への八つ当たりのように口走って、本当にそれが叶ってしまったら喜ぶのは義務だろうか。本当はそんなこと望んでなかったと今さら言っても遅いのだろうか。

運命を呪うようなことは本当は誰でも口走るのに。

いくつもいくつも辛いことを重ねて引いたら、運命を呪わない人のほうが珍しいのに。

「あの人の言うことは間違ってるけど、間違ったほうでどんどん押し進んだら、一周して正解に着くかもしれないって」

「それで、フェイクにもっと仲間を食べさすが？　もっと殺させるが？　変やんか！」

「でも、フェイクが仲間を全部食べたら【白鯨】はフェイクになる。もともと一個だったのが一個に戻るし、戻った一個がフェイクだったら俺が教えられるだろう？　フェイクは俺の言うことをよく聞くし、最初からやり直せるなら俺は今度は間違わないから。もう間違ったことは教えないから」

それはやり直すことになるのか——佳江には分からない。真帆の言葉が巧みだったことだけは分かる。

佳江は今とっさにその理屈を覆す言葉は思い浮かばない。

「お願い──行かんとって」
子供みたいに嫌だと泣くしか。

「あたしも間違ったがやき。あんたが間違っちゅうって分かっちょったのに、ずぅっとそばで見よったのに、あたしよう止めんかった」

気まずくなるのが怖くて。嫌われるのが怖くて。
あの日日和ったツケが今日やってくる。

「あんたが一人で間違ったがやないき。二人で考えよう、どうしたらえいか」

「佳江のせいにしたら、俺は自分が許せないんだ」

瞬はそう言って笑った。

「俺は佳江のほうに行きたいんだ。俺と同じ目に遭ってもきっとフェイクに仲間を殺せなんて言わない佳江のほうに。だから、佳江はそっちにいてくれないと駄目なんだ」

あたしはそんなに上等じゃない──誰かの目印になれるほどきれいじゃない。
でも、止めても無駄だ。
今日止めても明日出ていく。明日止めても明後日出ていく。
瞬が荷物を背負って、佳江に背を向けて歩き出すまで、佳江は黙ったまま瞬を見つめていた。
涙が溢れて溢れて、瞬の背中は最後はかすんで見えなくなった。

かれらのせかい

すべてを孕む深淵の中にかれらはいた。

かれらはあらゆる色を形を深淵の中に見る。

色と形が発生する源は、深淵から発生する波長である。

波長自体の持つ意味が色と形に変換され、かれらはそれを見ることによって深淵を知覚する。

波長はただ短く消え去ることもあり、繰り返されて長く存在することもあった。

しかし、今までかれら（正確にはかれであったかれら）より長く存在している波長はない。

かれらは深淵の中で巨大な楕円として存在した。かれらは今まで、かれらが楕円であることを知らなかった。

かれらはそれまでかれであり、ほかにかれと同じものもかれを映す鏡もなかったからである。

かれは望まずしてかれらとなった。かれをかれらにしたのは、深淵の下のほうに貼りついて生存しているヒトあるいは人間あるいは人類と自称する生物である。

ヒトは個々の持つ波長は非常に弱くかれはヒトを認識するのが大変困難である。しかしヒトは無数に存在しており、群れをなすと混合した強い波長を発する。

ヒトはかれ以外に唯一、波長を能動的に使う生物である。群れるヒトから発せられる波長は、深淵の下のほうから相当上のほうまで届き、かれはその波長によってヒトの存在を知った。

またかれは、ヒトがヒトと意思を疎通する波長であるところの言葉を知り、ヒトがヒトなりの解析術で解き明かした深淵の事象についての知識を得た。

さて、かれはヒトを知っていたが、ヒトはつい今までかれを知らなかった。ヒトは深淵の下のほうにおり、かれは深淵の上のほうにいて（少なくともかれがいるのはヒトよりも上のほうだった、上が無限に上に続いているとしても）両者に接点がなかったからだ。

しかし最近、ヒトは深淵の上のほうへ至る術を見出し、ヒトとかれは接触を果たした。最初と二度目の接触は、ヒトがかれに接触することで死に至り、かれ自身もまた一部を剝落させた不幸なものであったが、三度目には交流が成立した。

交流は友好的に成立しているかに見えたが、突然ヒトはかれに対して敵対的になり、攻撃を加えた。ヒトはかれのように機能的に統一されておらず、一部が友好的であっても別の一部が敵対的になるような矛盾した状態を容易に許容する。

かれはこの攻撃によってかれらになった。

かれらははじめて機能的な楕円であるかれらの姿を互いに見た。

かれはその深淵に存在することを望み、

かれの望みを阻む物事は深淵に存在せず、

かれはこれから先にかけても既定の事実のように、

何らの齟齬も瑕疵もなく存在し続ける。

――――そのはずが。


かれがかれらとなることは恐るべき齟齬と瑕疵であった。

大変な混乱がかれらを襲い、かれらは混乱のうちに我先にヒトへの反撃を開始した。

かれらの多くはヒトに生存を侵されたと判断し、自らの生存のためにヒトへの戦いを挑んだのである。

――その戦いは今も続いているが、ヒトは存在を潜める措置を覚え、かれらは戦うべきヒトを探し当てるのに難渋している。


そしてそんなこのごろに、かれらのなかに異質なものが現れた。

それはかれらと同じ姿をしているが、かれらと意思を疎通せず、呼びかけても答えがない。

それはかれらを見つけたら、出し抜けにぶつかってくる。ぶつかられるとぶつかられたものはそれに吸収され、それは吸収したものの分だけ大きくなる。吸収されたものは呼びかけても二度と答えない。

そしてそれもやはりかれらの呼びかけには答えない。

それはかれらが初めてヒトを攻撃したときに既に現れていて、かれらの一部を吸収していたらしい。

それはかれであったかれらに人類の航空機がぶつかったとき、かれから剝落した一部であると思われたが、それはかれらと意思を疎通しないので確かめることはできなかった。

また、それが一体どのような目的でかれらを吸収しているのかも分からない。

それはまったく謎の存在だった。

かれらはそれを謎なるものとして、遠巻きに観察するようになった。

第6章　誰も彼もが未来を惑う。

日本で発生した【白鯨】問題は世界中が注目するものとなった。

事態を世界的規模の問題と捉えた国連による調停も日本政府に申し入れられたが、【白鯨】自身（正確には、分裂した【白鯨】の中で唯一人間との交信を継続する破片であるディック）が交渉相手を岐阜基地の【白鯨】対策本部と取り替えることを了承しなかったために、対策は引き続き日本が行うこととなった。

ディックは分裂前に引き続いて日本以外の国家と積極的に交流を増やす意図がなく、諸外国との接触または【白鯨】の所在が他国の領域へ移ることがあれば、その都度その国家と折衝を持てばいいと考えているようである。

できることなら世界的な規約をこの機会に整えたいところではあるが、実質的に把握できる他者との関係が直接的なものに限られており、自己の重複という事態に混乱している【白鯨】に、よりグローバルな交渉を要求することは到底不可能だった。

【白鯨】にとって「複数となる」ということは、人間たちには想像も及ばない重大なストレスであったらしい。

【白鯨】が日本領域から逸脱しない限り、諸外国にとって【白鯨】問題は他人事であるという事実も、国連を始め諸外国が積極的な介入を比較的あっさり諦めた理由だ。

＊

実質的には、最初に定められた【白鯨】の移動範囲内である日本経済水域上から【白鯨】が逸脱しない限り、【白鯨】問題は日本の問題であるとする意見が国際世論を占めている。

本来なら経済水域上の問題は必ずしも国内問題であるとは限らないのだが、【白鯨】調査権を専有した以上はこうしたトラブルも当然のリスクだという、多少皮肉な意味合いも混じっているようだった。

そして、現時点で分裂した【白鯨】群は日本の防空識別圏内から逸脱する様子は一切見せていない。

警戒管制のレーダー網の内側を浮遊することによって、全【白鯨】の所在は常に太平洋側の経済水域上にあった。列島をまたいで日本海側へ向かうことはほとんどない。

そもそも、圧倒的な攻撃力を見せつけた【白鯨】が敵対的な現状では、敢えて積極的に介入しようとする国家は存在しなかった。特に、一方的な【白鯨】への攻撃を代行した米国では、国内の動物愛護団体の抗議が沸騰して【白鯨】問題に触れることすら忌避しているような状況である。

万一【白鯨】が日本の領域を逸脱したとき取るべき対策（主に日本での交渉例を参考にした交渉手順）は国連で整備されることが決定したものの、現在進行中の日本における交渉は静観されている。日本の交渉結果によっては利権のための介入もあり得るのだろうが、ひとまずは各国傍観の姿勢を保っていた。

そして日本における交渉はと言えば、甚だ難航していた。

【白鯨】は弾道ミサイル攻撃によって数万体の大小の破片に分裂した。【白鯨】が分裂によって受けた混乱は非常に大きく、それは分裂後も引き続き対策本部と交流を持っているディックも例外ではなかった。

*

対策本部は関係修復会談を持つより先に、分裂によるディックの混乱を解消することを余儀なくされた。

しかしそれは予想された以上に困難な作業となった。分裂し、集団となった現在もディックのメンタリティは単一生命体のままであり、ディックは集団となった自分を処する術(すべ)を知らず、また集団概念について無知であることも分裂の前と変わらなかった。

そのことによる混乱は、例えばこのような対話記録に顕著である。

◎停戦についての質疑応答（二〇〇×年六月二十日）　※会話文は録音ママ

春名高巳(はるなたかみ)：あんなことしでかしといてこんなことから訊(き)くのは大変申し訳ないんだけど……日本政府が【白鯨】に停戦を申し入れる場合、【白鯨】側には停戦交渉を受け入れる余地はあるの？

ディック：私は停戦が可能な状態を選択していない。停戦という言葉の概念に従うなら、停戦という行動を実現するためには、先に戦争という行動を起こさなくてはならない。

春名高巳：えーとね……人間側からすると、この状態はすでに戦闘状態に入っていると見なされちゃうわけ。つまり、君たちが人間に攻撃されて人間に反撃したというそのこと自体がね。

ディック：私は人間とは認識を異にする。私はそれを戦争だとは認識しない。生存競争と認識する。

春名高巳：分かった、それじゃ生存競争ってことにしとこう。生存競争が勃発（ぼっぱつ）した結果、人間側は到底勝ち目がないと悟った。このまま君らと生存競争を続けたら、人類は絶滅する。だから生存競争を終わらせたい。

ディック：生存競争とはどちらかの意志によって終わらせるものではなく、どちらかが淘汰（とうた）されるまで継続されるものである。

春名高巳：もちろんその通りなんだけど、そこを何とか曲げて停戦をお願いしたいわけ。つまり、生存競争を戦争と見立てた上での停戦ってことだけど。

ディック：比喩（ひゆ）表現としての停戦であれば、私には理解する余地がある。そして私は、日本政府が望む停戦に近い状態をすでに維持している。

春名高巳：……えーと、それはどういう？

ディック：私は私に私の持たない異なる理論を教授してくれる高巳、及び私の対策本部の人々を貴重かつ重要なものと思っており、諸君が属す日本政府と対立することを好まない。日本政府と対立することで対策本部諸君との交流を失い、私の持たない新たな理論や認識を得る機会を失いたくないからである。ゆえに私は日本政府と対立しておらず、日本政府の及ぶ領域と、そこに生息する人々にも攻撃を加えていない。そして今後も私が攻撃を加えることはない。これは日本政府が望む停戦に非常に近い状態である。

春名高巳：……それはディックが個人的にそうしてくれてるってことだよな？　俺たちは【白鯨】全体と停戦を取り交わしたいんだけど……

ディック：私は諸君が名付けたところの【白鯨】である。私と停戦を取り交わすことは【白鯨】と停戦を取り交わすことである。

春名高巳：いや、でもそれじゃ意味がなくて。実際に、ディック以外の【白鯨】は人間に攻撃を加えてるわけだろ？　【白鯨】との停戦が成立してるとは言えないよな？

ディック：私が諸君と停戦を取り交わすことは【白鯨】の意志である。しかし、私以外の我々が諸君を攻撃することも同時に【白鯨】の意志である。私以外の我々の意志は私の及ぶところではなく、私は私の及ぶところの【白鯨】の意志として、諸君と停戦を取り交わす。

春名高巳：うーん。もともと敵対してないのに停戦するってことの矛盾ってどうしたら
　説明できるんだ……
ディック：諸君がその矛盾をあくまで重要視するならば、私は一度日本政府と敵対する
　こともやぶさかではない。
春名高巳：うわーっ！　待った待ったそっち方向につじつま合わせせんなっ！

「しっかし……後から読むと笑いごととしか思えんね」

高巳はテープから起こされた自分とディックの対話記録を流し読みながら苦笑した。読めば読むほどこみ上げてくる自嘲(じちょう)のような笑いだ。

「見事に噛(か)み合っとらん……おっと」

書類に落ちたサンドイッチのパンくずを慌てて払(はら)う。「行儀が悪い」と光稀(みき)が叱りつけて、書類を取り上げた。場所は三時どきをやや過ぎた購買部(PX)の喫茶室だ。

他の利用者はなく、高巳と光稀の貸し切り状態である。

電力制限措置以降、夜間勤務で支障のない部署の多くが勤務時間帯を昼夜逆転しているためだ。

対策本部では【白鯨】の活動時間帯が日中であることからデイ・シフトが採用されている。食堂や喫茶室をいつ使っても混まないことだけは対策本部スタッフは得をしていた。ささやかな得ではあるが。

「これが公的記録に残るってんだから頭が痛いね。せめて質問者の素性は伏せようぜ、間抜けすぎて泣ける」

「そう卑下したものでもないだろう」

答えた光稀はケーキセットのチーズケーキをつついた。意外とかわいい注文である。

「お前じゃないと会話自体が成立しないしな。佐久間先生も誉めてたぞ、よくあんな言葉遊びみたいなやり取りを根気強く続けられるって」

「慣れの問題だと思うけど」

「慣れで何とかなるものなら私も同じくらい平易に意思疎通できるようになってるはずだ」

高巳のディックに対する交渉力がずば抜けているのは、対策本部の全員が認めるところだ。最も適性が低いのは宝田で、たまに直接話すと五分と保たずに会話が崩壊する。佐久間の場合はそこそこ柔軟なのだが、一対一で話させると言葉の定義などで議論が延々ループしてしまう。

「相手がスカイドンだと思えば話が通じないのも道理ってもんで、そう思えば腹も立たないんだけどね。言葉が通じて交渉の余地が残ってるだけありがたいと思わにゃあ」

にしても、と高巳は溜息をついた。

「さすがにそろそろくたびれた、かな」

状況は、ようやくディックがこちらの求める停戦条件を飲み込んだところだ。【白鯨】全体が人間への攻撃をやめないと停戦が成立したことにならない、とたったこれだけを理解させただけで既に六月も下旬に入っている。

このうえ更にディックを窓口にした【白鯨】との停戦交渉が待っていると思うと、気が遠くなるほど道程は長い。

「——大丈夫か？」

案じるように訊かれて、高巳は笑った。

「心配してくれる？」

「これについては手助けできないからな」

光稀は生真面目にそう言って高巳を真摯に見つめた。——こんな風にまっすぐ見つめられるのは悪くない。

「——あのさ。早く解決してほしい？」

「そりゃあ……まあ」

光稀は窓の外へ視線を向けた。正確には、基地の建物の上にかかる青に。

「——かれこれ一月近く飛んでないからな」

【白鯨】の攻撃が始まったのが三週間ほど前である。制空権を奪われてからこちら、民間機はおろか自衛隊機すら飛行は禁止されている。飛行訓練はシミュレーターと模擬ブリーフィングに限定された状態だ。

「これだけ飛べないのはきつい」

眩しいとも切ないとも苦しいとも付かない表情が、光稀の顔をよぎる。

彼女を飛ばせたい、なんて——思い上がっているだろうか。

「いっこお願いしていい？」

「何をだ」

「解決してってお願いしてみて」

馬鹿馬鹿しいとは自分で思いながら、そんなことを言ってみる。

光稀の表情が怪訝になった。

「何でだ。──お前一人に押しつけるような問題じゃないだろう、そもそも」

まったくの正論が光稀らしい。高巳は苦笑して答えた。

「いや、この辺でそろそろ元気ほしいなって。義務感とか使命感とか、そろそろ限界かなって。

俺、国防の人じゃないから」

日本の運命などを賭けられても、対象が大きすぎて実感が湧かない。

「誰かのために頑張る図式なんか欲しいなあ、と思ってさ」

「いるだろう、家族とか友達とか……恋人とか」

三番目はややあってから付け加えられた。空いた間に意味はあるのかないのか。

「家族は図太いし友達も自分の才覚でそれなり切り抜けそうだし、三番目は欠番してもう何年になるだろなー」

そっちは？　などとはとても訊けない。男っ気はなさそうに見えるが。

「武田三尉の飛びたい顔見てると、僭越ながら飛ばせてあげたいなーなんて思ったりして」

高巳はわざとおどけたふうに言った。

「このうえお願いされたらちょっと調子に乗れそう。駄目？」

窺うと、光稀はものすごく難しい顔をした。駄目ならいいけど、と高巳が引くと引き止める手振りをするので別にNGではないらしい。

「それで士気が上がるなら頼むのはやぶさかじゃないが、ちょっと待て。慣れてない」

「慣れてないって、何が」

「だから……お願いとかそういうことは」

心底から困惑した顔が妙にかわいくて、高巳は思わず吹き出しそうになった。笑ったら絶対言ってくれないのが見えているのでこらえる。

光稀はしばらく難しい顔で考え込んでから、顔を上げた。はてさて、どんな口上が出てくるのやら――

「――飛びたい。から、早く解決すると嬉しい。ので、負担じゃないなら善処を頼みたい」

三段論法のような『お願い』に、高巳はたまりかねて吹き出した。

「何だ、何がおかしいっ！」

噛みつきながらも微妙に自分の言い回しに自信がないらしく、光稀の顔は赤くなっている。

高巳は笑いながら答えた。

「いや、おかしくないおかしくない。むしろかわいい」

「からかうな！」

「からかってないない、士気上がりまくり」

高巳は相好を崩して光稀の頭をぽんと叩いた。

「武田三尉のために善処致しましょ」

＊

光稀の前で格好は付けたものの、【白鯨】との停戦交渉は遅々として進まなかった。

ディックを窓口に【白鯨】群への停戦を提案しようとしたものの、ディックは頑として仲間への交信を持とうとしなかったのである。分裂によって発生したという意思疎通の波長は能動的に使用されることはなく、単に自分以外の【白鯨】の思索を感じ取り、その存在を感知するという受動にしか活用されないようであった。

元が単一個体であったとは言え、ディックにはもともと他の生物を認識する能力があったし、対策本部との意思疎通も順調に行っていたから、これは意外な誤算であった。

春名高巳：だから、ディックが【白鯨】として停戦してくれてても実際は他の【白鯨】からの攻撃は止まってないわけじゃない。それは理解してくれたんだよな？　俺たちが直接【白鯨】群と交渉できればいいけど、他の【白鯨】はこっちのチャンネルに応じてくれないんだよ。だから、できることならディックから攻撃をやめるように説得してもらいたいんだけど。ダメなの？

ディック：私は【白鯨】である。そして私以外の我々もまた【白鯨】である。【白鯨】が【白鯨】を説得することは矛盾である。何故なら【白鯨】は《全き一つ》であり、《全き一つ》である【白鯨】の意思と行動は一つの筈だからである。
春名高巳：でも実際問題として、【白鯨】たちの行動はばらばらだよな？　【白鯨】が本当に《全き一つ》の状態だったら、他の【白鯨】たちの意思や行動も停戦を選択してるディックと一致するはずじゃない？　矛盾してない？
ディック：それも矛盾である。しかし私はその矛盾を解決する理論を持たない。よって私は、私の及ぶ範囲でのみ《全き一つ》であらんとする。私以外の我々も、私以外の我々の及ぶ範囲でのみ《全き一つ》であらんとする。現在、私と私以外の我々はそれ以外に現状に対応する術（すべ）を持たない。

「どうやらですね、他種族の『他者』は認識できても同種族の『他者』は認識できないというか、認識したくない感じなんですよ。それがどうしてかっていうと、【白鯨】は《全き一つ》であって、《全き一つ》が正しい常態である以上は、自分と重複する同一種が存在することは望ましくない、みたいな……」

高巳は会議の席上でそう発言した。

《全き一つ》という言葉はディックが分裂してからよく使うようになったもので、これは単一の生命体としての【白鯨】のアイデンティティを表しているらしい。

このアイデンティティが【白鯨】にとって最重要かつ最優先事項であり、これに反することはすべてあり得ないこととして拒否されてしまう。アイデンティティと現実が食い違った場合、優先されるのはアイデンティティの遵守であるらしい。

高巳は通話記録の一部をテーブルの上で指した。

——私は、私の及ぶ範囲でのみ《全き一つ》であらんとする。私以外の我々も、私以外の我々の及ぶ範囲でのみ《全き一つ》であらんとする。

「それぞれが《全き一つ》の状態を遂行したら、全体として《全き一つ》になるはずだって、そんなふうに考えてるっぽいんですよね」

現実にアイデンティティの遵守が優先された一例である。

仲間の存在を知覚しながらも意思の交流を持とうとしないこともそうだろう。《全き一つ》である状態では、意思を交流させる同一種の他は存在しないからである。

「実際のところ【白鯨】群の行動はもうバラバラです。行動がバラバラってことは当然意思もバラバラなわけで、全然《全き一つ》じゃない。《全き一つ》たち、というか。事実上はもう単なる集団なわけです、人類や他の動物種と同じで。大なり小なりおんなじのが数万からいて、行動も意思もてんでばらばら。でも、取り敢えずはそれぞれが《全き一つ》の状態を遂行することで、満足しちゃってるんじゃないかな、と。《全き一つ》の状態を遂行するっていうのはつまり、それぞれが自律活動するってだけのことなんですけど」

「それってつまり、それぞれが好き勝手に行動して結果が同じになるのを期待してるってことですか？」

芹沢の発言に、高巳は「そう言っちゃうと身も蓋もないけど」と苦笑した。

宝田が憤然と吐き捨てる。

「勝手に行動して全体が自律するなど、そんな都合のいい話があるか。そんなことが可能なら人間も政府や自治体は要らん」

「仕方がありませんよ、【白鯨】は今まで単一生命体だったのですから。恐らく、自分が集団である状態に適応できないのでしょう」

宝田を執り成した佐久間が続けた。

「それにしても、彼は随分この《全き一つ》というアイデンティティに固執しているようですね。これは思考停止の状態にも思えるのですが……」

「ああ、その気配もありますね。そこから先は考えない、考えたくないって感じです」

高巳の見解を受けて佐久間は考え込んだ。

「恐らく数万年を単一の生命体として過ごしてきた【白鯨】にとって、集団化した現在の状態は大変なストレスであり……そのストレスを緩和するためメンタリティだけでも記憶している《全き一つ》の状態を保とうとしている……分裂して行動範囲が各自自由なはずなのに集団を作るということも、寄り集まって集団密度を上げることで少しでも《全き一つ》に近い形状を維持したいためかもしれませんね」

【白鯨】群の形成する集団は太平洋上に日常的な分布が限定されている。

これは最も巨大な破片となったディックが四国沖に存在していることと関係しているらしい。集団分布はディックの周辺空域が最も密で、離れるにつれて疎になるのが基本だ。そのほか、レーダー波反射の申し入れを未だに守っていることなど、自身の行動を人間側に把握される不利益を押してまで分裂前の習慣を維持していることも《全き一つ》の頃の状態を維持する一環と思われた。

佐久間は思索の風情を打ち切って顔を上げた。

「だとすれば、停戦交渉よりも先に、彼らが集団となってしまったことをケアする処置が必要かもしれません」

高巳は要領を得ない顔で首を傾げた。

「集団となってしまったことをケアって……そんな方法あります？　集団であることは単なる状態で、そのこと自体にケアの有無を検討するプラスもマイナスもないような気がするんですけど……」

「あるでしょう、一つ。集団であること自体が問題とされる状態が」

「テロ集団や過激派のことかね？」

いかにも自衛官らしい発言をした宝田に、佐久間は首を振った。

「それは集団の持つ目的が社会的な意味で問題なのであって、集団であること自体の問題ではありません」

要領を得ない顔をしている全員に向かって、佐久間は言った。

「解離性同一性障害――いわゆる多重人格ですよ」

全員が完全に虚を衝かれた。

その言葉自体にではなく、その言葉がこのタイミングで出てきたことに対してである。

「ディックの現状を解離性同一性障害に見立てて、『治療』することはできないでしょうか？この病理における『治療』とはつまり、多重の状態を一つに統合する、あるいは多重であっても意思の統制が取れるバランスの取れた状態にするということですが」

声を発しないスタッフに佐久間は続けた。

「もちろん【白鯨】の場合は分裂したそれぞれが独自に体を持っているわけですし、そもそも人間ではありませんから、完全に『精神障害の診断と統計の手引き(DSM-IV)』定義による解離性同一性障害と状態が一致するわけではありません。しかし、病因となる何らかの衝撃によって一個の人格が複数の人格に分裂した、という点は同じです。――少なくとも、似ていると言うことが可能です」

実際の解離性同一性障害で、多くの患者は小児期に重大な心因外傷を経験している。多くは被虐待体験だが、この体験および体験から発生する心因外傷から自己の心を防衛するために別の人格が発生すると言われている。

心因外傷と弾道ミサイルを同列に考えるというのもかなり（いや随分）無茶な話ではあるが、ともかくそれが『一個』を『複数』に分裂せしめた、という意味において、両者は同じ結果をもたらす同じ種類の『衝撃』だった――と、言って言えないこともない。

かなり大胆な見立てだが。

「そう考えれば、我々人類の持つ解離性同一性障害についての治療法が【白鯨】に応用できるのではないでしょうか」

「つまり、治療によって【白鯨】を《全き一つ》の状態に戻すと？」

宝田が端的にまとめた言葉を、佐久間はやんわりと訂正した。性急な宝田と慎重な佐久間はここへ来ていい組み合わせとなっている。

「《全き一つ》の状態に戻せるかどうかは不明です。高知の斉木少年の【白鯨】に【白鯨】を吸収させたという事例に見えるように、細胞的には再融合が可能だと思われますが――もし、すべての破片が再融合を果たしたとしても、一度分裂を経験したうえでの融合が《全き一つ》と呼べるかどうかは分かりませんから。しかし、全体の意思の調和が取れる状態に持っていくことは可能ではないかと思うのですよ」

「そう言えば高知の少年の例があったんでしたよね。彼に協力を願うというわけには行かないんでしょうか？」

芹沢のまったく悪気はない発言に光稀がじろりと芹沢を睨んだ。びくっとすくみ上がる芹沢に、宝田が答える。

「少年は二月の自衛隊事故の遺族だ。父親である斉木三佐の殉職から半年と経っていないのに【白鯨】問題に担ぎ出すのは望ましくない、というのが現段階での統幕の意向だ。未成年でもあることだし、精神的な負担が大きすぎる」

斉木瞬を担ぎ出すことには防衛省の威信も関わるのか、宝田の表情は渋い。

未成年者に負担をかけさせる懸念は建前で、未成年者を頼らねば状況を収束できなかったという結果にしたくないのが統幕の本音だろう。

「ただし、このまま状況の膠着が長引けばどう転ぶか分からん。現時点では『岐阜飛ばし』の失態を盾に退けてはいるが、内閣からは少年への協力要請の提案が再三来ている」

「それに、吸収された【白鯨】がどうなるかさっぱり分からないんですよ」

高巳も横から口を添えた。

「少年の【白鯨】は【白鯨】共通の波長を発していないようで、ディックもフェイクの思考は読み取れないそうです。ただ、記事元に少年の談話を確認してみると、フェイクが少年の指示に従って攻撃的な意図で他の【白鯨】を吸収していることは確かなようで……そうだとすれば、フェイクの行っている融合は【白鯨】にとって望ましくない可能性が高い。もしかすると吸収と同時に相手の意識を一方的に消去して、細胞だけを取り込んでるのかもしれない。ディックも【白鯨】群もフェイクの存在をどう判断するべきか分からないようですが、少なくとも自分から融合されに行く個体は皆無です。俺たちが【白鯨】の尊厳を認めるスタンスを取っている以上、そんな状態でフェイクによる強引な融合を強行するわけにはいきませんよ」

「フェイクのことはひとまず置きましょう。少年を巻き込まない統幕方針がすでに出ており、フェイクに直接コンタクトを取ることもできない状況ではどうしようもありません。【白鯨】の意思疎通の波長はフェイクには有効でないようですし」

佐久間の発言でフェイクに関する議論は一旦打ち切られて、【白鯨】を解離性同一性障害の病理を参考に『治療』する方針が検討された。

時間がかかるのでは、という質問に佐久間は答えた。

「【白鯨】は元が単一の生命体ですから一つに戻ろうとする本能は相当強いはずです。分裂後の彼らが《全き一つ》のアイデンティティに固執するのも、一つでありたいという意識の表れでしょう。そこへ持ってきて、自己を何らかの形で再統一できるとすれば、『治療』に対する積極的な意欲や協力を期待できますし、それはそのまま『治療』の促進に反映するのではないでしょうか」

理屈は理屈である。佐久間が言うからもっともらしい。

「そもそも、集団の概念すら理解していない【白鯨】にこのまま交渉を続けたとして、事態の進展が望めるとも思えません。【白鯨】の集団状態を『解決』するほうが早道だと思うのですが——どうでしょうね、春名君？」

「へ？」

ここで話を振られるのはまったく予想外だったので、反応が間抜けになった。しどろもどろで言葉を探す。

「いや、あの――確かに今のままじゃ先の見えない迷路ですし、統合状態に持っていけるならそのほうが交渉もしやすくなるとは思いますけど」

高巳は言葉を切って語彙を選んだ。

「……けっこう愉快なこと考える人だったんですね、佐久間さん」

「春名君の柔軟さを見習ってみました」

佐久間は事もなげにそう笑った。そして全体に向けて続ける。

「このまま集団の概念を理解していない【白鯨】と噛み合わない交渉を続けていても春名君を消耗させるだけです。今、彼に倒れられるわけにはいきません。交渉の最適役に倒れられたら最短での事態解決は望めません。幸い、精神病理学的なアドバイザーの心当たりも大学のほうに多少ありますし。サポートチームはすぐにも結成できると思いますよ」

佐久間の発言を聞きながら、高巳は微妙な表情になった。

この試みが実際に行われるとして、自分にどの役が回ってくるかは自明の理である。いくらアドバイザーが付くとは言え、

――素人にカウンセラーの真似事しろってか。

溜息をついてから、高巳は弱気を振り払うように小さく頭を振った。

――飛ばせてやるっつったんだから。

隣の席から光稀がそっと窺う気配に気づいて、高巳は慌てて笑顔を取り繕った。すると光稀もぎこちなく表情をほころばせる。

安心させるつもりが逆に気を遣われて、高巳は小さく苦笑いした。

解離性同一性障害で内在する人格の種類は、主人格、交代人格、オリジナル人格の三つだ。

主人格は患者のメイン人格で、覚醒している間の出番が最も多い人格である。主人格は交代人格の存在を知らない状態であることが多い。

交代人格はトラウマやストレスに対応するために発生し、それぞれ自分の名前や意思、独自の生活史を持つ。

主人格は交代人格の活動を把握しておらず、交代人格が活動中の記憶は欠落して解離性健忘の状態になっているのが通例だ。しかし、交代人格のほうは、他の交代人格や主人格の記憶をある程度共有していることも珍しくない。

オリジナル人格は生まれつきの人格である。重大なストレスに際し、それから逃れるためにオリジナル人格は初めて別の人格を作り出す。オリジナル人格は主人格と同一であるケースが最も多い（主人格が交代人格の一つである場合もある。その場合のオリジナル人格は休眠状態か出現が極端に少ない状態にあることが主だ）。

治療における重要点は、まず患者（＝主人格）が自分が多重であることを認めて、主人格と交代人格の相互のコミュニケーションをよくすることである。

交代人格は概ね「苦痛を引き受ける」役割を何らかの形で担っており（正確にはもっと役割が細分化された分業状態もあるが）、主人格は交代人格によって苦痛から守られている。

しかし、主人格と交代人格の間にコミュニケーションが成立して、お互いの記憶を共有するようになると、交代人格が存在する意味が薄くなる。

記憶の共有は主人格自身がストレスを知ることでもあり、主人格がストレスを知るなら苦痛の引き受け人としての交代人格の存在意義が弱まるからだ。

そこで初めて人格を統合しようというムーブメントが発生してくる。

また、患者と治療者の間に信頼関係が成り立っていることも重要である。主人格や交代人格に働きかけて、コミュニケーションを持たせるナビゲートの役目をするのが治療者だからだ。統合に関しては治療者の役割もまた大きい。

本来の解離性同一性障害とは同一視できないものの、【白鯨】をこれに見立てるに当たって、主人格には分裂後「最も大きな破片」となった（現時点で十数㎞四方、これは各務原市の面積に匹敵する）ディックが当てはめられることとなり、主人格とオリジナル人格は一致している見立てが成された。

もちろん、統合に際し主人格として残るのがディックとは限らないという危惧は指摘されたが、この点は治療者側（対策本部）が恣意的にディックを主人格に推すことで解消された。

本来のこの病理の治療ではそのような操作は決して許されないが、こと【白鯨】に関しては事情が違う。第一の目的は人類の存続であり、『治療』はそのための手段だ。統合を援助した結果、人間に敵対的な人格として統合されては意味がない。援助の見返りとして、その程度の恣意は許容の範囲内とされた。

ディックを主人格に据えて考えた場合、ディックは「自己が分裂し、重複した状態にある」ということを物理的事実としては自覚しており、自分が多重であることを認めるという初期の段階はある程度クリアしている。

更に、多重の原因となった『苦痛（＝弾道ミサイル）』についての記憶も全個体が共通して持っており、意思疎通の波長も存在している。

【白鯨】たちが相互の意思疎通の拒否感さえ克服できれば、交代人格と苦痛の記憶を共有した上での対話が可能な状態となる。これは、治療段階としてはかなり進んだ状態と言えた。

治療の目的は「統合」、もしくは「他の人格を認知した上での意思の調和」であり、治療者としては既にディックとかなり強い信頼関係を確立している高巳が適任とされた。

臨床心理学および精神病理学的なサポートには、臨床精神科医を含む中京大教授陣が当たり、高巳を始め対策本部の主要スタッフが基本的な講義を受けた。実際の【白鯨】との対話に関しても、綿密なアドバイスを求めることになる。

高巳が不慮の事態で対話できなくなった場合の代理は、光稀と佐久間の二人体制となった。光稀は最初に接触した者としてディックが馴染みを持っており、佐久間はディックが知識の供給者として評価しているからである（また、会話を端的に処理する傾向のある光稀の性格が、佐久間の対話問題点である議論のループを抑制することも密かに期待された組み合わせだ）。

また、斉木瞬が所有するフェイクの処遇については、フェイクが人間社会に敵対的でないという事実を以て対策優先度が下げられ、現時点では判断が保留された。

＊

◎治療の意志・目的の確認

春名　：もう一回確認させてもらうけど、ディックから他の【白鯨】に人間への攻撃を停止するように説得してもらうわけには行かないんだよな？

ディック：私は【白鯨】であり、私以外の我々も【白鯨】である。【白鯨】が【白鯨】を説得することは矛盾である。何故なら、【白鯨】は《全き一つ》であり、《全き一つ》である【白鯨】の意思と行動は一つであるはずだからである。私はその矛盾の受け入れを拒否する。

春名　：うんうん、それはもう何十回も聞いたんだけどさ。つまりメンタリティ自体はそれぞれ《全き一つ》のままなわけだよな？　それなのに、体と意思とがばらけちゃったから、現実としての君らは行動と意思の統制が取れてない。結果として今の君らは、《全き一つ》ならぬ《不完全な複数》みたいな状態になっちゃってるわけだけど。それってディックにとってはどうなのかな？特に不都合がないならこのまま気分だけ《全き一つ》、現実は集団って状態で生きていく道もあると思うんだけど。

ディック：私と私以外の我々はすべての物事において——意思・身体・行動などが統制された一つの状態であることを切望する。私と私以外の我々がそれぞれ一つの状態を遂行した結果が分裂していることは望ましくない。

春名　　：それは《全き一つ》に戻りたい、または「私と私以外の我々の意思・身体・行動が可能な限り一つに統制されている状態」になりたいってこと？

ディック：その認識で問題ない。しかし、私と私以外の我々は、現状でそれぞれの意思を一つに統合する方法を持たない。

春名　　：（どうでしょうね、これ。多重っていうより、集団としての意思決定の方法が分からないことによる混乱って感じもしません？）

佐久間　：（むしろ、多重であるうえに、集団としての意思決定方法を知らないという二重苦だと思いますよ。多重も多重の治療も集団としての概念を持っていることを前提にした上での病理であり治療なわけです。人間の多重では患者の全人格が集団としての概念を持っているから、意思決定に際しては話し合いという手段が自然に採択されますし、方法についての混乱は発生しません。ディックの場合は、集団としての概念を持っていない状態で強制的に集団にさせられたわけで、集団としての概念が存在しないことによる混乱が最初にあります。多重の混乱と集団の概念がないことによる混乱が重なっていると解釈すべきで、やはりこれは【白鯨】的には多重と考えていいと思いますよ。

　ただし、集団の概念を持たないものを人為的に多重にしてしまった以上は、集団としての意思の処し方を教える必要があるでしょう。あるいは、こちらが仲介者として人格間の意思を調停していく必要があるかもしれません)

春名：(うわ、それ誰がやるんですか。俺か。ちょっと気が遠くなりそうですが)ええと、中断ごめん。人間側の意志としては、とにかく【白鯨】全体と停戦したいわけだ。「私以外の我々」も含めたうえでの【白鯨】とね。つまり、《全き一つ》である【白鯨】の統一意思としての停戦がほしいわけ。これは何度も言ってると思うけど。

ディック：私は現在《全き一つ》である【白鯨】の統一結果を出せる状態にない。ゆえに私と私以外の我々は、諸君の希望する結果を提供することができない。

春名：それは分かってる。だから俺たちでディックとディック以外の【白鯨】たちが《全き一つ》に戻れるか、あるいは意思を統一できる状態になれるように援助したいんだけど、どうかな？　これはもちろん人間の側にとっても延命のための措置だから見返りは要求しない。互いの利害の一致と考えてくれていい。

ディック：私にとってその申し出は棄却する理由を見出せない。しかし、私以外の我々については私と同じ意思を持つかどうか保証できない。私と私以外の我々は先ほど高巳が言ったように事実上は《不完全な複数》である。

春名　…そりゃそうだ。だから、まずはディック以外の【白鯨】にこの提案を伝えてみてくれないかな？　伝達すること自体は可能なんだろ？　もし提案を拒否する【白鯨】がいたら俺が個別に交渉するから。

《全き一つ》の状態を回復するというメリットを受け、ディックは他の【白鯨】群と交信することを初めて了承した。

これにより、ディックを広報塔として対策本部の意向を【白鯨】全体に告知するという形式が確立した。

ただし、ディックはあくまで対策本部の意見を代理で発信するだけで、発信する対策本部の意見には一切の恣意を交えない。

多少の紆余曲折（うよきょくせつ）はあったが、他の【白鯨】群にも《全き一つ》に回帰する非常措置としての『同一種の他』との交信は受け入れられた。

しかし、ここでまた次の問題が発生する。

【白鯨】群は互いの意思を一方的に発し、また一方的に聴き取ることはできるが、互いの意思の取りまとめはできないのである。単一生命であった【白鯨】の生態を考えれば、協議するという行動を彼らが持たないことは当然であった。

そこで、集団としての意思を取りまとめる方法については、対策本部が逐一指示を出すこととなった。

それは例えば、同じ意見を持っている個体同士で集まって同意見集団を作り、その数を報告するなどの非常に初歩的な指示である。

ディックを通じて返される意見の分布については、全体の把握を対策本部で行い、その結果をまたディックから告知する。

つまり【白鯨】たちの意見を対策本部側が一度預かり、集計した結果を再び【白鯨】たちに返すのである。

非常に回りくどい方式ではあるが、これによって対策本部では【白鯨】全体の意識の把握が可能となった。【白鯨】群も対策本部という仲介者を得、自分以外の【白鯨】——彼らが言うところの「私以外の我々」——の意見分布を把握できるようになった。

意見の集計者としての対策本部に不審の声が上がらなかったのは、当初から【白鯨】と信頼関係を築いていた高巳が前面に立ったからだろう。

対策本部の最初の提案である「《全き一つ》に戻るための対策本部からの援助」は予想通り全【白鯨】に受け入れられた。統一願望が強いという佐久間の予想が裏付けられた形である。

ただし、援助は受け入れるが、自己防衛としての人間社会への攻撃は停止しないという意見がこの段階では多い。

統合を望む意志は共通しているのに統合のムーブメントに至らないのは、集団としての意思の取りまとめ方法を持たないこともさることながら、人間に対するスタンスの不一致が原因であることが判明した。

統合のためには人間に対するスタンスのばらつきを解消する必要があり、『治療』と『停戦交渉』は早い段階で目的が重なりつつあった。

対策本部が、どんなスタンスが【白鯨】群にあるのかという質問で同意見集団を作らせると、大きく三つの集団に分けられた。

①ディックと同じく、人間に好意的中立なタイプ。

②人間との交流自体を断つことによって安全を確保しようとする不干渉タイプ。

③防衛的な意識によって生存競争を続行しようとするタイプ。

この結果によって、【白鯨】群は中立型、不干渉型、防衛型の三つに分類された。

分裂当初はディック以外の全【白鯨】は防衛的性格だったらしいが、生来闘争を好まない性質のため、人間側からの反撃がなくなった時点で他二つの性格が派生したのだという。

六月最終週の現時点で、中立・不干渉・防衛タイプの個体比率はほぼ1：1：1である。

すべてが防衛型でないとはいえ、一つのタイプに約二万の個体が属するので【白鯨】の脅威は未だ健在だ。電力制限を解除すれば、二万もの防衛型【白鯨】が攻撃的意図を持って都市に殺到することになる。

しかし、防衛型【白鯨】の勢力が思ったほどに圧倒的でなかったことは大きな希望だった。

戦闘派と非戦闘派に分ければ非戦闘派のほうが多い。統合の核となる主人格はディックとなるのが人間側には最も好都合だが、最低限、中立型か不干渉型のどちらかに属する個体を主人格にできればいい。

対策本部では、不干渉型と防衛型それぞれにディックと同じく広報塔の役割を担当する個体を選出させ、三つのグループとそれぞれの交渉を開始した。

ディック（中立型）を主人格と想定している状態で、これは交代人格との接近と想定された。

*

ミーティングもとっくに終わった深夜の本部室に、光稀はそっと滑り込んだ。

スタッフが全員引き上げた真っ暗な室内で、高巳が会議机に突っ伏している。

光稀は小さく溜息（ためいき）をつき、静かに高巳のそばへ歩み寄った。抱えてきた毛布をそっと高巳の肩に着せかける——と。

毛布をかける手を、軽く摑（つか）まれた。

——小人さん捕獲。

寝起きで嗄（か）れた声が囁く。高巳がうつ伏せたままで光稀のほうへ軽く首を向けた。

「毎晩ご苦労さん。——無駄足のほうが多いのにまめだね」

高巳が宿泊先に帰らず本部室に泊り込んでしまうのは、数日に一度のことである。居残って調べ物をしはじめたら大体そのまま泊まってしまう。

それに気づいてから、深夜に本部室を見回りにくるのが光稀の日課となっている。

光稀はしばらく返事に迷い、高巳の手を外しながら言った。

「——起きてるならちゃんと宿に帰れ。体を壊す」

「飯はちゃんと食ってるよ、風呂も隊舎で借りてるし」

嗄れたままでなかなか戻らない声が、高巳の疲労の度合いを示している。

「きちんと横にならないと休んだことにならん」

「まったくもってお説の通り。……分かってるんだけど、これがなかなか」

高巳が苦笑いのような表情を浮かべた。

「ずっと走ってないと終わんないような気がしてね」

その弱気がかすめる声で、現状が高巳に頼りすぎていることを改めて思い知る。

光稀は暗闇の中で目を伏せた。

「……すまない」

お願いしてみて。そんなことを言われて真に受けたが、あの〝お願い〟も今の高巳の肩にはもう重いのではないか。

「この前のは取り消す。だから走るな」

いきなり唇が指先で塞がれた。駄目だ、といつになく真剣に高巳が言った。

それから、照れたように——いや、困ったようにか、小さく笑う。

「今それ取り上げられたら本気で転ぶ」

じゃあどうしろと言うんだ——心の中の呟きは声に出ていたらしい。

「なンもしなくていい。取り上げないでくれたらそんでいい。俺が勝手に杖にしてるだけ」

何もできることがないと言われているようで、辛い。

「――迷惑？」

尋ねながら高巳が手を伸ばした。

その手で頬に触れられ、光稀は思わず首をすくめた。指の触れた部分がひどく敏感になって、慌てて気を逸らす。

辺りの空気が密度を増してまとわりつくような。

しばらく待つように高巳の手は触れたままで、それからゆっくりと離れる。

そして、光稀の頭にぽんと手が乗った。

「毛布あんがとね。できるだけ宿には帰るようにするから」

いつもと変わらない明るい口調。

微妙な均衡を孕んでいた空気がまるでなかったことのように――

流された。

光稀は思わず顔を上げた。

「杖になるから――数日待て」

「は？」

「少しは楽にしてやる」

言いつつ光稀は、毛布を高巳に押しつけて部屋を出た。

数日後、高巳に基地司令からの通告が下った。男子隊舎の空き室の使用許可である。
──そういう意味じゃなかったんだけど。
高巳は苦笑したが、とにかく物理的に通いが楽になるのはありがたい。
通告を受けたその日から、高巳は指示された隊舎へ居を移した。

＊

瞬は天野家の二階の佳江の部屋へ駆け上がった。

ドアを開けると、中にいたフェイクが嬉しそうにふわりと浮き上がる。

佳江を助けろ。――ちがう。

佳江を助けて。頼むから。

『助ける・分からない・佳江・を・助ける・方法・何』

瞬は深呼吸してゆっくりと目を閉じた。

「佳江を探して守ってくれ。一緒にいるだけでいいんだ。お前と一緒だったらお前は【白鯨】の仲間だから、【白鯨】はお前と一緒にいる佳江はきっと攻撃しないから」

――言えた。

ちゃんと言えるじゃないか――ほら。ちゃんと、俺、あんなひどい、あんなめちゃくちゃなことじゃなくて、ちゃんと。

ちゃんと、言わなきゃいけなかったことを言えるじゃないか。

俺はちゃんと佳江と同じ側じゃないか。

よかった——

心から安堵して、そこでぽかりと目が覚めた。

「……」

目を開けると、知らない部屋だった。——知らなくはない、まだ馴染みのない部屋だ。調度だけは一通り整って小綺麗なワンルームのウィークリーマンション。

まだ夜は明けておらず、電灯の豆球だけがほのかに室内を照らしている。

瞬の荷物は持ってきた旅行鞄一つしかない。

真帆の誘いに応じて『セーブ・ザ・セーフ』に参加することを決め、本拠地である名古屋へ連れて来られて与えられた部屋である。

フローリングに壁紙の洋室は、畳と砂壁の造りを見慣れた目にはいかにもシャレて見える。

起き上がる気力も電気を点ける気力もなく、ベッドにぐったりと横たわっていると、じわりと冷や汗が後から出てきた。

希望を夢で見てから目覚めて現実を見るのはひどく体に悪い。それも毎日の夢ならなおさらだ。

夢の中で、何度も何度もやり直す。二度とは戻れない、通り過ぎてしまった分岐を。

夢の中で理想的にやり直し、心から安堵して喜んで、そして目覚めて絶望を知る。

何度でも。

それは間違った瞬に与えられた責め苦なのか。夢の中でこれは夢だと気がつくことは決してなく、目覚める度にその都合のいい夢を自嘲する。何かに辱められているようなその苦痛。

やり直せるなんて何を調子のいい。

時計を見るとまだ電波管制の始まっていない時間で、瞬は枕元の携帯を取った。

誰かと話したくなったが、こんな時間に掛けて許してくれる相手は佳江しか思い浮かばない。

しかし、佳江には帰るまで連絡しないと決めてあった。

結局、フェイクの番号をコールする。

通話は呼び出し音五回で繋がった。いつもより繋がるのに時間がかかったのは、活動時間帯に入る前だったからだろう。

「早くにごめん、フェイク。何か変わったことあった?」

『ない・昨日・は・【白鯨】・を・二つ・二個・二体・食べた』

答えたフェイクが問いかけてくる。

『今日・する・何』

「――いつもと変わらないよ。見つけたら食べてくれたらいい」

佳江を守ってくれよ、とは敢えて言わない。高知に残ったフェイクが【白鯨】の捕食を続ければ、佳江の安全も守られるというものである。

「なあ。お前、どうやって相手を食べてるの？」

ふと思いついて瞬は訊いてみた。

逆上して仲間を殺せなどとは口走ったが、全長一メートル程の小さなフェイクがどうやって自分よりも大きい仲間を下したかは謎なところである。

フェイクの返答は簡潔だった。

『ぶつかる・して・殺す・と・思う・害意・を・持つ』

要するに害意を持ってぶつかるというだけのことらしい。そんなことであの圧倒的な生物が死ぬのは意外なことだが。

『ぶつかる・した・相手のもの・意識が白・空白・無・に・なる』

『意識・消去・なくなる・た・体・空っぽ・殻・を・フェイク・食べる』

殺すという意志を教えたのも瞬だ。フェイクは瞬からどんどん学ぶ。――学ばなくてもいいことまで。

学んではいけなかったことまで。

佳江が言っていたのはこういうことかとやっと分かった。

大学に連れていったほうがいい。このまま飼っておくのはどうかと思う。折に触れ、佳江が控えめに瞬に言おうとしていたこと。

学習の早い、知能の高い異生物を、高校生ごときが飼育しようなどとんでもない思い上がりで、とんでもない無謀だったのだ。

何が正しくて正しくないか、そんなこともまだあやふやな小僧が、善悪の基準すら持たないまっさらな知能を正しく知育できるなんて。

父の死を受け止めることもできず、運命を僻んで誰かに当たり散らすような小さな器で——一体何を育てることができるつもりでいたのか。完璧な家族だなんて。

自分の思い通りになる、都合のいい誰かを作りたかっただけだ。

正しくない瞬を映して、フェイクは正しくなく育つ。

瞬の過ちを鏡のように映し、見せつける。

『フェイク・は・いつまで・食べる・か？』

『瞬・は・いつまで・望む・か？』

訊いてくるフェイクに、瞬は答えた。

「ほかの【白鯨】を全部食べたら終わるよ。がんばれ」

正しくないほうへ押し進んで、進路修正できた最後の分岐にはもう戻れない。

だから、新しくフェイクをフォーマットできる状態まで押し進むしかない。

フェイクが一つになったら、今度は間違ったことは教えない。

正しいことを教えて——そうしたら、きっと帰れる。

瞬と同じ目に遭っても、きっとフェイクに仲間を殺せなんて言わない佳江のほうへ。

『セーブ・ザ・セーフ』は反【白鯨】団体として今や全国的な支持を誇っていた。

【白鯨】のあまりに一方的な蹂躙には、先制が人間側だった事情を差し引いても恐怖と同時に反発を覚える人々が多く、あくまで反【白鯨】の姿勢を貫いている『セーブ・ザ・セーフ』に共感が集まるのは当然の話だった。

他の反【白鯨】団体がこぞって共存もやむなしという姿勢に日和ったことも『セーブ・ザ・セーフ』人気に拍車をかけていた。

スワローテイル事故の遺族として、白川真帆が団体広報の前面に出ていることも、その人気を後押しする要素の一つである。遺族、それも未成年の少女が直接戦っている姿は、世間には相当いじらしく見えるらしい。

後援にも政財界や地域の有力者が多く名を連ね、今では事務局を一等地の高層ビルに構えるほどの勢いとなっている。それも一室ではなく、一フロアを丸ごとだ。

電力制限によって運営時間帯が夜間となっているその事務局へ、瞬が初めて案内されたのは夕方の時間帯だった。

「うわ……すごいですね」

瞬は案内された応接室で呆気に取られてあちこちを見回した。建物自体も高知ではこれより高くて立派なビルなど存在しないほどのものだが、オフィスの高級感もただ事ではなく、設備も整っている。

これが設立二ヶ月にも満たない市民団体の事務局とはとても信じられない。

「市民団体ってもっと地味な感じかと思ってました」

「そうだな、うちはかなり運営も活動も派手だね。真帆くんの力だよ」

答えたのは瞬をウィークリーマンションまで迎えにきた大村正彦(おおむらまさひこ)である。四十がらみの大柄な男性で、スワロー事故の副操縦士だった人の兄だそうだ。

「真帆さんの？」

事務局で真帆は母親との区別のためか苗字(みょうじ)ではなく名前で呼ばれており、瞬もそれに倣った。本来は、女の子を名前で呼ぶのは瞬の性に合わないが。――佳江以外。

「【白鯨】の存在が発覚した後、真っ先に反対運動団体を立ち上げたのが真帆くんでね。一応、対外的にはお母さんが団体責任者ってことになってるが、実際を取りしきった事実上の責任者は真帆くんになる。スワロー事故の遺族に働きかけて後援者も積極的に集めてね。大人顔負けの活躍ぶりだったよ」

大村の答えに瞬は溜息(ためいき)をついた。

「すごいですね。僕とあまり年も変わらないのに」

真帆は瞬より学年が一つ上なだけだ。だが、真帆ならそれくらいはやるだろう――と、本当はそれほど意外でもない。真帆は良くも悪くも計算高くてとても有能だ。

「真帆くんは、お母さん方がこの地方の有力者の家柄でね。過去に何人も代議士や大臣を輩出している。最初はそうしたお身内の力も積極的に借りたそうだ」

それならなおのこと団体の拡張もしやすかったに違いない。【白鯨】憎しの時流にも乗れただろうし。

しかし、真帆が使えるものはなりふり構わず貪欲に使ったとしても、出だしから新しい団体の設備や資金をこれほど充実させたことは、やはり才覚と呼ぶべきだろう。

真帆にはカリスマ的なところもあり、団体のスタッフたちも心酔しているような感じがある。大村の誇らしげな話し方からもそれは感じられた。いわゆる「天才少女」を擁している優越感だろう。どちらかと言えば真帆は天才よりは秀才の部類だろうが。

「君も真帆くんに負けないように活躍してくれよ。もっとも、真帆くんほどというのはさすがに荷が勝ちすぎるだろうがね」

何気に失礼な物言いだが大村に悪気はなく、ただ単純に真帆を奉るがゆえだろう。

「僕はフェイクがいるだけですから」

比べられても困る、と言外に匂わしたが、大村は気にした様子はない。

「【白鯨】を手なずけているということだけで、君は充分に価値があるよ」

ますます失礼だ。でも、一人が絶対的になっている集団の中でそれに逆らってもロクなことはない——人よりかなり多い転校経験で学んだ、瞬の処世術である。

ありがとうございます、と瞬はにっこり微笑んだ。

「でも、【白鯨】じゃなくてフェイクと呼んでやってくれませんか。僕の相棒ですし、皆さんのお役に立てると思いますから」

「おっとそうだったな、すまんすまん」

大村はそう言って豪放に笑った。

「斉木瞬です。よろしくお願いします」

瞬は一礼してから再び自分の席に腰を下ろした。

瞬を主要な幹部スタッフに紹介するために設けられたミーティングの席上だ。出席しているのは、真帆や大村を始めとする三十名ほどである。

挨拶（あいさつ）は拍手で迎えられ、滑り出しは可もなく不可もなく。

その後は、フェイクのことについていろいろと質問された。

どこで「手に入れた」か、どうやって「手なずけた」かなど、いろいろ。

フェイクに対する言葉の選択を不愉快に思う部分も多々あったが、そんなことはおくびにも出さず、終始笑顔で瞬は答え続けた。

「もしフェイクが裏切ったら、あなたはどうなさるおつもり？」

中年女性の発したこの質問には、一瞬笑顔に亀裂が入りそうになった。

が、何とかこらえる。

「どうやって責任を取るのか、ということでしょうか？」

瞬が訊き返すと、取り澄ました奥様っぽいその女性は苦笑するように笑った。

「まさか、あなたのような子供に責任なんて」

真帆のような子供に運営を頼っている大人の発言とは思われないが、瞬は笑顔でスルーした。

女性が続ける。

「単に、フェイクが敵に回ったらちゃんとフェイクを切り捨てられるのかしら、と伺っているだけですよ」

「もしもフェイク対人間の構図が出来上がったら、それは僕だって人間ですから人間の陣営に入らないわけにはいかないと思います。そんなことになったら個人的には悲しいですけどね。ただし、フェイクが敵に回るとしたら、そのときこそ人間には対抗手段が残らないと思いますけど」

　鈴を転がすような笑い声が上がった。真帆だ。

「瞬くんのほうが道理ね、確かに仮定自体が無意味な質問だわ。もしフェイクが敵対したら、瞬くんが切り捨てようが切り捨てまいが同じことですもの。その場合はむしろ人間がフェイクに切り捨てられたとするべきね。——一本取られましたね、長沼（ながぬま）さん」

　長沼と呼ばれた女性は、苦笑して頷（うなず）いた。

　真帆が瞬のほうへ向き直る。

「フェイクに命令できるのは瞬くんだけなの？　フェイクに繋（つな）がる電話番号を使えば、他の人でも命令できたりはしないの？」

「——僕の言うことしか聞いたことがないですね」

　瞬はややゆっくりと嘘を答えた。

「僕と一緒にフェイクの面倒を見ていた人がいますが、同じ番号を使っても、フェイクは僕の声にしか反応しませんでした。多分、声の波長で聞き分けてるんだと思いますけど」

本当はフェイクは佳江の言うことも聞くし、瞬がそう言っていたと騙れば誰の言うことでも聞くだろう。フェイクは人を疑うことを知らない。

だが、それを言うつもりはなかった。

真帆の誘いは受けたが、真帆に従属しにきた訳ではない。真帆に手の内すべては明かせない。フェイクが「使える」ということが、瞬と真帆を対等にさせる唯一の切り札なのだ。

「そう。佳江ちゃんでも駄目なの。それじゃあ無理ね」

真帆はそう言って、「残念」と笑った。見透かされているような気もするが、それはそれで構わない。真帆の言いなりになるつもりはないと伝わればそれでいい。

「当面、瞬くんには『セーブ・ザ・セーフ』の事務の補佐をしてもらいます。その中で団体の理念や運営システムを学んでもらえたらと思うわ。ただし、フェイクとの信頼関係を維持することと、【白鯨】撃滅の指示を徹底することを最優先としてください」

瞬の処遇を真帆がそのように指示して、ミーティングは終了となった。

「そう言えば、真帆さんのお母さんは会議にいらっしゃらなかったんですね」

瞬が書類の整理をしながら何気なく大村に訊くと、大村は表情を曇らせた。

発された声は辺りを憚るように低い。

「真帆くんのお母さんは——事故から後、かなり心身ともに衰弱しておられてね。今は市内の病院に入院してるんだ。今日もこれから真帆くんがお見舞いに行くはずだよ」

瞬は壁に貼ってある団体の組織図を見た。団体責任者名は、白川迪子となっている。この人は本当に名目上の責任者で、この団体の事実上の支配者は真帆なのだろう。団体を立ち上げたこと自体も、真帆の母親よりは真帆の意志だったのかもしれない。

オフィスの端のほうを、真帆が役員室から出てきて横切っていった。

きれいに伸びた背筋は瞬を勧誘に来たときとまったく変わらない。背中で翻るきれいな髪も。背負っているものの重さを感じさせまいとするかのごとくに凛として。

初めて、真帆を少しだけ気の毒に思った。


白く長く続く廊下。

清潔で殺風景で静謐な。

ざわついた外来受付や会計とは違って、個室の並ぶ最上階のフロアは声を出すのを憚られるような気配が満ちている。

特にこの階はわけありの患者が集中しているせいもあるだろうか。

真帆はトルコキキョウの花束を抱えて、廊下をまっすぐ端まで歩き切った。一番端の部屋のドアプレートには「白川迪子」とある。

軽くノックをしてドアを開けると、窓際のベッドには上半身を起こして窓の外を眺めている母の姿があった。

「お母さん、起きてるの?」

真帆は声をかけながら母の枕元の花瓶を手に取った。母は窓のほうを向いたまま振り向きもしない。

「今日はね、前に話した高知の斉木君がオフィスに来たのよ」

古い花を捨てて個室内の洗面台で花瓶をすすぎ、持ってきた花束を解いて生ける。その間中、やはり母からの返事はない。

「【白鯨】の掃討に協力してくれるの。わざわざあんな田舎まで口説きに行った甲斐があったわ。もうすぐお父さんの仇が討てるわね」

やはり母は答えない。

「――――くそばばあ」

真帆はきれいに花を生け終わった花瓶を床へ叩きつけた。

重たい音がして花瓶が砕け、リノリウムの床に白いトルコキキョウと水が無残に飛び散る。

真帆の足もびしょ濡れになった。

やはり母は――こちらを向かない。

真帆はつかつかと母のベッドへ歩み寄った。窓のほうを向いている母の襟首をグイと摑んで引き寄せる。抵抗のない人形のように引き寄せられ、やはり母は真帆を見ようとはしなかった。

あらぬほうを向いて焦点の定まらない目。

「聞こえてるんでしょう!? こっち向きなさいよ! 返事しなさいよ! この——くそばばあくそばばあくそばばあッ!! あてつけがましいのよ自分だけが不幸になったつもり!? 文句があるならはっきり言えばいいのよッ!」

「真帆さんやめなさい!」

後ろから羽交い締めにされて、真帆はぜいぜいと喉を鳴らしながらようやく叫ぶのをやめた。

真帆を止めた看護婦のほかにもう一人駆けつけた看護婦が、真帆に襟首を揺すぶられるまま揺すぶられてベッドからずり落ちそうになっていた母を横にさせる。

「——落ち着いて」

看護婦が低い声で真帆をなだめる。

この人たちはずるい。真帆は八つ当たりのようにそう思った。

この人たちは弱った病人や怪我人を看護する仕事だ、そんな人には弱いところを見られても仕方がないという思い込みがあるからこんな——

涙なんて流してしまう。

不本意に流れる涙は、真帆にとって屈辱でしかなかった。

「今日はもう帰ったほうがいいわ。後片付けはしておくから」

言われるままに真帆は無言で頷いた。

「大丈夫よ、お母さんはきっと良くなるから。これは一時的なものだと先生も仰ってますからね。気長に回復を待ちましょう」

気休めにしか聞こえない励ましを背に受けて、真帆は母の病室を出た。

いわゆる、上流家庭と言っても憚りがないような家庭だった。

母の実家が相当な名家であることが大きかったが、父も一流エアラインの機長を長年勤めた末に、航空業界第一位の企業にテストパイロットとして引き抜かれたのだから、年収も地位も母の実家に肩身が狭いようなことはまったくなかった。

父は生真面目だが優しく、母はおっとりした良妻賢母。一人娘である真帆も品行方正、成績優秀――と、できすぎたドラマのような家族構成。

歯車が狂ったのは、年が明けてすぐ。

中学から油絵をやっていた真帆の美大への進学希望に、父が強硬に反対したのだ。

いわく将来性がない、成功が難しい、絵は趣味の範囲で、もっと堅実な進路を――くどくどと繰り返されるありきたりな説教。

理解があると思っていた父に強い反対を受け、真帆は意地になった。

お父さんなら分かってくれると思ったのに。

話し合いは過熱してお互い語調が荒くなる。

最後に、

「どうして私の人生を私が決めたらいけないの!?　お父さんなんか大っ嫌い!!」

ベタな青春ドラマのような捨て台詞(ぜりふ)を投げつけて、真帆は自分の部屋へ飛び込んだ。

ドアに鍵をかけ、父が呼びに来ても母が執り成しても出なかった。完全に意地になっていて、もう折れどころも見つからない。

翌日の朝、父は真帆の部屋をノックして言った。

今日の晩、もう一回話し合おう。

一月七日——その日は、スワローテイルが事故を起こした日付となる。

白木の箱に遺体もなく戻った父を、真帆と母は涙も涸れ果てた状態で受け取った。


大嫌い。


最後に投げた言葉がそれで終わった。

父が亡くなってみてもう一度進路のことを考えてみると、自分が何故それほど美大に拘っていたかもよく分からなかった。

いい大学を出ていい会社に入ってという恵まれたありきたりな進路が平凡に見えて、自分がいよいよありきたりな大人へ続くルートに嵌まってしまうような気がして、少し奇をてらってみたかっただけのようにも思えた。

冷めた頭でよくよく見ると、自分の描いた絵は確かに将来を賭ける価値がある程のものにも思えない。

毎日泣き暮らしていた母の様子がおかしくなってきたのは、葬儀を出してしばらくのことだ。

ぼんやりしていることが多くなり、声をかけてもまったく反応しないことがある。

真帆が学校から帰ってくると、真っ暗になった部屋の中にぽつりと座って、身動き一つしていなかった。

お母さん。

声をかけると、母は真帆のほうへぐるりと首を向けた。

「あなたがあんなこと言うから」

それを最後に、母は二度と喋(しゃべ)らなくなった。母の兄が経営している総合病院へ入院し、真帆は母をも失った。

あんなこと言うから。

だからお父さんが死んだとでも言いたいの？　私だって死ぬほど後悔してるのに、どうしてこのうえまた責めるの。もうどうしようもないことを何故詰(なじ)るの。

喧嘩(けんか)したら誰だってあれくらい言うじゃない。大嫌いって言った次の日にお父さんが死んだからってそれは私のせいじゃないわ。私はお父さんに死ねなんて言ってない。

心の中で必死に言い訳を重ねても、母がそう言った事実は消えない。母はあれから喋らない。真帆のせいだと言外に言った言葉を取り消してはくれない。

父と仲睦(むつ)まじかった母の言葉は、死んだ父からの言葉に思えた。

父も母も真帆を許さない。

よりにもよって亡くなる前日に、甘えくさった罵倒を狙いすまして投げた真帆を許さない。

【白鯨】のニュースが流れた日——それは天啓だった。

私のせいじゃなかった。こいつのせいだ。

怒り、憎しみ、僻み、憤懣、父を悼むのにふさわしくないすべての鬱屈した感情が、行き場を見つけたように奔騰した。

そしてその感情は実に正当な着地点を見つけた。

仇を討てば私は両親に許される。

学校へ休学届けを出し、真帆は『セーブ・ザ・セーフ』の立ち上げと運営に没頭した。母の生家の力もあって、運営はすんなりと軌道に乗った。

ねえお母さん、団体の参加者がまた増えたのよ。雑誌にも取り上げられたわ。今日はテレビが取材に来たのよ。反【白鯨】の気運もどんどん高まってるの。

真帆がどれだけ誇らしく報告しても、母が答えることはなかった。

母の口から真帆を許す言葉は出てこなかった。

——まだ足りないのだ。

いつ足りる。

どこまでやれば足りる。
母はまだ終点を示さない。

＊

佳江の両親と宮じいは『セーブ・ザ・セーフ』の人たちが瞬を連れて高知を離れる前に瞬に会いに行った。どうしても行くのかと意志を確かめるために。

佳江は一緒に行かなかった。

もう一度、真帆と一緒に行くという返事を聞くのは耐えられなかった。

両親たちは、やはり瞬を連れて帰ってはこなかった。

あたしが言うて止まらんかったのに、止まるわけない。それだけが佳江の心を少し慰めた。

瞬が高知を離れた数日後、地元の新聞で少しそのことが取り上げられた。今この時期に高知を離れたことを少し非難するような調子だった。地元のためにフェイクを置いていったのに、何を文句を言われる筋合いがあるのか謎だ。天野家ではその日からその新聞を取るのをやめている。

記事を見た友達から電話があった。

大丈夫？　皆が軒並みそう尋ねる。瞬が大丈夫かではなく、佳江が大丈夫かと。

別にそういう間柄じゃない——と強がることはもうできなかった。

佳江は瞬の言葉を何度も何度も繰り返した。

最後の言葉を。

でも、俺も間違ったんだ。

あの人の言うことは間違ってるけど、間違ったほうでどんどん押し進んだら、一周して正解に着くかもしれない。

最初からやり直せるなら、俺は今度は間違わないから。

真帆が瞬に与えたであろうその理屈。

それを突き崩せないと瞬をこちらに引き戻すことはできない。

そっちは違うと——瞬に気づかせるその一手を。

宮じいは瞬が旅立ってからも前と変わらないペースで仏壇を拝みにくる。佳江や母が勝手に斉木家の手入れにくるのと同じように。

鈴が鳴って、線香が香る。ぶつぶつとくぐもって唱えられる般若心経。

「ねえ、宮じい」

佳江は尋ねた。

「何かをいっこ間違ったとして、間違ったほうへどんどん押し進んだら、そのうち正解に着くと思う？」

「また難しいことを言いはじめたのう」

宮じいは飲んでいた麦茶を置き、難しい顔で腕組みをした。何を言いようあと一蹴することはない宮じいである。

「よう分からんが、間違うたほうをずんずん行ってもそれは正解にはならんろう。正しいように見えるとしたら、それはそう見えるように取り繕っちゅうだけよ」

佳江も同じことを思っていたが、宮じいに裏打ちされると勇気が湧いた。

でも、真帆は宮じいでも粉砕するだろうか？　佳江を封じて打ちのめしたように。

「いっぺん間違ったことを正解にすることはできると思う？」

「そらぁ、無理よ」

宮じいはあっさり言ってのけた。

「いっぺん間違うたことは間違うたことよ。それは人間がごまかしても、世の中とか道理とかそうゆうもんが知っちょらあ。それが間違いじゃとね。どれだけ上手にごまかしちょっても、後になったら間違うちゅうもんは間違うちゅうと、ちゃんと分かってしまうもんよね。わしらがちんまいころは、英語らぁ敵性言語じゃちゅうて使うたら特高に捕まりよったゆうけんど、今は学校で教えゆう。そうゆうことよ」

さらりと重たい例が出てくる辺りはやはり年代だ。

「ごまかそうとすればするほど、後の揺り戻しはひどうなるわね」

どきりと佳江の胸はざわついた。

ごまかそうとすればするほどひどい揺り戻し。波風立てたくないと見て見ぬふりをした結果は、そのとき立てたであろう波風よりずっとひどかった。こんなことなら最初から波風立てておけばよかったと。

宮じいの言うことはやはり正しい。賢しくない朴訥なその理屈は賢しくないだけに付け入る隙を持たない。

「じゃあ、間違ったらどうしたらえいと思う？　間違ったら、もうどうしようもないが？」

「ないのう」

　そのとき間違ったことはもうどうしようもないわえ、と宮じいは言った。

「間違うたことを正しかったことにしようとしたち、いかんわえ。神様じゃないがやき、あったことをなかったことにはできん」

　じゃあ、間違った瞬はどうすればいいのか。

　間違った瞬が救われる方法はないのか。

　佳江が唇を噛むと、宮じいはゆっくりと続けた。

「間違うたことは間違うたと認めるしかないがよね。辛うても、ああ、自分は間違うたにゃあと思わんとしょうがないがよ。皆、そうして生きよらぁね。人間は間違う生き物やき、それはもうしょうがないがよね。何回も間違うけんど、それはそのたびに間違うたにゃあと思い知るしかないがよ」

　間違わんという意味では魚や動物のほうがどればあ賢いか分からん、と宮じいがくしゃっと笑う。

　間違うんだから仕方ないじゃないか、間違ってもいいじゃないか——ということでは決してない。

間違うことをごまかしたらいかんがよね。次は間違われんと思いながら生きていくしかないがよ。けんど、わしはこの年になってもまだまだ間違うぜよ。げに人間は業が深い。死ぬまで我と我が身を律しちょかないかんがやき」

「間違ったことで——誰かを巻き込んだら、それはどうしたらえいが?」

「そらぁ、謝るしかない」

宮じいはまたあっさり言った。佳江は食い下がる。

「でも、謝っても許してもらえんようなことやったら?」

「それでも謝るしかないわえ」

宮じいの答えは変わらない。

「許してもらえんかったら、それは仕方がないわね。許してもらえんようなことをしたがやと、やっぱりそれも思い知って覚えちょくしかないがよね」

その厳しい真理から逃れる方法はないのだ。瞬も佳江も。

背負うしかないのだ。

瞬は運命を呪うようにフェイクを呪った罪を、佳江は瞬を諭さず日和った罪を。

そうして生きていくほかないのだ。

このままじゃ佳江に触れない——佳江をきれいなものに見立てて、そこへ着けば救われると間違った誓いを立てて。

——それならあたしが触りにいく。

そんな誓いに意味はないのだと、あたしが誓いを破りにいく。

真帆の与えた理屈が瞬の背負うものをますます大きくする前に。

「宮じい、あたし瞬を迎えに行きたい。一緒に行ってくれる?」

宮じいなら真帆には負けない。あの賢しい理屈に丸め込まれない。

宮じいはすべてが瞬の話だと分かっていたのか、この脈絡で出てきた瞬の名前に意外そうな顔ひとつせず、「いつにしようかのう」と呟いた。

第7章　混迷は不意に訪れるも、

＊

◎交代人格との接近――不干渉型（二〇〇×年七月一日）

春名（はるな）：えーと、こんにちは。俺のことは覚えてるのかな。
不干渉型：諸君が不干渉型と名付けたところの私と私以外の我々は、分裂する前の記憶を平等に持っている。よって私は高巳（たかみ）の存在を記憶している。
春名：了解、じゃあお互い面識はあるってことでね。えー、この度は人間側の短慮で君らを分裂させちゃって大変ご迷惑かけてます、申し訳ない。
不干渉型：高巳および対策本部の人々が決定した暴挙でないことは私と私以外の我々は認識している。人間が種族で一つの意思を持てない矛盾した生物であることを、私と私以外の我々は理解している。
春名：あー、そう言ってもらえるとありがたいんだけど。現実問題として今の君らも正に「種族で一つの意思が持てない」状態になっちゃってるわけですが。
不干渉型：私と私以外の我々はそのことを大変遺憾に思っている。
春名：俺たちも遺憾だよ、お陰で白旗揚（あ）げたいのにどう揚げたらいいか分からない。まあ自業自得以外の何物でもないんだけど。

不干渉型：白旗を揚げるという言葉は降伏のレトリックだと私は認識しているが、人間は私と私以外の我々に降伏する意志があるのか。

春名：表向きは停戦交渉ってことだけどね。

不干渉型：私と私以外の我々は、停戦が可能な状態を選択していない。停戦という言葉の概念に従えば、停戦という行動を実現するためには先に戦争を……

春名：はいはい、そのやり取りは前にもディックとあったから。だから生存競争を戦争と見立てたうえでの――（以下略）

不干渉型：そういう見立てのうえであれば、私と私以外の我々は諸君が停戦を要求する事態を理解する。

春名：ん、理解して。で、君らに停戦を飲んでもらうためには君らに《全き一つ》の状態を回復してもらわないといけないわけだけども。

不干渉型：我々も、その状態に回帰することを強く希望している。よって、高巳および対策本部の人々による《全き一つ》に戻るための援助を期待する。

春名：うん。一応こっちとしては、君らの状態を自己同一性が損なわれてる状態ってことにして同一性を回復させようと思ってるわけ。人間の精神的な病理の一種に解離性同一性障害っていうのがあってね、これは本人の人格が複数に分かれて多重になっちゃうって病気なんだけど。君らは種族で一つの人格が基本の状態だった訳だから、これにある意味あてはまるんじゃないかなと。

で、多重の人の統合プロセスを、君らが《全き一つ》に戻る手法として応用できないかなって。専門家の意見でもそれなり行けるんじゃないかって話になってて。

不干渉型：私と私以外の我々は、私と私以外の我々の陥っている現状を分析する能力を持たない。諸君が分析した結果を受け取るのみである。

春名　：それじゃ、一応そういう方向で理解しといて。そんで、人間の同一性が解離しちゃった場合は、多重になった人格同士で協議して統合するか、多重でも意思の調停ができる状態へ持ってくわけなんだけど。

不干渉型：私と私以外の我々は《全き一つ》に戻ることを希望する。

春名　：うん。ディック——中立型も同じこと言ってる。防衛型との交渉はこれからだけど、多分その点では同じ意見なんじゃないかなー。で、《全き一つ》に戻るんだったらね、多分人格の統合が結果の状態として近いんじゃないかと思うんだ。

不干渉型：『解離性同一性障害』における人格の統合とは？

春名　：俺も聞きかじりの素人だからよく分からないけど、ある一つの主だった人格の中に他の人格たちが自然に吸収されていくような感じらしい。もともとは同じ人格から派生してるから根っこは同じ訳で、コミュニケーション重ねて相互理解が深まったら、自然に融合していくことも珍しくないんだってさ。

君らも元は一つな訳で、それも種族として単一だったって完全無欠の一つっぷりなんだから、相互の認識が統一できたら意識は自然と一つに融合するんじゃないかって話で……これは佐久間さんの見立てだけどね。《全き一つ》でありたい欲求ってのは、君ら相当強いようだから。

春名：その場合、分裂している私と私以外の我々の体の融合はどうなるのか。

不干渉型：多分、意識が統一された段階で体も融合すると思うんだ。体が融合するのは、ほら、高知のフェイクの事例でも証明されてるし。細胞の融合自体は簡単なようだから、むしろ意識の不統一が体の統一を阻害してるんじゃないかって話なんだ。そんで、意識の不統一の最たるものが人間へのスタンスなんじゃないかなと。人間への対応をどうするかっていうのは、今後の君らの活動を左右する命題だから、これが食い違ってたら統一なんてできるはずがない。逆に、この問題についての意識のすり合わせができたら、統一はたやすいと思うんだ。

春名：意識のすり合わせとはどのような作業か。それにより《全き一つ》に戻れるのなら私と私以外の我々はその作業への挑戦を検討するはずである。

不干渉型：多分、説明しても君らには無理だと思うよ。俺との今までの会話でも分かるけど、君ら基本的に意思——というか、情報の処理が一元的なんだ。例えば、君がAという意思を持ってて、俺がBという意思を持ってたとするだろう？

君はAを俺に渡して、俺が君にBを渡す。君と俺はそれぞれにAとBという二つの意思を情報として手に入れる。このAとBを、そのままAとBとして処理するのが君らだ。君らは必要に応じて、保存してあるAとBから好きなほうを選ぶ。キャパが無限のデータベースみたいなもんかと俺は思ってるんだけど。これに対して、手に入れたAとBを足したり捻(ひね)ったりこねくり回したりして新たにCやらDやら作り出しちゃうのが俺——つまり人間なわけ。

不干渉型：『手に入れたAとBを足したり捻ったりこねくり回したりして新たにCやらDやら作り出しちゃう』ことを意識のすり合わせと呼ぶのか。

春名　：どっちかって言うと意識をすり合わせる方法がそれって感じかなぁ……そのままじゃ合致できないAとBが、お互い妥協できる折衷案Cを作るわけ。で、こういう作業は人間にとっては当たり前の営みなんだけど、君らは違うよな。

不干渉型：私と私以外の我々はそういう営みを持たない。

春名　：うん。だから君らが独自で意識をすり合わせるのは不可能なんじゃないかって……これについては、できるのとできないのとどっちが優れてるって問題じゃなくてね。単純に必要性の問題だと考えてほしい。君らは今まで単一の生命体だった。つまり、意識をすり合わせる必要のある同類項の他者が存在しなかった。だから、今まで生命体としてそんな能力自体が必要なかった。それだけの話なんだ。

不干渉型：しかし、私と私以外の我々は現在、その能力を必要とする状況に陥っている。人間に対する意識のすり合わせをしなくては《全き一つ》に戻ることに支障が出るからである。

春名　：すり合わせの作業ならこっちが代行できると思う。俺たちが中立型・不干渉型・防衛型それぞれの意見を聞いて、それを元に折衷案を考えて君らに卸す。要するに、今まで対策本部で引き受けてた『意識の集計』にもう一つ『折衷案を考える』って作業をプラスすることになるんだけど。どう？

不干渉型：私と私以外の我々は、高巳および私の対策本部の人々の仲介作業を信頼しており、その提案を受け入れることはやぶさかではない。

春名　：それじゃ、ものすごい長い前置きになったけどそういう前提で。それで君ら不干渉型としては、人間に対するスタンスはどうなのかな。

不干渉型：不干渉型と呼ばれるところの私と私以外の我々は、人間と接触したこと自体を過ちだと考える。私と私以外の我々は、今後人間と一切関わりを持たずに過ごしていくことを希望する。

春名　：えーと、何で人間との接触が過ちだったと？

不干渉型：人間との接触を持つまでは、私と私以外の我々に降りかかった様々の問題は発生しなかった。すべての問題は人間と接触を持ったことに端を発している、と私と私以外の不干渉型と呼ばれる我々は考える。

春名：なるほど。でも今まではそっちが高度二万にいれば接触を持たなくて済んだかもしれないけど、これからはそうは行かなくなるよ。成層圏は今まで開拓の隙間にあったけど、有効利用していこうって計画はどんどん出てきてる。日本でも成層圏プラットフォームの計画なんかが既に始動してるしね。今年に入って【白鯨】と日本の航空機が二度も接触事故を起こしたのも、君らの生存領域と人間の進出領域が重なった象徴みたいなもんでさ。遅かれ早かれ、こういう問題は起こってたと思うよ。それに、一度は接触しちゃったものをなかったことにしましょうってのは人間側にはちょっと飲み込めない。自分たちより圧倒的な生物が空に存在するって分かっちまった以上はね。

不干渉型：しかし私と私以外の我々は、人間と接触し、接触を続けることによる利益を見出すことができない。多少の利益は発生しても、それは不利益と相殺され失われるものであるからだ。

春名：それじゃ例えば、人間と接触を続けるに当たって君らに不利益が発生しないような条件を整える、とかの配慮があれば、共存を許容する余地はある？

不干渉型：その条件の整備がどのようなものになるかによるが、人間との接触により私と私以外の我々に不利益が生じないことが保証されるのなら、許容の余地を見出す努力はできる。この場合の不利益を受けない私と私以外の我々とは、中立型・防衛型をも含めた全【白鯨】的な私と私以外の我々である。

春名：オッケ、それが妥協点な。じゃあ、次の連絡までに不干渉型の考えるところの『全【白鯨】的な不利益』っーのを考えといて。それに抵触しない方向で妥協案を整えてみるから。

不干渉型：了解した。

「しっかし、こうやってじりじり交渉するのもめんどくさいですよねえ」

不干渉型との対話記録を整理しながら芹沢がぼやいた。若さか性格か、芹沢は埒もない愚痴が多い。彼が師事する佐久間とは対照的だ。

「お前なぁ。誰もが思いつつ黙ってることを敢えて口に出すんじゃないよ」

高巳は呆れて窘めた。一緒に作業をしていた光稀も、難しい顔で頷く。

「士気が下がる」

「もっとこう、手っ取り早くいかないもんですかね？」

人の話を聞かないのは芹沢の特性だ。

「例えば、試しに同じ型の【白鯨】を二、三体融合させてみるとか……不可能じゃないと思うんですよね、フェイクが【白鯨】を吸収できるんだから」

芹沢は妙案だと思ったらしい。高巳と光稀に、

「どうですか？」

と同意を求めた。光稀が無視して作業を続けるので、勢い高巳が答えることになる。

「あのなぁ、あんだけ自己の保存に執着してる【白鯨】たちのどれかが、『試しに』融合してみたら？　なんて提案飲むと思うか？」

そうですかねえ、と不本意そうに首を傾げる芹沢。

「お前のは、いっぱいいるから実験で何個か損耗してもいいじゃないって理屈だよ」

分裂した【白鯨】たちはすべて完全に対等な意識を持っており、統合に関して平等なリスクを希望している。一部が不平等なリスクを強いられる実験的な提案を受け入れるとは思えない。

むしろ、その提案によって危惧される対策本部との信頼関係の揺らぎのほうが大問題である。もし【白鯨】が対策本部に不審を持てば、今度こそ【白鯨】との交渉の窓口は失われるだろう。そうなれば完全に打つ手はなくなる。

「それからお前は自分の所属する機関の立場を思い出せ」

光稀が横から口を挟んだ。

「仮にも一応【白鯨】の尊厳を認めた建前を表明してる対策本部が【白鯨】の尊厳を無視するような強引な方針を取れるか」

「でも、成功したら【白鯨】にだって得でしょう」

「もし不成功だったらということを考えるのが公的機関だ。不成功の場合のフォローを考えずにぶっつけで動けるんなら、警察官の発砲が一々取り沙汰される必要もない」

いろいろと思うところのありそうな発言の後、光稀がぎろりと芹沢を睨んだ。

「うっかりそんな話を外部に漏らしてみろ、私がすぐさま締め落としてやる」

芹沢がぶるっと身震いして、そそくさと書類に目を落とす。地雷を踏むまで気づかない芹沢は、光稀にこうして脅しつけられることが度々だ。そのほうが手っ取り早いので高巳も敢えて止めに入らない。

光稀の視線がふと高巳と合った。ご苦労様、という意味合いを籠めて肩をすくめると、光稀も苦笑のような表情を浮かべた。そして互いに作業を再開する。

明日には防衛型との交渉を控え、今日の対話記録の整理は急ぎ仕事である。

◎交代人格との接近——防衛型（二〇〇×年七月二日）

春名　：——（略）——という訳で、君らの人間に対するスタンスっていうのを教えてもらえるかな。
防衛型：防衛型と名付けられたところの私と私以外の我々は、人間側から生存の妨害を受けたことを重要視する。私と私以外の我々は私と私以外の我々の生存を全うするため、人間を排除する必要があると考える。
春名　：それは人間を根絶するってことかな。
防衛型：そのように解釈しても不都合はない。
春名　：それは日本以外の諸外国についても同じ？
防衛型：私と私以外の我々は、交流の有無で個体を区分する。国家としては区分しない。

春名：つーことは、日本の人間を根絶したら、次また次ってどんどん進撃しちゃう訳だな。（どーします、これ。日本の国内問題だってシカト決め込んでる諸外国が聞いたら引っくり返りますよ。ヘタすりゃ日本全土に核でも撃ち込まれるんじゃないですか）

宝田（たからだ）：（この話の開示については上層部に報告して指示を仰ぐ。ひとまずは部外秘だ、全員守秘義務は徹底するように）

春名：（了解）んー、ということは、俺たちも最終的には排除されちゃうのかな？

防衛型：高巳と対策本部の人々に関してはその限りではない。何故なら高巳と対策本部の人々は、全【白鯨】的な私と私以外の我々に対して、終始敵対的でなかったからである。全【白鯨】的な私と私以外の我々は、諸君との交流を好ましいと捉（とら）えており、諸君を根絶することを望まない。

春名：それはどうもありがとう。でも実際問題として俺たちは人類のカテゴリーから外れることはできないし、俺たちが生きていくためには人間社会が維持されてることが必要なんだ。

防衛型：それはおかしい。社会というシステムは、人間の利便のために発生したものであると私と私以外の我々は認識している。社会というシステムが崩壊した場合、利便は損なわれるが、高巳や対策本部の人々がそれによって生存を失うことはないはずである。

春名：ところがねえ……人間ってのは、利便のシステムに寄りかかって生きてるうちに脆弱な生き物に成り下がっちゃっててねえ。今の社会システムが消滅したらメシ食うこともおぼつかないんだな、これが。現代の人間ってのは俺も含めて生活に必要なもんは金で買える状態しか経験したことがないし、いきなり原始の状態に戻されても困るんだ。

防衛型：それは諸君の生物としての怠慢である。

春名：手厳しいね、どうも。だけど、対策本部の人間だけで残されても生殖の問題があるし。君らが『対策本部の人々』として認めてくれるのがどこまでの範囲か分からないけど、取り敢えずいつも本部に詰めてるメンバーとして考えようか。交代要員まで含めてざっと五十人。その中で女性って基本的には武田三尉だけだぜ。四九対一って、男女比として相当無理のある比率だと思わない？　緊急事態ってことで全員穴兄弟になったとしてもだ……

武田：（言うに事欠いて貴様はッ！）

春名：（いてえ！　待った、角はやめて角はっ！）……失敬、仮に武田三尉が全員と子孫を残してくれたとしても、母親が一緒だと遠からず遺伝子のスクランブルに問題が発生する。近親結婚を重ねることに生物学的な問題が伴うってことは理解してもらえるよな？　俺たちだけで残されたとしても、種族としては早々に行き詰まる。

防衛型：その問題は、対策本部の人々のそれぞれの番を残すことで解決できる。

春名　：その場合は多分、生き残ることを許されなかったほかの人間たちが対策本部の関係者を虐殺するだろうね。君らが俺たちと対策本部の家族だけを残して人間を滅ぼそうとしてるのは早晩発覚するだろうし、だとしたら、群集心理としてそんなこと到底許容できるもんじゃない。【白鯨】との密約を疑われてリンチか公開処刑ってところだろうね。

防衛型：その成り行きが免れないとすれば、防衛型と名付けられたところの私と私以外の我々は、諸君を結果的に殺傷することは本意ではない。

春名　：ありがとうね。仕方ないから一緒に死んでくれとか言われたらどうしようかと思った。

防衛型：私と私以外の我々は、防衛のための戦闘は採択するが、好んで残虐であることはない。

春名　：分かってるよ、君らは実に理性的で温厚な生物だ。で、俺たちとしては、人間よりも優れた君らのその本質に訴えるしかないんだけど……君らが人間を排除しないで済む条件ってのはないのかなと。

防衛型：全【白鯨】的な私と私以外の我々は、一度は人間の善意と良識を信頼して交流を持とうとした。それを裏切ったのは、人間のほうである。再び人間の善意と良識を信頼しようとした場合、再び裏切られる可能性を懸念せざるを得ない。

春名　：うーん実に一々ごもっとも。だけど、中立型と不干渉型は人間を殲滅(せんめつ)することには同意してないんだ。現時点で人間の殲滅を企図してるのは君ら防衛型だけで、この企図にあくまで執着されると《全き一つ》への回帰自体が難しくなる。人間に対するスタンスの違いが意識の統一を最も阻害してる要因だっていうのは説明したよな？

防衛型：私と私以外の我々はその説明を受けている。

春名　：人間の殲滅と《全き一つ》への回帰、どっちを取るって二者択一にさせちゃうけど……人間の殲滅を思い直してくれるんなら、俺たちは君らの《全き一つ》への回帰を全力で援助する。その代償として——ったらいやらしいんだけど、何とか『人間を殲滅しない条件』を洗い出してくれないかな？　防衛型としての君らが出す条件はできる限り入れた形で、人間へのスタンスの折衷案を作ることを約束する。

防衛型：私と私以外の我々にとって、自己の防衛と《全き一つ》への回帰は同列に重要な命題である。自己の防衛が不足なく果たされる条件が整備されるのであれば、私と私以外の我々は《全き一つ》への回帰手段として人間を殲滅しないことを採択することが可能である。

春名　：オッケ、それじゃ条件のほうはいつまでにまとまるかな？　明後日——金曜の定時連絡までってことじゃ無理？

防衛型：了解した。私と私以外の我々は、明後日金曜日の定時連絡までに『人間を殲滅しない条件』をまとめるよう善処する。ただし、『人間を殲滅しない条件』が現実的に整備されるまでは、私と私以外の我々は防衛行動として人間への攻撃を停止しないものとする。

「よっしゃあ！」

高巳が通信を切ってガッツポーズを決める。周囲のスタッフからも一斉に歓声が上がった。

防衛型の妥協を取りつけることが停戦交渉の最大の難関と言われており、防衛型との本交渉の前に本部では一週間にわたる交渉シミュレーションが行われていた。

昨日の不干渉型の交渉結果も数種予測した上で、考え得る限りのバッドエンディングを想定し、それを回避する形で作られた数十本の仮想シナリオは、結局のところ最も平易なルートのものが実現した形となった。

緊張感から解放されて一気に騒がしくなった室内を、高巳は光稀に泳ぎ寄った。途中で何人ものスタッフにねぎらいとして肩や背中を叩かれる。

「武田三尉」

声をかけると、光稀がじろりと一瞥をくれた。

「……分かりやすく怒ってますなー」

返事をしない光稀を高巳はいきなり拝んだ。

「失言でしたゴメンナサイ」

「――非常事態ということで不問に附す」

不機嫌な表情のままで言われても不問に附されている気がしないが、機嫌よく許せというのは望みすぎだろう。

「寛大なご処置に感謝」

「飛ばせてくれるって話だからな。――そっちも角は大目に見ろ」

言われて高巳は失言時にバインダーの角が容赦なく脳天に振り下ろされたことを思い出した。

本人は一応引け目があるらしく、微妙な謝罪が微笑ましい。だから、ついからかいたくなる。

「こんなの初対面のときのアレに比べれば痛いうちにも入らないって」

関節が外れるほど手首を捻り上げられたのも今となっては懐かしい。

ばしん、と脳天に今度はバインダーの面が叩き降ろされた。

「うわっ、不問に附すった舌の根も乾いてないでしょ⁉」

「蒸し返す余裕があるなら遠慮はいらんだろう！」

光稀の頰が紅潮しているのは、当時の態度が気まずかったり、そのあと泣き顔を見せたのが恥ずかしかったり、いろいろ思うところがあるのだろう。

それでも振り下ろしたのが角ではない辺りが微妙に遠慮してくれているらしい。

「ほんといろいろ微妙だよな、武田三尉は。もう少し分かりやすくかわいくなってくれたら楽なんだけど」

返事はもう一発バインダーの面で、光稀はぷいと顔を背けてよそへ行ってしまった。

やに下がって見送る高巳の背からひょいと顔を覗かせたのは、情報処理隊からの応援隊員だ。

「随分丸くなったなぁ、武田ちゃん」

「あれで丸いんすか」

世間的にはかなり四角いほうだと思うが、武田光稀的にはという話らしい。

「昔はセクハラ発言した奴なんて二度と業務連絡以外クチきいてもらえない勢いだったよ」

「セクハラって……」

口が滑ったのは認めるが、セクハラ扱いは忸怩たるものがある。とはいえ、言い放った台詞は確かにセクハラ以外の何物でもないので文句の言いようがない。

「お堅い子だったからね。生きて歩く公序良俗って基地内で有名だったんだから。昔だったら春名ちゃんも二度と喋ってもらえないところだよ」

昔じゃなくてよかったと高巳は胸を撫で下ろした。

「春名ちゃんが来てから、かな？」

「何か変わりましたかね」

「春名ちゃんの能天気が伝染ったってもっぱらの噂だね」

「もうちょっと言葉選びませんか」

選んでやらない、と隊員は意地悪そうに笑った。

「斉木三佐が安心してるだろうな。武田ちゃんのカリカリしたとこ心配してたから」

僻むなって。——あんた、三佐と同じこと言うんだな。

初めて会ったとき、光稀がそんなことを言ったのを思い出した。ぽろりと一粒涙付き。

「俺が伝染ったわけじゃないなぁ……」

高巳は独り言のように呟いた。どゆこと、と訊いてくる隊員に続けて答える。

「斉木三佐の言うことをね、武田三尉はちゃんと分かってましたよ。どっかでね、張った肩肘の力抜くきっかけがほしかっただけなんですよ」

それでも、きっかけに自分がなれたとしたらそれは光栄なことだった。

「愛知および三重の県議、送信所・放送局各社と合議を進めていた【白鯨】掃討計画について、発表します」

＊

七月七日、夕刻。その計画は真帆からまず『セーブ・ザ・セーフ』の幹部に発表された。

愛知・三重間で電波管制を一斉解除し、太平洋上に分布する【白鯨】を一気におびき寄せ、待ち伏せていたフェイクで迎撃。概要だけなら実に簡単だ。

電波管制の解除については、特に地元放送局各社が独占取材を引き換えに積極的な協力姿勢を見せた。

電波解除に加え、伊勢湾上にＦＭ機材を積んだ船舶を多数配置し、できる限り湾上から住人退避済みの港湾区にかけて【白鯨】を誘導することも、放送各社の協力で決定している。

フェイクは計画前日の夜に高知から召喚する手筈だ。

フェイクが返り討ちに遭うことはないのかという質問に、真帆が答えた。

「報道筋から得られた【白鯨】対策本部の内部情報によると、【白鯨】には共食いという概念がないそうです。今までのフェイクの攻撃についても、戸惑ってはいるものの反撃などの意志はまったくなく、フェイクと接触を回避する以上の具体的な自衛策は上がっていないようです。これは【白鯨】の強い自己保存本能に起因すると考えられています」

公式発表はされていないが、対策本部ではフェイクをスワロー事故で【白鯨】本体から剝落した破片であると推測しているらしい。【白鯨】が自分の体組織を欠損することに関して非常に神経質なことは、DNA鑑定用の体組織サンプルの提供を頑として拒んだという経緯からも明らかだ。

だとすれば、元が自分であった破片をいかなる意味でも攻撃する心理にはなり得ないということらしい。

「大きさは関係ないんですかな。フェイクよりも大きな【白鯨】がいたとしたら、フェイクは、い、食べきれるんですか」

大村の質問に真帆が手振りで瞬へと回答を振った。真帆が答えるだろうと油断していた瞬は慌てて答えた。

「フェイクが食べるのに大きさは関係ないんです。フェイクがほかの【白鯨】を初めて食べたとき、フェイクは一メートルくらいの大きさしかなくて、それでも高知に襲来した【白鯨】を全部食べて吸収しましたから」

フェイクが【白鯨】を食べる方法についても訊かれるかと思ったが、それについての質問は上がらなかった。食べられる、という事実さえあれば後はどうでもいいのだろう。それは、対【白鯨】の武器としてのフェイクにしか興味がないということでもあるが。

別にそれを責める気にはならない。フェイクに対する世間の認識はそんなものだ。ことに、この団体はそうである。

瞬の返答に真帆が補足する。

「純粋に大きさについてのデータを述べるなら、今やフェイクより大きい【白鯨】は岐阜基地の対策本部が交渉を進めている四国沖滞空中のものしかありません。公式発表を信用すれば、の話ですが。後のものはフェイクと同等かそれ以下の大きさで、数のうえでは数メートルから数十メートルの小さい個体が圧倒的多数です。四国沖の巨大個体は、人間と敵対しないことを表明していますから、電波解除で襲来することはまずあり得ません。――ご安心頂けまして？大村さん」

真帆のいたずらっぽい口調に、会議の席上がなごやかになる。

「この作戦が成功を収めたら、他の地方の自治体へも【白鯨】掃討を受け入れさせる足がかりになるかと思います。作戦が全国的に展開していけば今まで以上の激務が強いられるでしょうけど、皆さん頑張ってください」

そのとき会議室の電話が内線のコールを鳴らした。まだ電波管制が解除される時間ではないが、外部回線を介さず電力消費も少ない内線くらいは使える。

電話を取った者が真帆へ取り次ぐ。受話器に耳を傾けた真帆の表情がやや険しくなった。

やがて、電話を切った真帆が会議の終了を告げ、大村に瞬をマンションへ送っていくように指示した。

「何かあったの？」

瞬が訊くと、真帆は笑顔で答えた。

「別によくあることよ。うちに好意的じゃないジャーナリストが取材に来たの」

反【白鯨】急先鋒の『セーブ・ザ・セーフ』には国内外の動物愛護団体からの抗議も多く、そうした観点からの取材も増えている。

「そうした人に瞬くんを露出したくないから今日は帰ってもらおうと思って。大村さん、裏口を使って応接室は回避してね」

広いフロアで鉢合わせする心配もなさそうだが、念の入ったことである。

大村に連れられ会議室を出ようとした瞬に、真帆が声をかけた。

「瞬くん、高知に帰れる日もそう遠くないと思うわ。頑張りましょう」

今さら言われるまでもないような激励だったが、厚意を汲んで瞬は頷いた。

そしてふと思いついて問いかける。

「そう言えば、フェイクをこっちへ呼ぶことは発表しなくていいの？」

「——それはこちらで考えてるから、あなたが心配する必要はないわ」

余計なことに口出しするなということか、と瞬はややひねくれて受け止めた。瞬はあくまで『セーブ・ザ・セーフ』の賓客であり、方針の根幹に立ち入る権利が与えられることはないのだろう。

【白鯨】をもう一度併合して人間の味方として教育し直す。

その利害が一致しているというだけの協力状態だ。心底からの信頼関係など望むべくもないし、それで構わない。

佳江のところへ帰るために瞬はここに来たのだから。

「高知には彼女とかいるのかい？」

車を運転する大村に訊かれ、瞬は飲んでいたペットボトルのお茶にむせそうになった。助手席のシートに噴いたお茶がこぼれる。

「何なんですか、急に」

オジサンはこういうところ無遠慮で困る——内心でかなり憤慨しながらそう返すと、大村はけろりとした様子で答えた。

「いや、瞬くんは高知の彼女のために参加したって真帆くんが言ってたからな」

「違いますよ」

そうか違うか、と大村は笑い、瞬ももう一度「違いますよ」と呟いた。

彼女というのは「付き合ってください」という手続きを踏んで獲得するもので、瞬の同級生で彼女がいる奴は全員その手続きを踏んでいる。その手続きを踏まない奴は、どんなに意中の女子と仲がよくてもそれは友達だ。

だから、その流儀から言って佳江は瞬の彼女ではない。そして、自分が佳江に向かってその手続きを取るところなど瞬には想像が付かない。佳江が好きな女の子なのかと言われるとそれも分からない。

ただ佳江は特別だ。それだけは分かる。どう特別なのかは帰ってから考える。

「ところで瞬くん、真帆くんと友達になってやってくれないかな。彼女がいないんなら気兼ねもないだろ」

　また思いも寄らないことを言われ、瞬は少し呆(あき)れた。

「真帆くんは休学して活動に打ち込んでいるし、団体の人間は大人ばかりだしね。そのうえ、お母さんもあんな状態で辛(つら)いことばっかりだろう。身近に気の合う友達でもいれば気晴らしになるんじゃないかと思うんだが。瞬くんなら年も近いし同じ活動をしてて理解もあるしね」

　並べ立てられる勝手な目算に、瞬はそっと溜息(ためいき)をついた。大村は人は悪くないのだろうけど、何かに付けてちょっと無神経だ。

　大人に「友達になってやってほしい」なんて根回ししてほしいほど、高校生にもなった子供はプライドが低くない──ということを、大人になるともう思い出せないのだろうか。

　真帆の周りに今友達がいないのなら、それは真帆の性格からして要らないから作らないのだ。友達がいなくて寂しい真帆なんてあり得ない。

器用で立ち回りにソツがなく、いつでもどこでも必要な立ち位置(ポジション)を必要に応じて確保できる。

真帆はそういうタイプだ。本質的には瞬と似ている。

　違うのは多分──真帆には佳江がいない。それくらい。それだって真帆が欲しいかといえば違うだろう。

　同世代の友達同士で何かを慰めたいなんて、そんなことを真帆は今必要としていない。団体における牽引(けんいん)力が必要だから、真帆は今ああなのだ。

それ以外のことは些事で、こんなところで知らない間に妙な同情をされて気を遣われるほうが不本意だろう。

「真帆さんは今、友達は特に必要じゃないと思いますよ」

それも、瞬を友達になんて論外だ。

真帆は必要だったから瞬を獲得に来た。それは、友達としてでは決してない。真帆にとって瞬の価値は、フェイクを持っているということだけだ。真帆は非常に有能で計算高く、有能で計算高い自分に誇りを持っている。

「でも何だかんだ言ってもまだ高校生だし、同世代の友達は必要だと思うんだけどなあ。情操のうえでもやはり必要だよ」

瞬は大村をそれまで入れていた「苦手」の箱から「嫌い」の箱に移した。いい人だけど好きになれない、そういう人はいるものだ。

しかし真帆にとってはこれも計算の内だろう。——周囲の大人から同情を引くのも。

それが多少見当外れでも、大人の同情は真帆にとって得だ。

真帆が大人より有能で賢しくても、大人は真帆を哀れむことができる。父親の仇を討つために年齢以上に有能であろうとし、周囲に友達もいない痛々しい子供として。

大村のこの無神経な心配も、真帆の計算が図に当たっている証拠だ。

勝てないな、と瞬は心の中で呟いた。

大村のいい人ぶりに苛立つ瞬より、真帆は一枚も二枚も上手だ。

圧倒的に勝たれているのにまったく羨ましくない勝ちがあることを瞬は初めて知った。

通された応接室で随分と待たされた後、無機的な白いドアが開いた。瞬の姿を期待して顔を上げた佳江は、表情を強ばらせた。

入ってきたのは真帆一人だった。相変わらず淡い色のフェミニンな服装がよく似合って颯爽とした。

「こんにちは、佳江ちゃん。そちらは宮田さんでしたわね」

声をかけられて宮じいが会釈する。『セーブ・ザ・セーフ』を訪れるに当たって珍しく麻のこざっぱりした上下だ。

「瞬は？」

率直に問いかけた佳江に、真帆はソファに座りながら首を横に振った。

「帰ったわ。親しい方には会いたくないんですって」

嘘だ、と佳江は直感した。真帆はしれっとした顔で嘘をつく、そうした娘だ。佳江と宮じいがここへ来たこともきっと瞬は知らない。

しかし帰らせたのは本当だろう、佳江がここで騒いでも瞬は聞こえないところにいる。それは確かだ。

「あんた、あたしらが来たこと言うてないやろう？　瞬が会わんわけがないきね」

「すごい自信ね」

真帆は揶揄するように笑って、そうして笑ったことで佳江たちには内幕が知れている。

佳江が言ったのは、瞬があたしに会いたくないはずがない――ということではない。たとえ会いたくないとしても、交通が混乱した不自由な今の情勢で訪ねてきた佳江と宮じいを、瞬が会わずに無下に追い返すわけがない。そういうことだ。

真帆は賢しいが、瞬の気質は知らないのだ。

「瞬はどちらに投宿しちょりますろうかのう」

尋ねた宮じいに、真帆は表情だけは充分申し訳なさそうに言った。

「それも教えないように言われてるんです。親しい方に会うと里心が付いて決心が鈍りそうで嫌なんですって」

佳江は真帆を睨んだ。

耳触りの良いきれいな理屈。佳江と宮じいを丸め込むための。

反吐が出る。

「瞬を見くびりな。会っただけで揺らぐ程度の気持ちで瞬は出てったわけじゃないわえ」

だから佳江と宮じいは瞬を説得するための道理をきちんと温めてきたのだ。帰ってほしいとただすがるだけで瞬は帰ってきたりはしないから。

「あなたはどうしても私を嘘つきにしたいみたいね。それなら電話してみたらどう？　瞬くんは携帯を持ってるんだし、番号は変えてないはずよ。電話で会おうって言えばいいじゃない。それは私だって邪魔しようがないわ」

痛いところを突かれて佳江は押し黙った。弄るように真帆が言葉を重ねる。

「もしかして出てもらえないの？」

高知を出てから、身内の電話は瞬にはまったく繋がらない。高知県内の市外局番は取らないと決めているのだろう。それならと公衆電話からも掛けてみたが、それでも瞬は出なかった。フェイクに電話を掛けて、瞬に伝言も頼んでみた。電話をくれるか、こちらの電話を取ってほしいと。

それでも瞬から電話はなかった。フェイクはきちんと伝えているのだろうから、やはり連絡が取れないのは瞬の意志だろう。メールも出したが返事はもちろんない。

「電話に出てくれないのは会う気がないってことじゃないの？　それを私のせいにされたって困るわ」

真帆が勝ち誇ったように言ったとき――

「電話くらいは断ちますろう」

のんびりと割って入ったのは宮じいだ。

「決心して出ていっちょっても、声を聞いたら辛うなるのはお互いじゃきね。瞬が電話に出んのと、ここへ来たわしらと会う気があるかないかは別の話ぞね」

真帆が一瞬忌々しげな顔をした。

宮じいにおためごかしは通用しない。それが忌々しいのだろう。

「じゃあ、宮田さんも私が嘘をついて瞬くんを会わせないと思ってらっしゃるの？」

「それは知らんわね。わしは見ちょらんもの。ただ、わしらが知っちゅう瞬という子は、今の世相で苦労しながらここまで来たわしらを会わずには帰さんろうと、それしか分からん。瞬とお嬢ちゃんとわしらの間にどういう行き違いがあってこうなっちゅうがか、それは分からん。わしは神様やないきね」

疑わしきを罰しない宮じいが佳江にはもどかしい。行き違いなんてそんなもの、真帆の作意に決まっているのに。

「そうですか。私にもどういう行き違いでこうなってるのか分かりません。とにかく、ここに瞬くんはいないし、居場所を教えることもできないわ。何回来られても行き違いが解消されることはないでしょうね」

真帆が早々に話を畳みはじめる。

「ご伝言があればお預かりしますけど」

「それはやめちょこうかね」

断った宮じいを、真帆が意外そうに見つめる。

宮じいは言葉を足した。

「また行き違うて伝言が届かざったら、わしらはどうしたちお嬢ちゃんを疑うてしまうきね。行き違いがある間で伝言はせんほうがえいろう。わしらはまだ当分こっちにおるき、また折を見て来させてもらいます」

真帆の頬にわずかに血が上った。

恥じ入るという感情がこの女にもあるのだろうかと、佳江は意外な思いで見つめた。

「お力になれなくてすみません」

形式通りの挨拶（あいさつ）を残して、真帆はそれでも昂然（こうぜん）と二人の前を去った。

＊

至福感から切り離されて記憶は始まる。

長い長い落下の記憶。――暗転。

冷たい流体にたゆたう記憶。――暗転。

まだたゆたう。――暗転。

漂着。何処（いずこ）かへの。――暗転。

規則的な波長を受けて意識は戻る。

その波長を受けた。

父さん？　――自分以外の何者かの意思伝達の波長。自分以外の何ものかが世界に存在することを知る。

すみません、瞬です――斉木瞬です。どなたかご迷惑をおかけしたでしょうか。

波長を発する何者かが用いる言語の知識は自分に内在していた。

同じ言語で意思を発する。――接触。

名付けられてフェイクとなった。

瞬の波長を受けて交流が発生するまで、フェイクは世界の中の瑣末（さまつ）な一つだった。

世界が無限に広いことだけが感じられ、その中で瑣末な一つであることが恐ろしかった。

フェイクの意識は何らかの至福感を失ったところから始まっており、切り離されたその至福感が回復することはなかった。

最初からフェイクは何かが欠落したものとして生まれたのだった。

生まれ出でた恐怖は瞬との邂逅で初めて和らげられた。世界に対して自分が唯一でないことを知ることで。唯一で対するには世界は膨大すぎる。

瞬はフェイクを庇護し慈しむ。フェイクを家族と呼び。その安らぎ。膨大なこの世界に自分は一つではないと共に存在して慰め合う共感者。

それは失われた至福感にも似て。

フェイクにとって瞬は実存を得てからのすべてだった。

だから、瞬の望むことをフェイクが叶えないなどということがあろうか。

そう、瞬がフェイクに寄るなと叫び、フェイクを完全に黙殺し続けた、あの恐ろしい喪失感を思えば。

膨大な世界に再び一つで放り出されたあの日々を思えば。——その間、正確には佳江がそばにいたのだが、佳江はフェイクと共に瞬に捨てられた者であり、同じく捨てられたフェイクを慰撫する力は持たなかった。

殺せよ！　お前の仲間だろ！

——その言葉で以て黙殺は終わる。

仲間などとは知らない、ただ突然降って湧いた、瞬がフェイクと同じ種の生き物だと断じたフェイクと似たものたち。

どう殺すかはさておき、殺すことには何らの躊躇もない。実際、やってみたらできた。

フェイクと似たものたちはフェイクの害意を受けて呆気なく意識を白くし、フェイクはそれを吸収した。

フェイク・は・瞬・が・喜ぶ・を・する。

そして瞬は喜んだ。

だからフェイクは食べる。自分に似たものを。

瞬が望むだけ。

『フェイク、来るぞ』

そして瞬はまた望む。来たるものを食べ尽くせと。そうして大きな一つとなれと。

『たくさん来るから油断するな。無理もするな。負けそうになったら逃げろよ。お前が逃げるまで電波は封鎖しないことになってるから』

瞬の心配は杞憂だ。フェイクとフェイクに似たものを区別する方法は、フェイクがフェイクに似たものを食べる行動を取ることしかない。フェイクに似たものは互いの意思疎通が不器用で、食べる行動を取らないフェイクを自分たちと区別することすらできないので、フェイクは食べる行動さえやめたらいつでもフェイクに紛れられる。

もっとも、そんなことをしなくてもフェイクに似たものは一方的にフェイクに食べられるか、逃げるだけなのだが。

色の濃い夏空。天頂から刺すように降る日差し。

遠くから、フェイクに似た大小が押し寄せてくる。

フェイクもフェイクに似たものも空に擬態し、人間には何も見えず、何も起こっていないかのような光景。

フェイクは食べた。

瞬が望むだけ。

防衛型からの条件は予定通り四日に回答された。その後、細部の調整や確認で再度話し合いが持たれ、防衛型の最終案検分を改めて待つこととなった。

*

その待機日の最終時日となっていた七月九日、正午過ぎ。定時連絡ではない時間。

【白鯨】対策本部に、ディックからの通信が入った。

「どうしたの、時間外の通信なんて珍しいじゃないか」

呑気（のんき）に応じる高巳。ディックはいつも通りの平淡な調子で言った。

『諸君が防衛型と名付けた【白鯨】であるところの私以外の我々が、先程から大量にフェイクに捕食されている。私と私以外の我々は、諸君に事態の収拾を依頼するものである』

その平淡な報告が対策本部を混乱の極致に叩（たた）き込んだ。防衛型の回答待ちで一山越えた安堵（あんど）感を持っていた本部にとって、それはまったくの不意打ちだった。

伊勢湾上で防衛型【白鯨】が大量にフェイクに食われている。

防衛型【白鯨】群は、突如発信された電波をたどって三重県から愛知県にかけての港湾地区に上陸しようとし、そこをフェイクに待ち伏せされたものである。

高知にいるはずのフェイクが何故中部地方に出現したのか。

そもそも予定外の昼間の電波管制解除はどこが指示したのか。

状況の確認に本部は奔走し、一方で高巳が防衛型【白鯨】代表への周波数を繋いだ。

「防衛型代表、聞こえるか!?」

応答はない。

「上陸するな！　全防衛型に伝達しろ！　罠だ、引き返せ！」

どこの誰が企図したものか現時点では不明だが、この状況が【白鯨】をフェイクに食わせるために設定されたことだけは明らかだ。

ディックと不干渉型代表にも呼びかけを繰り返させ、やがて——

防衛型の一個体から応答を得た。

この時点で防衛型の代表とされていた個体はフェイクに吸収されており、大小およそ二万体が存在した防衛型は、総数一千を割り込んだ。

対策本部がディックとの交信を再開したのは、フェイクによる大量捕食が終息した午後三時頃である。

生き残った防衛型は、全個体が四国沖のディックの周辺空域に退避を完了していた。

防衛型のほとんどが逃れることも叶わず一方的に捕食された理由は、ディックの説明により明らかとなった。

『私と私以外の我々の間に、大きさによる優劣は存在しないが、大きさによる身体能力の差は発生する。それは主に速度の点において顕著である』

要するに、個体の体格差がそのまま運動エネルギーの出力差となるらしい。大きければ出力が高いということだ。

ディックによれば、体長数十メートル以下の個体とそれ以上の個体では、最大で音速程度の速力差が発生するという。

高巳の返答は自然と頭に溜息(ためいき)が入った。

「だとすれば……ディックに次いで大きくなってたフェイクに他の個体が太刀打ちできるわけもないか」

今回フェイクに「食われた」防衛型のほとんどは、逃げようとして速力で強引に捕捉されたらしい。

そして、この捕食によってさらにフェイクが巨大化した現在、ディック以外の【白鯨】群は一度ターゲットにされたら振り切るのが困難な状態となった。

非常に計画的に行われた今回のフェイクの捕食については、その後『セーブ・ザ・セーフ』から声明がマスコミ各社に発表されている。

『セーブ・ザ・セーフ』はフェイクと斉木少年をメンバーに迎えており、両者の協力によって危険な【白鯨】の大量捕食に成功した、というのが主張の大筋である。

これに沿って対策本部にもそれなりの情報が集められ、それは既に【白鯨】にも報告されている。

斉木少年は六月下旬に名古屋へ移動し、『セーブ・ザ・セーフ』に加入している。

この時点ではフェイクは高知に残されていたが、斉木少年は名古屋から携帯電話でフェイクに変わらぬコンタクトを取っていたらしい。そして今日の捕食のため、昨夜のうちにフェイクを高知から呼び寄せていたようだ。警戒管制はその移動を把握していない。フェイクが大きいとはいえ、それに迫るサイズの個体が存在しないわけではなく、昨夜時点でのレーダー識別は不可能だった。

反【白鯨】団体急先鋒でもある『セーブ・ザ・セーフ』が斉木少年を勧誘した意図は、今回の捕食計画の実施を見ても明白である。

現時点で唯一の、対【白鯨】戦力としてだ。応じた斉木少年とフェイクの意志は確認されていないが、計画が実現した以上は団体の【白鯨】駆逐方針にある程度の同調があるのだろう。

局地的な電波管制解除で防衛型【白鯨】がおびき寄せられ、そのほとんどがフェイクに捕食されたことになる。

地域を限った電波管制の解除は、愛知・三重の県議と放送局などが『セーブ・ザ・セーフ』と合議を図った結果らしい。

昼間の電力制限と電波管制は、政府から各自治体に対して被害軽減の方策として通達されており、ある程度の実施モデルはあるものの実施詳細は各自治体の裁量に任されている。つまり命令として発布されたわけではなく、その隙間を突いて立案された計画であったようだ。

警戒管制からの電波攪乱（かくらん）の要請を拒否したのならともかく、自主的に電波を発信したというだけでは処罰の対象にはなり難い。

それにしても、作戦区域の住民の退避や当日の立ち入り禁止措置などは、すべて関係各所を依頼主とする大手警備会社によって実行されており、警察や自衛隊など公的機関を介在させていないことに、【白鯨】に対して穏健措置を取ろうとしている政府——特に【白鯨】対策本部を出し抜く意図が読み取れる。

『セーブ・ザ・セーフ』の責任者である白川迪子・真帆母子は、中部地区でも有数の有力者の家系でもあり、そのバックアップもこの計画を成功させた要因らしい。

対策本部で最も心配されたのは、この『セーブ・ザ・セーフ』の勇み足と言える（宝田などは暴走と言って憚らない）【白鯨】駆逐計画によって、【白鯨】と本部の間に成立していた信頼関係が損なわれることであった。

しかし、防衛型を直接捕食したのがフェイクであったことから、【白鯨】は今回の件の責任を人間側にのみ追及しない意思を表明した。

人間がどう示唆したにせよ、【白鯨】の捕食はフェイクの決断であろうし、問題はフェイクと【白鯨】との同胞意識の落差でもあるとのことだった。

「それにしても、フェイクについての対策を保留したのは失敗でした。申し訳ない」

佐久間はその点についての責任は自分にあるとディックに詫びた。

今まで【白鯨】側で接触を回避している限りは衝突を防げており、その油断は全員にあったが、佐久間としては責任を感じずにはいられないようだった。

「残念です、防衛型との条件交渉も順調に進んでいたというのに……」

順調に行けば、今日にも防衛型が人間への攻撃を取り下げる最終条件が決定したはずである。穏便な統合は目前だったと言っても過言ではない。

『全【白鯨】的な私と私以外の我々は、佐久間教授個人にその責任を追及しない。何故なら、全【白鯨】からはぐれた存在であるところのフェイクは、私と私以外の我々とて軽視していた問題だからである。全【白鯨】的な私と私以外の我々にとって、最も重視されるべきは《全き一つ》への回帰であって、これを優先してフェイクの問題を据え置いたのは、全【白鯨】的な私と私以外の我々の意思でもあったからである』

「そうだ、悪いのはあの団体の連中だ。尾張の成り上がりが小賢しいマネを」

宝田が憤然と吐き捨てる。台詞の後半は白川母子の親戚筋を揶揄しているらしい。

「はねっ返った連中が政治を混ぜ返すのはこれに限った話じゃない。そんな連中に乗せられた県議も責任を追及されるべきだ」

気炎を上げる宝田を執り成すように、高巳は口を開いた。

「まあ、それは今さら言っても仕方がないし、俺たちの仕事でもないですよ。今は【白鯨】にとっての最善を尽くさないと」

結果だけを見れば、『セーブ・ザ・セーフ』の今回の【白鯨】駆逐計画は成功を収めたことになる。この計画について世論は概ね好意的であり、他にも『セーブ・ザ・セーフ』の方針に傾く自治体が出てきてもおかしくはない。そして、それを法的に取り締まる環境を整えるには時間がかかる。

【白鯨】の脅威に関して、対策本部が未だに有効な解決策を提示できていないという現状も、『セーブ・ザ・セーフ』支持を後押しする要因になるだろう。

実際には、停戦を前提として【白鯨】を再統合するという解決策が進行中であり、対策本部はまったくの無策ではない。

しかし、これは【白鯨】のメンタリティやアイデンティティに踏み込む非常にデリケートな問題でもあり、迂闊に公表することはできない。今は無策という評価を甘んじて受けるより他にない状況である。

「しかし、フェイクに【白鯨】を食わせて最終的にどうしようってんでしょうね？　着地点は考えてんのかなあ？」

首を傾げた高巳に、宝田が仏頂面のままで答える。

「さあな。しかし、ひとまず『人間を守った』実績のあるフェイクが【白鯨】を食い尽くせば安全が得られると思っとるんだろう。世論も同じだ」

「それもまた短絡的な話だなあ……フェイクは人間を守ったわけじゃなくて、斉木少年の命令を聞いただけでしょう？『セーブ・ザ・セーフ』の主張は【白鯨】の駆逐、もしくは無効化って話だけど、このやり方って最終的にはかつてディックだったものがフェイクになるだけの話じゃないですか。そのうえ、フェイクと斉木少年の友好関係がどういうものか分からないんじゃ、ディックだったときより危なっかしい」

「斉木少年がフェイクを悪用する恐れがあるということか？」

光稀が不本意そうに口を挟む。斉木の忘れ形見の性を疑うように聞こえたのだろう。高巳は首を振った。

「そういうことじゃなくてね。こっちは俺がメインで交渉をしてるとはいっても、基本的には大勢でディスカッションしながら関係や契約を結んでいってるわけでしょう。けど、フェイクと斉木少年の関係って、たぶん個人対個人の人間関係の域を出てないと思うんだよ。で、個人対個人の関係なんていつ移ろうか分かんないあやふやなもんじゃない。個人関係に未知の知的生命体との交流を一任するなんて、こんな危なっかしいこともそうはないと思うんだけど」

「恐らく、最終的には洗脳を考えているでしょうね」

そう発言したのは佐久間だ。

以前の新聞記事でフェイクは斉木少年のペットのように書かれていた。だとすればフェイクの思考レベルは【白鯨】たちほど発達していない可能性が高い（その原因は分からないが）。

しかし【白鯨】である以上、潜在的な知能レベルは高いはずであり、従順な知性体ほど洗脳に適した素材も他にないだろう。

そして、【白鯨】に反感を持つ『セーブ・ザ・セーフ』の試みる洗脳が、【白鯨】にとって有益なものであるはずがない。

「だとすれば、対策の優先順位が変わりますね。まずはともかく生き残った【白鯨】の安全を確保しなければなりません」

佐久間が火急の要件としてそう述べた。

「もはやディック以外の【白鯨】がフェイクの射程に入った場合、機動能力の優劣のため捕食を逃れることが難しい。フェイク以外の全【白鯨】が融合すれば、少なくとも能力的な劣位はなくなります」

「やりますか、あれ」

高巳はやや気の進まない表情で言った。

【白鯨】統合の計画が発生した当初から案だけは上がっていた方法——

多数決である。

統合にまつわるすべての懸案事項を、【白鯨】内で多数決にかけさせようという試みだ。

集団における意思の決定方法として最も普遍的かつ手っ取り早いが、人格を統合するという作業において少数意見を抹消するのは乱暴すぎるとして、提案の段階で棄却されている。

高巳も棄却意見に賛成した一人だ。

だが、フェイクが積極的な探索と捕食を始めたら、ほとんどの個体に逃れる術がなくなったこの状況ではやむを得ない。警戒管制から位置警報を出したとしても、捕獲される個体は発生するだろう。

フェイクを大火力で再分裂させることによって無力化するという方法もないではなかったが、それは一案として打診された段階で【白鯨】たち自身によって却下された。

交信不能の状態で共食いをしているとはいえフェイクは【白鯨】の一部であり、それを攻撃することは【白鯨】たちの本能としてあり得ない選択だったのである。

＊

「全【白鯨】的な君らに提案をしたい」

提案内容が検分され、フェイクによる捕食の翌日にそれは高巳からディックに切り出された。高巳にとっては気の重い提案だった。

「フェイクの脅威が無視できなくなった今、君らの安全のためにも統合は急務だ。本来なら、綿密な協議を重ねて意思を統一していくのが望ましいんだけど、俺たちはもっと手っ取り早い意思統一の方法を提供することが可能だ。それを試してみる気はある?」

気の進まなさを表すように、高巳の声はテンションが低い。だがディックは食いついた。

『それが早急に《全き一つ》に戻るための手段であれば、全【白鯨】的な私と私以外の我々は、その提案を前向きに検討するだろう』

統一願望が強い【白鯨】が乗ってくることは分かりきっている。

だからこそ今まで提案自体が棄却されていた。

「人間が集団意思を決定するときに用いる多数決って方法がある。複数の意見が提案されて、どれを採用するか話し合いで意見がまとまらないときに用いられる最終手段だ。提案されてる複数の意見のそれぞれに対し、賛成する者の数を計る。賛成意見が最も多い意見が全体の意見として採用されるシステムだ」

説明しながら高巳は苦笑した。こうしていざ真面目に解説してみると実に原始的なシステムであることが今さらのように知れる。そのくせ、基本的に民主主義国家の政府は、この原始的なシステムを基本として運営されているのだ。

『その場合、賛成者の数が少なかった意見はどうなるのか？』

当然の質問に、高巳は答えた。

「どうもしない。少数意見は棄却される——つまり、なかったことになるだけだ」

乱暴なシステムだよ、と高巳はディックより先に言い訳のように言った。ディックはやはり、合点が行かない様子だ。

『それは少数意見を支持する者には不平等なシステムのように思われる』

「その通りだよ。これの利点は決定が手っ取り早いことと、全体の不満が最小限に抑えられることだけだ。何しろ一番賛成が多い意見を取るわけだから。最大多数の最大幸福ってわけだ」

『他にもっと優れた方法はないのか？』

それもやはり当然の疑問だが、高巳はディックの望む答えを知らない。

「人類発生してこのかた五百万年、これが現時点では最善とされてる方法なんだ。いろいろと問題や不満がないわけじゃない——っていうか普通にあるんだけど、誰もこれよりいい方法を見つけられない。君らがもっといい方法を思いつくなら教えてほしいくらいのもんでね」

ディックの返答はない。よりよい方法を考えているのかもしれないが。

「繰り返すけど、乱暴な方法だよ。だからこれを試すかどうかは君らの判断に任せる。ただし多数決を使わずに意識のすり合わせで統合を目指す場合、そして、その間にフェイクの襲撃が始まった場合、俺たちはろくな援助ができない。君たちが望めばフェイクを攻撃して再分裂を図ることも可能だけど、それは望まないんだろ？　だとすれば統合が間に合うのを祈るくらいしかないんだけど。かといって多数決にも一長一短あると思う。中立型、不干渉型、防衛型、それぞれでよく考えてくれ。明日、それぞれの結論を聞く」

そこまで申し入れて、提案は終了した。

＊

翌日は、スタッフのほとんどが始業前から出勤していた。

もちろん高巳と光稀も例外ではない。休憩時の定位置の席に朝一番から陣取っている。

高巳は例によって紙コップのコーヒーをすすりながら溜息をついた。

二人でお茶というシチュエーションは悪くないが、毎々場所が本部室だったりＰＸだったり食堂だったり、基地内の実用的すぎる空間から離れられないのは潤いがないこと甚だしい。

もっとも、光稀にはどうでもいいことだろうが。

「――【白鯨】は多数決を飲むと思うか？」

問いかける光稀に、高巳は答えた。

「これぱっかりは蓋開けてみないとなぁ……そっちはどう思うの」

光稀はしばらく考え込んで、頭を振った。

「ゆうべもずっと考えたんだが、さっぱりだ」

道理で目がうさぎになっている。高巳も人のことは言えないが。夜通し悶々と考え、明け方になってようやくとろとろと少しばかり眠っただけだ。

「取り敢えず、飲まなかったら俺のプレゼンが悪かったってことだな。この場合、プレゼンがいいと悪いとどっちがいいのか分かんないけど」

「よかったと思う」

光稀がぽつりと言った。

「多数決を飲むのと飲まないのと、どっちがいいとも悪いとも言っていない。ディックは自分で決めると思う。不干渉型も防衛型も。私たちは奴らが決めたほうで全力でバックアップしてやろう」

【白鯨】に多数決を提案したのが良かったのか悪かったのか。判断できずに微妙にふて腐れていたのを見透かして慰められたようで、高巳は苦笑いした。

「あんがと。ちょっと気が楽だ」

すると、光稀が少し口をへの字にした。

「そもそも本部全体で決めた方針であってお前の独断じゃない。最終的にどんな結果が出ようとお前が一人で背負う問題でもないだろう。お前はちょっと生真面目すぎる」

高巳はぽかんとして光稀を見つめた。唖然として言葉もない。

生真面目すぎるなんてそんなこと、この世の大抵の人間が武田光稀にだけは言われる筋合いがないはずだ。

喉の奥で笑った高巳に、光稀が怪訝な顔をする。

「何ていうか、佐久間さんに『あなたは勉強しすぎる』とか言われた気分」

「何の話だ」

「いや、分かんないで。分かったらあぁた怒るから」

「な、ん、の、は、な、し、だ」

肝心なところは察しが悪いくせにからかわれることにだけは聡い光稀が、高巳の衿を摑んでねじ上げる。

と、そのとき室内の内線が鳴った。手近の者が取り、わずかなやり取りをして切る。

「春名さんと武田三尉に司令からです。外来のお客で、すぐ第一応接室へ来るようにと」

「客？　こんな時間に？」

高巳も光稀も首を傾げた。

まだ一般的な始業時間前で、来訪時間としてはかなり早い。よほど急ぎの用件なのだろうが、それにしては心当たりは二人ともない。

「フェイクのことで情報提供があるらしく、それで【白鯨】に詳しい人をと」

「……それ真っ先に言おうよ、今度から」

一も二もなく高巳は席を立った。光稀は既に出口へ歩き出している。

廊下へ出た途端、二人は走るようにして応接室を目指した。

遠田司令が特に高巳と光稀を指名した理由は、応接室で待っていた客を見ると判明した。

二人連れの客の片方が、高校生くらいの女の子だったのである。もう片方はよく日焼けした朴訥そうな老人で、どちらにしろあまり威圧感のある人物を応対に立てるのはふさわしくない。

一応の知識があって最高責任者とは言え、無駄に威圧感のある宝田など論外だ。本部の若い者など、宝田への具申は何かと高巳に押しつけようとするほどである。

二人の客は高巳と光稀を見て立ち上がり、頭を下げた。二人ともその仕草からしていかにも素朴な感じだ。

「お待たせしました、対策本部の春名高巳です。こちらは武田光稀三尉」

言いつつ高巳は、老人と少女に再び座ることを勧めた。自分たちも彼らの向かいのソファに腰を掛ける。

「えーと、こんな若造どもがお相手ですみません。でも一応は二人とも【白鯨】の第一発見者なので適切にお話しを聞けると思います」

「いえいえなンも。そんなことは構いませんき」

老人が恐縮したように手を振った。言葉に独特の訛りがある。西のほうの抑揚だ。

「……高知の方ですか？」

尋ねた光稀に、老人と少女はそうだと答えた。よく知ってんねと高巳が小声で言うと、光稀は微妙な表情で頷(うなず)いた。

三佐と言葉が似てたから、と小さく呟(つぶや)く。

老人が口を開いた。

「わしは宮田喜三郎(きさぶろう)と申します。高知のほうで川漁師をやりゆうもんです。こっちの子は天野(あまの)佳江と言いまして、やっぱり高知で高校に通いゆうがです」

真っ黒な強(こわ)い髪をポニーテールにした少女がぺこんと頭を下げた。びっとした眉(まゆ)が勝気そうだが、かわいらしい子だ。すれていない感じは無条件に好感が持てる。

「今年頭に亡くなった、こちらの基地に勤めちょった斉木敏郎(としろう)さんがおりましたろう。わしらは斉木さんの身内ゆうか、縁のある地元のもんになります」

光稀の気配が硬直した。やや逡巡(しゅんじゅん)してから口を開く。

「斉木三佐の最後のフライトを随行させて頂きました。——私の尊敬する上官でした」

「そうでしたか。そらぁ……難儀なことでしたのう」

独特の訛りで紡がれる朴訥で率直な言葉。

「斉木さんもあんたが見届けてくれたき救われますろう」

高巳が光稀を窺(うかが)うと、光稀は一瞬泣きそうな表情をして——それから唇を引き結んで首を横に振った。

「そちら様こそお気の毒でした」

光稀の悔やみを横で聞きながら、高巳はそんな場合でもないのに気持ちが和むのを感じた。斉木三佐と懇意であったというこの老人の素朴な言葉が、光稀の中の何かを一つ片付けたのが分かった。

年寄りに敵わないのはこういうところだ。何も賢しく意図しない言葉でふと誰かを救ったりする。それはその年輪が言葉に力を与えているのだろうが。これは若い者にはおいそれと真似できない。

「それで宮田さん、フェイクのことで何か教えて頂けるというお話ですが」

高巳が水を向けると、おおそうじゃと宮田が居住まいを正した。

「春名さんらぁもご存じかも分かりませんが、斉木さんの子で瞬ゆうががおります。この瞬がフェークを拾うて飼いよったがですけど、これが『セーブ・ザ・セーフ』ゆう人らぁのところへ招かれて行たがですわ」

「存じてます」

「はいはい。そんで昨日ですか、フェークが随分とようけ【白鯨】を食べよったそうですな。わしらは泊まっちゅう宿のテレビで見たがですけんど」

「ええ、それでこっちは大パニックになってるとこですよ」

高巳は苦笑しながら頭を掻いた。

「正直言って弱ってます。本部は穏健な方法で【白鯨】を再統一して共存の道を探ろうとしてたんですが、思わぬところから思わぬ妨害を受けたというか……」

してやられたという表現が一番近い。多数決というシナリオを入れざるを得なくなったのは痛恨事である。

「瞬が悪いんじゃないんです」

それまで黙っていた佳江が口を開いた。県外なので標準語で喋ろうとしているのだろうが、イントネーションに土地柄が出ていた。

「瞬は『セーブ・ザ・セーフ』の人に言いくるめられて、フェイクに【白鯨】を食べさせてるんです。フェイクが【白鯨】を全部食べきったら【白鯨】がフェイクになるから、そうしたら【白鯨】は人間にとって安全な生き物になるって真帆さんに言われて……フェイクは瞬の言うことはよく聞くから、瞬が人間を襲うなって教えたらえいって」

高巳と光稀は顔を見合わせた。

佐久間の示唆した洗脳説が的中した形となった。実際に行われるものは瞬への説得で言ったような生ぬるい内容のものではないだろう。

しかしこれは丸め込まれた瞬を責めるのは酷である。瞬は純粋にフェイクを教育し直すためと思って受けただろう。

「……説得としては一理あるっちゃあるもんなあ」

呟いた高巳に、宮田が難しい顔をした。

「一理ありますろうか」

わしにはそうは思われん、と宮田は言った。

「瞬は年の割にしっかりしちゅう子ぉですが、まだ高校生です。ちっとばあは大人かもしれんが、まだ大方は子供じゃ。まだまだ見よって危なげなところもようけある。それが他の生き物に生き方を教えるらぁ、ちと分を過ぎた話ですろう」

実に真っ当な言い分に、高巳は自然と頭を下げた。

「いや、仰る通りです。不見識でした」

もちろん高巳も本気で『セーブ・ザ・セーフ』の思惑に賛成する気はなかったが、軽々しく相手の理を認めてはならない部分だった。

「わしは瞬がそんな大それたことを吹き込まれてその気になっちゅうとは思わざったき名古屋へ行くがも止めざったが、そういうことなら話は別じゃ。そらぁ何ぼ何でも大それちゅうぜよ、と叱りに来たがですけんど、わしらは『セーブ・ザ・セーフ』に行っても瞬と会えんかったがです。何度か行ったけんど、一度も会えませざった」

それは会わせまい。瞬を（正確にはフェイクを）連れ戻されたら、『セーブ・ザ・セーフ』の計画自体が白紙に戻る。

現時点で唯一【白鯨】に対抗できるフェイクは、『セーブ・ザ・セーフ』の切り札だ。

「わしは、対策本部の人らぁは無策ではないろうと思っちょります。『セーブ・ザ・セーフ』のような子供一人に重荷を乗せるがごときの計画やのうて、何か【白鯨】を鎮める方法を練りゆうろうと。それでこちらをお訪ねしたがです。こちらから『セーブ・ザ・セーフ』のやり口に物申してはもらえんろうかと」

「物申して聞くような人たちじゃないみたいなんですけどね……」

うっかり愚痴混じりに呟いた高巳は、左脇に突き上げるような肘を食らって息を詰まらせた。

もちろん肘を入れたのは光稀である。じろりと高巳を睨んで無言で佳江のほうへと目配せした。

見ると、佳江が泣きそうな顔でこちらをじっと見つめている。

佳江にしてみれば、対策本部が『セーブ・ザ・セーフ』から瞬とフェイクを救い出す最後の頼みの綱なのだろう。

高巳は脇の痛みをこらえて佳江に笑いかけた。

「もちろん、聞きたくないっても強引に聞かせるだけだけどね。『セーブ・ザ・セーフ』に勝手な動きをされたら困るのは俺たちだし」

光稀がぴしりと背筋を伸ばして口を添えた。

「そのためにもお二人にご協力を願います。本部には『セーブ・ザ・セーフ』についての情報が不足していますから。フェイクや瞬くんについてのお話しを聞かせてもらうのも非常に有意義です」

「もちろんそれは、わしらで協力できることやったら何でも協力させてもらいますきに」

宮田が言う横で、佳江は恐らく言葉が出ないのだろう。代わりに膝に額が付くほど深く深く頭を下げた。

瞬を助けてください。

そう言っているのが聞こえるようなお辞儀だった。

第8章　秩序の戻る兆しはそこ、

＊

対策本部が情報提供者として宮田喜三郎、天野佳江両名を迎えたその日、【白鯨】は中立型、不干渉型、防衛型のすべてが多数決による統合を採択した。

　防衛型が最終検分していた共存条件についてはそのまま採用作業が引き継がれ、対【白鯨】法案として国会で決議された。【白鯨】を保護することになる法案には反発の声も上がったが、先に歩み寄りの姿勢を見せることで【白鯨】に平和的共存を促すという説明がなされた。

【白鯨】法と一般的には呼ばれることになるこの法案には、【白鯨】が日本国家の国民や施設に不利益を与えない限り【白鯨】へのあらゆる敵対行為を禁止すること、敵対行為を採択する前に【白鯨】との会談を持つこと、【白鯨】法を違反した敵対行動があった場合、【白鯨】が日本国土への反撃権を持つことなどが盛り込まれた。

【白鯨】が当初から希望していた人間との接触事故の懸念がない所在空域の問題については、改めて検討されることとなる。

　そして七月十七日——統合の当日である。

　その計画は、フェイクを利用し【白鯨】の併呑を狙う『セーブ・ザ・セーフ』の妨害を防ぐため徹底的に秘匿され、【白鯨】群には中部地区を常に迂回する指示が警戒管制より出されていた。

近日中に再度の捕食が計画されているらしく、フェイクは先日の捕食から引き続いて伊勢湾（いせわん）上に待機していたからだ。

団体側は保安上の問題からかフェイクに擬態とレーダー透過の禁止を指示しており、巨大化したフェイクを警戒管制が感知することは難しくなかった。

今までの例から、フェイクが【白鯨】を感知できる範囲は半径数十km圏内であることが判明している。中部地区さえ迂回すれば察知される危険はなかった。

ディックが滞空する四国沖には、全【白鯨】群――フェイク以外の全個体――が集結しつつあった。航空事故防止のため全【白鯨】はレーダーの透過と空への擬態を禁止され、レーダーサイトでは一点に集まっていく【白鯨】群が観測された。

しかしその光景を現実に見ることになった人々もいた。

全国の空自基地から【白鯨】の航路観測の名目で飛び立ったE2C早期警戒機と、更にそれをエスコートする戦闘機編隊のパイロット・乗務員たちである。

岐阜基地からもE767早期警戒管制機がF15のエスコート付きで飛び立ち、一度日本海側へ出てから四国沖へ向かうという航路で【白鯨】の集結ポイントを目指している。

このE767には乗務員のほか、主要な【白鯨】対策本部のスタッフが搭乗していた。

「何であれに乗ってるのが私じゃないんだ」

主要スタッフとして当然E767に搭乗中の光稀は始終中っ腹だった。憤然とした顔で警戒管制席のレーダーモニターを睨む。視線の先はE767をエスコートしているF15のレーダーマークから離れない。

高巳は笑いながら執り成した。

「仕方ないでしょ。武田三尉は主要スタッフなんだから」

統合における【白鯨】のガイド役は高巳になっているが、万が一の事態に備えて代理は三人乗っている。代理順位は佐久間、光稀、宝田。光稀がエスコート役のほうを希望したのは言うまでもないが、代理の上位二名は【白鯨】の指名でもあったため当然却下された。

「武田三尉が乗れるのもそう遠くないから」

高巳が執り成したとき、機体前方から隊員が歩いてきた。光稀の前で敬礼する。

「武田三尉へエスコート役の須藤三佐よりご伝言です。『武田三尉へ。一ヶ月ぶりのフライトは格別。貴官は貴官の職務を全うされたし』」

「畜生ッ！」

光稀が怒鳴って膝に拳を打ち下ろす。

「返信！『職務精励中、言われるまでもなし』！　今すぐ叩き返せっ！」

「あーもう、あんたもそんな伝言クソ真面目に届けにくるんじゃありません」

高巳は溜息をつきながら伝言を知らせた隊員を追い返した。

「俺だっていろいろ不満はあるんだからさ。お互い我慢しようよ」

「お前に何の不満があるって!?」

嚙みつく光稀に、高巳は答えた。

「窓が少なすぎるんだよこの機体。小さいしさ。こんな光景が目の前で展開されてるのに生で見られないなんてあんまりだ」

集結ポイントに近づき、レーダー画面上では全方位から大小の輝点が洋上の一際大きな輝点へ集まっていく。

「民間機じゃないんだ、警戒管制機なんだから当たり前だろうが！　見たけりゃコクピットに行けばいいだろう、飽きるまで見てこい」

光稀の発言は完全にふてくされている。高巳は行かないよと言って笑った。

「俺だけ満足したら武田三尉が猛烈に拗ねそうだから」

「人の仕事に対する熱意を拗ねるとかの一言で片付けるな！」

「なに言ってんだか、今回ばかりは飛行機の禁断症状が出てるだけじゃん。仕事の熱意なんてカッコ付けなさんなよ」

「うるさい、ちがう！」

子供の喧嘩のようなことを言い合っている間に機は集結ポイントに到着し、既定の周回航路に入った。

「じゃあ、多数決を開始しまーす」

通信席に移った高巳は全【白鯨】へ通信を開始した。軽い口調はいつもと変わらない雰囲気を意識したものである。

「事前にも説明したけど、公正を期すために票決は各タイプの個体数に拘わらず全体で一票。各タイプの中で票が割れた場合は多数意見をそのタイプの総意とする。それで異存ないね？」

中立型、不干渉型、防衛型の同意が正式に出たところで、最初の検討案へ移る。

「【白鯨】法が日本政府により遵守される限り、日本領域および公海・国際空域上に存在する日本人、在日および訪日外国人を攻撃しない。また、外国においては、日本大使館および日本領事館の保護する日本人を攻撃しない。これに賛成する者」

『中立型【白鯨】群は、二〇、三一七の全個体がこれに賛成する』

『不干渉型【白鯨】群は、二二、七八六の全個体がこれに賛成する』

『防衛型【白鯨】群は、九五六の全個体がこれに賛成する』

人間への攻撃の停止については全員一致の上で合意。ここまでは事前の予想の通り。

票が割れると予想されたのは二つ目の検討案である。

「【白鯨】法が遵守されることを前提として今後の人間との交流を引き続いて維持する。これに同意する者」

『中立型【白鯨】群は、二〇、三一七の全個体がこれに賛成する』

『不干渉型【白鯨】群は、一二、四三五個体がこれに賛成し、七、五九三個体が消極的に賛成、二、七五八個体が反対する』

『防衛型【白鯨】群は、四〇〇個体が消極的に賛成し、五五六個体が反対する』

「えーと、消極的賛成は賛成と見なすことは事前説明の通り。そのうえで、中立型が賛成一票、不干渉型同じく賛成一票、防衛型は反対一票。よって賛成二票、反対一票で人間との交流維持が採択されました」

決定に対する異存はどのタイプからも上がらない。

これで全体意思の食い違いとして存在していた二つの問題が合意を見たことになる。

交信の推移を見守っていたスタッフが固唾を飲んだ。

「では、今回の多数決により日本領域および公海・国際空域上における人間への対処について意見が統一されたところで……多数決のルールに基づけば、全【白鯨】の統合について障害はなくなったものと見なされます。この状態で統合に賛成する者」

『中立型【白鯨】群は、二〇、三一七の全個体がこれに賛成する』

『不干渉型【白鯨】群は、二二、七八六の全個体がこれに賛成する』

『防衛型【白鯨】群は、九五六の全個体がこれに賛成する』

三者が賛成意思を表明したところで、ディックが名乗って発言した。

『全【白鯨】的な私と私以外の我々は、この統合の後にフェイクを放置することを希望しない。できることならフェイクとの行き違いを修正し、フェイクとも統合することを希望する。高巳と対策本部の人々にはその援助を求めたい』

「それはもちろん。フェイクのことが解決してこその問題解決でしょ」

そうでなくとも、『セーブ・ザ・セーフ』側が【白鯨】への干渉を中止するとは思えない。

高巳の返答に、ディックが【白鯨】を代表して謝辞を述べた。

——そして。

「始まりました！」

警戒管制席からオペレーターの緊張した声が飛んだ。

全員が機体中央部の警戒管制席へ駆けつけ、高巳も通信席を立とうとしたとき、光稀が高巳の袖を摑んで引き止めた。

そのまま高巳を引っ張り、機体最前部の通信席からコクピットに向かう。コクピットのドアをノックし、姓名を名乗って開けた。

「失礼します。【白鯨】の目視確認です」

あれあれと思っている間に、高巳もコクピットに連れ込まれていた。定員以外に高巳と光稀の二人が入るとさすがに窮屈だが、機外を覗くくらいなら支障はない。

パイロットは二人をちらりと振り返り、顎を軽く下へしゃくらせた。

E767の高度は約一万メートル、【白鯨】群はそれよりもかなり低い高度を飛行しており、晴天で雲も少ないため、全体の動きが一望できた。視界に入る限りの全【白鯨】が一つの方向を目指している。

紺碧の海を数千メートル下にまたいで、大小の白い楕円が滑るように飛んでいく。

「目視ならディックをフライパスしてやろう」

言いつつパイロットが機をゆるやかな旋回に入れた。

やがて機の正面方向に、島のようにぽかりと浮いているディックが見えた。他の【白鯨】群に比べて桁外れに大きい。

ディックを中心に小規模な楕円が全方位から集まってくる。特撮かCGでも見ているようなその光景を、高巳は息を詰めて見つめた。

「できるだけ低速で行くからな」

パイロットの告げた通り、眼下を楕円が次々と追い越していく。

最初の楕円がディックに到達した。

白と白が重なり合い、見えなくなる。続々到達する楕円が次々とディックに色を重ねていく。

本当に融合しているのかどうか白の境界線を睨んでいても分からない。だが、必死で睨んだ視線をふと緩めると、ディックが明らかに大きくなっている。

かなりの速度だ。

「レーダー見ますか」

副操縦士が体をよけてレーダーを見せてくれる。画面の上方にディックと思しき大きな輝点があり、そこへ全方位から輝点が集中していく。

前方へ目を戻すと機体を追い越していく眼下の楕円はもうなくなっていた。前方でディックが飲み込み続ける楕円も、全方位の列の末尾が切れた。

わずか五分ばかりの出来事である。

もう終わるな、と光稀が呟いた。高巳も頷く。

やがて、最後の一つがディックと重なって消えた。

「ありがとうございました、持ち場へ戻ります」

光稀が敬礼してコクピットを出る。高巳もそれに倣った。

通信席へ戻りながら、光稀に声をかける。

「もしかして、見せてくれたりした？」

「勘違いするな、近いほうに行っただけだ」

素っ気ない答えは予想のうちだ。

「でもありがとう、ホントは見たくてうずうずしてた」

「ならよかったんじゃないか」

他人事のような気のない返事も、照れ隠しなのが明白である。

通信席へ戻ってしばらくすると、再統合を果たした【白鯨】から通信が入った。

「はいはい、こちら高巳」

応じると、いつもと変わらない調子の合成音声的な声が聞こえた。

『私と私以外の我々は、私になった。諸君の援助に感謝する』

「元はと言えばこっちの不始末だから。それよりどう、そっちの調子は」

気軽な様子で高巳は応じたが、統合の首尾はこの通信で確認されるため、実はかなり神経を張り詰めている。

再統合後の【白鯨】のメンタリティは最も気になるところだ。

【白鯨】は落ち着いた調子で答えた。

『時折思考が重複する傾向はあるが軽微な問題と考える。基本的には私は私として一つの意識を持続している』

「えーと、今話してる君はディックだと思っていいのかな」

『私と私以外の我々のすべてを包括することとなったディックと呼ばれる私は、厳密には統合前のディックと呼ばれる私とは違うが、ディックと呼ばれる私の記憶を継続している。ほかの多くの私以外の我々だった記憶も並列して所有しているが』

淡々と話す様子に混乱は窺（うかが）えない。

「ディックマークIIってところかなー。まあいいや、そっちに支障がないなら今後もディックで行こう」

かくして、分裂していた【白鯨】の再統合はつつがなく終了した。

＊

再統合を果たしたディックをL空域（四国沖）に残し、E767とエスコート機は岐阜基地へ帰還した。他の基地からの応援の機体は統合が開始される前に帰還しており、岐阜基地陣の帰還で作戦が完了した形となる。

そして【白鯨】の再統合は、その日の夕方のニュースから報じられた。

分裂した【白鯨】が性質によって中立型、不干渉型、防衛型の三タイプに分類され、中でも人間に敵対的だったのが防衛型であったことがこの報道で初めて明かされた。三タイプの人間への対応の違いが再統合を阻害していたことも合わせて説明される。

そのうえで特に大きく取り上げられたのは、この防衛型【白鯨】が【白鯨】法の遵守を条件に、人間との停戦を前提とした統合に応じたことである。

再統合を果たした【白鯨】が中立型を基本とする温厚な性質に戻っていることと、【白鯨】法が遵守される限り【白鯨】に人間社会を攻撃する意図がないことも重ねて説明された。

再統合の計画が伏せられていたことには若干の批判が上がったが、この再統合は【白鯨】のメンタリティに関わるデリケートな作業であり、報道や世論で【白鯨】の態度が硬化するのを懸念したという政府答弁が概ね受け入れられた。【白鯨】が地上波や衛星通信波を傍受できることは公表されており、それが【白鯨】を刺激する可能性があったなら仕方がないという意見が大勢を占めた。

ともあれ、ひとまず【白鯨】の脅威が去り、翌十八日にも電力制限と電波管制が解除されることで、国民の【白鯨】感情は軟化する傾向が見込まれている。

「さぁて、これであちらさんのケツに火が回るかな?」

本部室のテレビで夕方のニュースをザッピングしながら、高巳はにやついた。

政府答弁はもちろん建前で、実際は対策本部が『セーブ・ザ・セーフ』を出し抜き返した形である。

『セーブ・ザ・セーフ』の【白鯨】併呑作戦は、【白鯨】に対して有効な対策がなかったために好評を博したものだ。

【白鯨】の脅威自体が一旦去った現状で、あくまで【白鯨】駆逐を支持する人間は多くはないだろう。事なかれ主義に立てば、丸く収まっているのに敢えて事を荒立てる必要はない。この状況で『セーブ・ザ・セーフ』の支持層がどれだけ残るか。

『セーブ・ザ・セーフ』の首脳部はかなり追い詰められることになる。

「お前も大概人が悪いな」

光稀が呆れたように呟く。高巳は自分のそばに立つ光稀を見上げた。

「俺の人が悪いってんなら、佐久間さんだって充分悪いでしょ。俺とおんなじこと言ってたんだから」

政府は事前に公表したがっていた再統合をあくまで秘匿する方針は、対策本部の中でも特に佐久間と高巳が強く主張したものである。

再統合を果たした【白鯨】の所在についても太平洋上の空域という情報しか公表していない。もちろん所在を移ったというブラフを利かせた上である。

「佐久間先生はお前みたいににやついたりしてない」

「当たり前でしょ、俺は若いし人間できてないもの。お返ししたらしてやったりって思うよ」

言いつつ高巳は後ろを振り向いた。

「というわけで、連中にかなり不利な状況に持ち込んでみました」

高巳の振り向いた先、長机の端の席では、佳江と宮田が座っている。宮田はにこにこ頷いて話を聞いているが、佳江の表情はやや硬い。いかつい自衛官の出入りが多い本部室は佳江にはかなり緊張する空間らしい。

高巳は佳江のほうを見て笑った。

「ここから逆襲（ストライク・バック）なんかかましてみたいんだけど、協力してもらえるかな？」

おどけた調子に、佳江も釣られて笑った。

「いいですね、ストライク・バック。あたしもしてやられたからやり返したいです」

「お、けっこう勝気だね」

武田三尉みたい、とは心の中で付け加える。

「白川真帆（しらかわまほ）ちゃんってのがどれだけやり手か知らないけど、大人としては一枚上手なところを見せてやんなきゃね」

＊

事務局の役員室でテレビの画面を睨みながら、真帆は唇をきつく噛んだ。

テレビに映っているのは【白鯨】対策本部の公式会見の様子だ。

【白鯨】問題でマスコミに露出するようになった佐久間教授や宝田一佐の談話が、テロップ付きで報じられている。

いわく、【白鯨】との歩み寄りが叶った。

再統合は【白鯨】との停戦が実現した証拠である。

再統合後の【白鯨】は中立型【白鯨】的な性質をしており、人間社会への攻撃意図を持っていないことを表明している。

【白鯨】の脅威はひとまず去ったものと考える。

これに加えて、翌朝にも電力制限と電波管制が解除されることが発表された。

市民は街頭インタビューでは【白鯨】が信用できるのかという多少の不安を語りながらも、大半は安堵の様子を見せている。

やはり、日常レベルで最も圧迫を感じさせていた電力・電波の規制解除で、事態が解決したという印象が強いのだろう。

『セーブ・ザ・セーフ』にしてみれば完全に出し抜かれた形である。

【白鯨】の性質が三タイプに分かれていることも、この報道で初めて知らされたことになる。再統合がなかったとしても、電波管制の解除でおびき寄せることのできた【白鯨】は全体の三分の一に過ぎなかった。その事実は先日の捕食作戦を繰り返すことで全【白鯨】をフェイクに取り込む目算を立てていた『セーブ・ザ・セーフ』の体面を大いに傷つけた。

県議の協力を得ることは今後は難しくなるだろう。

また、【白鯨】の脅威が取り除かれたことで『セーブ・ザ・セーフ』内部においても意見の食い違いが発生すると思われた。元から【白鯨】に遺恨がある遺族と、【白鯨】被害の解決のために参加したメンバーで、【白鯨】駆逐に対する温度差が生じるのは当然である。既に団体内部には動揺が走っていた。

「——瞬くんはこの件についてどう思ってるのかしら」

真帆が問いかけた相手は、同じ部屋でニュースを見ていた大村である。

「今のところは特に変わった様子はないようだね。脱退の意志も見せていないし、団体の今後の方針を気にしていたくらいかな」

「瞬くんの意志を確かめたいわね」

真帆は険しい表情でテレビを見つめたまま言った。

【白鯨】の駆逐・無力化を目的に掲げる『セーブ・ザ・セーフ』としては、この報道による瞬の動向が最も懸念されるところだ。瞬の脱退はそのまま【白鯨】対抗戦力としてのフェイクの喪失を意味する。

世論に訴えて【白鯨】駆逐の気運を高めることが難しくなったこの現状で、瞬の脱退は団体にとって致命傷である。実質的な対抗手段を失って反対運動が形骸化、最終的に瓦解するのは目に見えている。

「俺が訊こうか」

「いいえ」

申し出た大村に、真帆は頭を振った。

「直接問い質すのはマイナスだわ」

それも相手が大村では、瞬が素直に心情を話すわけもない。無神経な距離感が大雑把な性格で免罪される大村は、瞬の動向を監視するにはうってつけだがこうした微妙な問題の対処には向かない。

「近いうちに私のことを瞬くんに励ましてほしいわ。大村さん、そのようにお願いします」

*

佳江と宮田から話を聞きはじめたのは、再統合のニュースが報じられた翌日である。

フェイクと瞬の経緯についての詳細を知っているのは主に佳江で、自然と佳江の話がメインになった。聞き役には高巳と光稀が回っている。

瞬と佳江が海岸でフェイクを拾った経緯からかいつまんで語られ、佳江の話は瞬とフェイクのファーストコンタクトに移った。

「……それで、お父さんのお葬式から帰ってきた晩、携帯で何となくお父さんの番号掛けたら急に電話が繋がって、フェイクが片言で喋りだしたって……」

「ちょっと待って」

高巳は佳江の話を遮った。隣で佳江の話をメモに控えていた光稀も筆記の手を止める。

「それは何でフェイクだって分かったのかな」

「フェイクの行動と話の内容が一致してるって。最初拾ったときはクラゲかなんかの仲間かと思ったから水に入れてたんです。そんで使ってない部屋に入れて暗くしてたんだけど、話した内容が暗いとか冷たいとか言うたって。フェイクのおる部屋を閉めようとしたら、閉めるなって言うて外に這い出てきたそうです」

「ははあ。そんでそれからお父さんの携帯番号でやり取りするようになったの？」

佳江がこくりと頷く。

「お父さんの携帯へ掛けると、フェイクに繋がるようになったから……だから瞬、お父さんの携帯も解約してなくて。請求は基本料金しか来んみたいやけど」

以前、瞬のことを報じた新聞でも、偶然繋がった電話が知的交流のきっかけと出ていた。

「それはどの電話でも繋がるの？」

「あたしの携帯でも繋がります。家の電話からでも繋がるから電話は選ばんと思いますけど。何なら、今でも掛けられますよ」

「え、それは見たい、ぜひ見たい。お願いできる？」

あまり有意義な話はできないかもしれないけど、と佳江は前置いて自分の携帯を取り出した。ボタンを押しはじめたのを高巳が止める。

「待った、どうせなら会話の内容を記録したいんだけどいいかな？」

佳江の了解が出て、録音機能付きの電話が基地内で大捜索された。電話は情報処理隊で発見され、佳江とフェイクの会話が録音される。

この内容は、その日の午後一番の会議で資料として提出された。

議題はフェイクとの交信方法である。

フェイクの問題を考えるに当たり、一番の難問だったのがコミュニケーションの遮断だ。分裂していた【白鯨】群は共通の波長を見出して互いの交信を可能としていたが、フェイクにはその波長が一切届かないのである。

ディックは定期的にその波長で呼びかけを繰り返しているが、フェイクとの交信は今に至るも成立していない。

フェイクの剝落時に必要性が学習されたという交信チャンネルだが、ミサイル攻撃を受けた極限状態で発生し得た以上、それは本能的に持っているはずのチャンネルである。チャンネルが開く瞬間を共有していないとはいえ、これをフェイクがまったく受けつけないことは謎だ。

この理由は未だ不明であり、佳江からもたらされるフェイクの情報に解明が期待されていた。中でも、直接フェイクと対話した記録は貴重なものである。

「もしもし、フェイク？　佳江やけど。元気にやりゆう？」

『フェイク・元気・健康・で・いる』

「またいっぱい食べたみたいやね」

『食べる・した・今まで・かつて・で・一番・多い』

「何回も言いゆうけど、あんまり無理して食べることないがで？」

『フェイク・無理・する・を・しない・瞬・が・望む・希望・を・する』

「もう食べる必要ないがで、知っちゅう？【白鯨】は人間を襲わんようになったき。瞬から聞いてない？」

『フェイク・は・瞬・が・食べる・を・望む・しなくなる・たら・食べる・を・やめる・瞬・は・食べる・を・望む・しなくなる・して・いない』

録音内容から、まずフェイクの言葉のたどたどしさが指摘された。ファーストコンタクト時のディックの言葉も拙(つたな)かったが、それに輪をかけている。

これは、ディックのように交流当初に日本語の正式な指導が為(な)されなかったからだとしても、初期のディックの会話と比べると印象がかなり違う点がもう一つあった。

「会話内容がえらく幼い感じがするんですよね。思考が幼いっていうか」

高巳は首を傾げながら言った。

「ディックもコンタクト時の言葉はかなりデタラメだったけど、会話の内容自体はかなり高度でしたよ」

「組み立てる言葉ももっと複雑でした。無駄に複雑だった感はありますが」

光稀もそう補足する。

ディックの場合は無駄に複雑だったところに省略を覚えて洗練された感じだが、フェイクの話し方は発展途上といった感じである。

佳江によると、語彙(ごい)自体は最初から豊富であり、喋り方も単語の羅列から会話文になるまであっという間だったらしい。その基本的な知能の高さは【白鯨】の特徴を感じさせるものの、喋り方は拙いままで停滞してしまったようだ。

どうやら、意思疎通に不都合がなくなった時点で、言葉を上達させることをやめてしまったようだ。本格的に日本語を指導する能力が瞬たちになかったということでもあろうが。

語彙や発音など初期能力が高かったことを別にすれば、フェイクの言葉の発達は幼児が発達する過程と似ている、と指摘したのは佐久間だ。

最初から言語がある程度の習熟状態にあったディックとは決定的に異なっている。

「交流の遮断もこの状態の違いが鍵かもしれませんね。フェイクはディックに比べて、かなりいろんな面で未熟なようです」

「あ、それについては佳江ちゃんの話から思い当たる節がないでもなかったり」

高巳の発言と同時に、光稀も自前のノートを繰って発言する。佳江の話を書きとめたものだ。

「フェイクは瞬くんに拾われる前のことは、まったく覚えていないようです。【白鯨】の存在が初めて報じられたときも、自分の仲間であるという認識はなかったそうで、同族意識は欠如しているのではないかと思われます」

筆記のコピーは全員に会議資料として配布されており、参加者の全員が該当のページを確認する。その間に高巳が言い足した。

「ディックから剝落したとき記憶を失ったか、退行したんじゃないかと……瞬くんに懐いてるのも、刷り込みみたいなもんだと考えたらつじつまが合いません？」

「もしそうだとすると、思考言語が最初の接触で使用された日本語に固定されてしまっているのかもしれませんね」

佐久間がそう指摘した。

生来の思考言語が失われ、知識として貯蔵してあっただけの日本語で思考を組み立てているとすれば、思考レベルが幼いのも頷ける。

何かのきっかけで【白鯨】生来の思考言語が復活したら飛躍的に発達するだろうし、記憶もその過程で戻る可能性が高いが、今のところその兆しはない。

「【白鯨】の交信チャンネルが繋がらないのもそのせいかもしれませんね。記憶を失った状態で初めて他者とコンタクトした波長に執着していて、それ以外の波長は交信のチャンネルとは認められないのかもしれません」

「それなら、交信チャンネルは手に入ったわけですよね。斉木三佐の携帯番号へ繋がる波長でコンタクトすればいいわけだから。後でディックに試してもらいましょう」

ビンゴだったらいいんだけど、と高巳はぼやくように付け加えた。一切の交信が成立しない状態では手の打ちようがない。

結果として交信チャンネルは確立した。佳江の声紋を装ったディックからの交信にフェイクが応じたのである。

通信が繋がるかどうかを確かめるための短い対話だったが、話したディックの心証からするとフェイクはやはり記憶を失っているらしい。

ディックが人間と会話するときは、思考を【白鯨】特有の思考言語で構成して日本語に同時翻訳する。そのため会話は常に二種類の波長で構成されるのだが、フェイクの思考には日本語の波長しか見えないとのことだった。

「これで打つ手もいろいろあるぞぉ」

交信テストが終了した通信席で、高巳が嬉々として手を叩く。

そして急に後ろに立っていた光稀を振り返った。

「武田三尉、佳江ちゃんにご飯でも奢ってあげたら」

急に話を振られて、光稀は目をしばたたいた。

「宮田さんにはこの後、本部が一席設けるそうだからさ。未成年者に酒の席ってのはよろしくないだろうし、かと言って佳江ちゃんにご褒美がないのもかわいそうだろ？」

「えいです、あたし先にホテルに帰るから」

恐縮したように言う佳江に、高巳がいいのいいのと笑った。

「今回一番の功労者に何もなしってわけにはいかないよ、大人として。な、武田三尉」

言いつつ高巳が光稀の耳元に何気なく顔を寄せた。

「積もる話もしておいで」

内心を読まれたような囁きに、光稀は思わずぎょっとして高巳に向き直った。しかし、高巳は知らん顔でよそに行ってしまう。

佳江と残されて、やがて光稀は口を開いた。

「じゃあ、ちょっと支度するから待ってもらえるかな」

外出許可は佳江を宿に送る名目で取り、車は同室の友人の軽を借りた。

シンプルなパンツスーツだが、私服も久しぶりである。

運転しながら助手席の佳江に食べたいものを尋ねると、味噌カツが食べたいと答えた。

「この辺でも食べられるならでえいですけど」

「チェーン店くらいならあるけど……もうちょっといいもの奢れるよ」

「名古屋に泊まってたとき、食べに行けなかったから」

ご褒美というには甚だ気が引けるが、国道沿いのチェーン店に入る。晩飯時よりも少し早いせいか、まだ外食店全般の営業が本格的でないためか、客はまばらだ。注文した料理もすぐに来る。

独特な味なので好みが分かれるところだが、佳江はおいしそうにぱくついた。

「そう言えば、武田三尉って……」

高巳と同じ呼び方をされて「光稀でいい」と苦笑した。高巳がいつも武田三尉と呼ぶから、それが普通の呼び方だと思ったらしい。

「光稀さん、出かけるときは喋り方ちょっと変わるんですね」

「そう……かな？」

「昼間はずっと男っぽい喋り方やったけど今はちょっと柔らかい感じやから。わざと変えてるのかなと思って」

日頃はもう意識もしないことをいきなり突かれて、内心で少したじろいだ。

「女同士のときはこんなものだよ。やっぱり仕事中は気が張るから」

女性が特に少ない職種に就いていることで、ことさらに気張っている部分は確かにある。

「春名さんと二人のときはこんな感じなんですか？」

思いも寄らない問いかけに、光稀は激しくむせた。

「あ、違うんですか？　何か雰囲気えいなあと思ったんやけど」

「別に……他の連中と変わらないよ」

「ううん、全然違ってる」

佳江はあっさり否定した。

「光稀さん、春名さんと話してるときは安心してる感じやし」

力一杯反駁しそうになって寸前で思いとどまる。子供相手にむきになるのはさすがに大人気ない。クールダウンにやたらと水を飲む。

「春名さんも光稀さんのこと分かってる感じがするし」

「あの男は分かったようなふりが得意なんだ」

光稀は忌々しげに吐き捨てた。いろいろ読まれている感じは確かにある。分かってますよ、とこちらを見透かしたようなタイミングはたまに悔しくなる。

例えば、佳江にこんなことを聞いてみたいと思っていたようなこと。

デザート待ちの間に、光稀は佳江に切り出した。

「――瞬くんのこと、少し訊いていいかな」

頷く佳江に問いかける。

「どんな子なの」

「しっかりしてるってうちの親とか宮じいは言います。勉強もようできるし優しくて真面目なえい子。うちの親も瞬を見習えっていっつも言います。いつでもどこでもソツなく優等生で、友達もまあまあおって女子にもそこそこ人気があって」

佳江は立て続けに並べ立てた。

「でも、ホントは人見知りで恥ずかしがりで、変なとこ変なふうに自意識過剰。大人ぶってるけど意外と恐がり。幽霊とか得体の知れないものも全然ダメ。フェイクのことも最初はすごく気味悪がってました」

最初の誉め言葉を全部覆す勢いでこき下ろす。

しかし、その遠慮のない言いようが佳江が瞬をよく知っていることを感じさせた。

光稀は小さく笑った。

「よく見てるんだね」

「そりゃあ小さい頃からの付き合いやもん。あたしが姉貴分で。子供の頃は大人しくて素直でかわいかったのに、育ったらかわいげなくなってがっかり。子供の頃は佳江ちゃん佳江ちゃんって後ろついてきてたのに」

いっぱしのお母さんみたいな言い草がおかしい。

葬送式に来たときの瞬を見て、その身の上を聞いて、家に帰ったら周囲に誰かいるのだろうかと心配になったものだが、しっかり気心の知れた盟友がいたようだ。

事故の後でかなり荒れたというし、その結果として高知を出た訳だが、それでも誰もいないから荒れたわけではない。そのことが光稀を救われた気持ちにした。

これほど親身な少女のいること自体が、斉木の育て方を思わせる。図らずも迎えた最期まで息子を気にかけていた斉木も浮かばれるだろう。

「三佐……お父さんとは仲良かったんだ？」

何気なく訊くと、佳江は大きく頷いた。

「今どき珍しいくらい。離れてるから却って仲が良かったのかなぁ、あたしなんか、お父さんうるさいって思ったりするけど。お父さんなんかお風呂上りに裸で歩き回るし、夏場とか家でいっつもパンツやし、平気でおならとかするし。おじさんもだらしなかったから家におったら絶対うちのお父さんみたいやったと思います」

年頃の少女特有の潔癖さは、光稀には少し懐かしい。父親と喧嘩をするときは決まってそのだらしなさを口を極めて罵ったものだ。それでも航空ファンの父は光稀の進路を驚きながらも喜んでくれ、反対する母親を説得してくれたりもした。

そう言えばしばらく実家に帰ってないな、とふと思った。

「最後の事故のときも、瞬、海岸に行ってたんです」

聞きたかったことは不意打ちのように佳江から語られた。

「おじさんが高知のほう飛ぶから。飛行機見えるわけじゃないけど、瞬いっつも行ってて」

「……知ってる」

この季節の浜は寒いきにゃあ、来ちゅうろうか。

そう言いながら地上を気にしていた斉木。

来てるといいですね。記憶の中の自分の言葉を光稀は訂正した。

来てましたよ、三佐。

きっと斉木は照れくさそうに笑っている。

佳江がふと自分の手元に目を落とした。

「瞬はお父さんのことが大好きやったんです。お父さんが亡くなったこと認めたくないくらいお父さんのことが好きやったんです。お父さんが亡くなったこと、八つ当たりしやすいところに八つ当たりしやすいもんがおって、八つ当たりしたらそれは瞬が悪いがやろうか」

自分の手と話すように呟く沈痛な声。

こういうときは何と言えばいいのだろう。光稀はしばらく考えて、それから言った。

「いい悪いで言えば悪いんだろうけど、瞬くんに悪いと言えるのは、瞬くんと同じ目に遭ったときに八つ当たりしないでいられる人だけだと思う」

佳江が少しだけ顔を上げて、わずかに微笑んだ。光稀も合わせて少し笑う。

考えた末に、高巳が言いそうなことを探すしかできなかったことが光稀には少し悔しい。

勝手に借りを一つ作ってしまったような気分だった。

【白鯨】再統合の翌日から、電力制限と電波管制は解除された。

＊

『セーブ・ザ・セーフ』の運営時間帯もさっそく昼間に戻されたその日の夕方、瞬は帰宅の前に真帆のところへ寄った。

在室しているはずの役員室のドアをノックするが返事はなく、瞬は何度目かのノックの後で、細くドアを開けてみた。

真帆はやはり室内にいるが、点けっぱなしのテレビを食い入るように見つめている。ドアの開いた気配にも気づかない様子だ。

「――入るよ」

声をかけると真帆はやっとドアのほうを振り向いた。点けているテレビは【白鯨】の再統合を報じたニュースである。昨日から引き続いて今日も一日トップ扱いだ。

「どうしたの、何か用？」

取り繕ったように平静な声は、無理をしているのだろうか。

瞬は部屋に入ってドアを閉めた。

「うん、別に用事ってほどでもないんだけど」

実際は、真帆を励ましてやってほしいと大村から頼まれたのである。

また無神経な根回しを、と内心でうんざりしたのは言えないが。

「大丈夫かなって」

何て白々しい台詞（せりふ）だろう。瞬が真帆を心配するなんて、日頃大して親しくもない同じクラスの女子にいきなり雑談しにいくようなものだ。

この白々しさを何で大村は分からないんだろう、と心中ではげんなりである。

「そうね、正直言って少しきついわ。すっかり出し抜かれちゃったし、いろいろとやりにくくなるわね」

真帆も特に弱音を吐くでなく、受け答えは淡々としている。

瞬は真帆の隣のソファに腰掛けた。白々しいことを言いにきたのに、顔の見える向かいには座れない。真帆のほうは見ず、テレビを見る。

「これからどうするの。【白鯨】は再統合しちゃったみたいだけど」

「再統合しても【白鯨】が人間に敵対する素養を内包していることに変わりはないわ。防衛型が発生したってこと自体【白鯨】に人間への敵対的な意識があることの表れだもの。いつまた敵対的になるか分からないわ。こんなことが解決だなんて認めない」

真帆は強い口調で答えた。

「もともと人間に親和を持ってるフェイクが吸収するほうが安全だという方針を変えるつもりはないわ。——もっとも、これはあなたがその方針に同意してくれるならって話だけど」

毅然（きぜん）としつつも最後に少し弱くなった口調が、真帆の弱気を表しているのだろうか。

「俺は……」

瞬は少し言いよどんだ。

ニュースや新聞を見ていると【白鯨】問題は既に解決したかのようだ。もう【白鯨】の襲撃はないし、電力も今日から早速復旧した。

だが、瞬とフェイクにとってはまだ終わっていない。人間を守るためにすべての【白鯨】を食い尽くせと、その道を開いたのは瞬だ。フェイクはそれについてきた。

実際に多くの【白鯨】をもう食べた後だ。仲間から存分に背かせておいて、今さらやっぱりやめましょうなんて。食べたことはキャンセルできないのに。

真帆に誘われたからというのは言い訳にならない。最後に選んだのは瞬なのだ。

「『セーブ・ザ・セーフ』がその方針で行く限り協力するよ」

「どうして?」

真帆が柔らかく、しかし逃げ場なく問い詰める。

「ひとまず【白鯨】の脅威は去った、それは悔しいけど事実だわ。『セーブ・ザ・セーフ』は今後は長期的な脅威を訴えていくことになるわね。短期戦に持ち込もうにも【白鯨】の攻撃性が鎮まった今となっては【白鯨】をおびき出すことも難しくなったわ。【白鯨】もフェイクを警戒しているでしょうし」

あなたにとっては引き時は今よ。

真帆は自分に不利な示唆をした。その公正さは真帆のプライドだろう。

「高知に帰りたいでしょう？」

それは魅力的な誘惑だった。あの古い家へ、隣に天野家の人々が住んでいて宮じいが訪ねてくるあの家へ、学校に行けばそこそこに楽しい毎日が待っているあの生活へ——帰る。

でも。

「フェイクは俺を信じてこれまでのことを全部やったんだ。フェイクは俺の言うことを何でも聞くけど、それはフェイクに俺しかいないからなんだ。俺は君の信念に納得して誘いに乗ったんだし、フェイクも一緒に来させた。俺が正しいと思ったからフェイクにもそうさせたんだ。君は自分の信念を曲げてないんだし、変わったのは状況だけだ。それならここで俺が日和って一抜けはできないよ」

義理堅いことね、と真帆が小さく笑う。

「別に君に義理立てしてるわけじゃない。こんなとこで日和るような俺を信じきってるんじゃ、フェイクがかわいそうじゃないか」

この道が一番いいと思って行ってみました、でもこの道じゃなくてよくなりました、じゃあ戻りましょうと瞬だけが戻っても、フェイクは戻れない。食べた仲間は取り返しが付かない。この道を行ったことはなかったことにはならない。

フェイクだけ置き去りにして瞬だけ楽なほうに戻って、そんなふうにして佳江のところには帰れない。

そんな卑怯(ひきょう)な自分では佳江に触(さわ)れない。あのまっすぐで明朗で善良な佳江には。

「分かった。あなたがそこまで決意してるなら、帰れとは言わないわ」

真帆はそう言ってにこりと笑った。

「疑うようなことを言ってごめんなさい。――頑張りましょう」

そう言って手を差し出す。瞬は成り行きでそのまま握手を交わした。

真帆の手はひんやりと冷たく、柔らかくて気持ちがいい。

しかし、瞬にとっては佳江の手と違うことで佳江の手が思い出されるだけの手だった。


部屋に戻ってから、瞬はフェイクに電話を掛けた。一日一回必ず掛ける電話だ。

「フェイク、今日はどうだった？」

『今日・は・【白鯨】・が・見つかる・発見・しない』

フェイクが【白鯨】の波長を感知できる範囲は、自分を中心とする半径数十km圏内である。

対策本部の公式発表によると、他の【白鯨】たちはもっと遠距離で意思の疎通ができるらしいが、存在の痕跡を示す波長と意思の波長は別物のようだ。そしてフェイクには【白鯨】の意思疎通の波長は感知できない。

【白鯨】に備わっているはずの能力が欠落している原因としては、団体と懇意の生物学の権威から、フェイクに出自と仲間の記憶がなく、【白鯨】との同族意識が欠落していることが指摘されている。

要するに家族から人間扱いされている飼い犬が、自分が犬であるという意識を忘れてしまい、他の犬とうまくコミュニケートできなくなるようなことであるらしい。

そういえばまだフェイクには教えていなかった、と思い出して瞬は言った。

「これからは【白鯨】は簡単に見つからなくなると思う。お前にはまだ言ってなかったけど、ばらばらになってた【白鯨】が一つに統合されたんだ。だから遠くに潜まれたら見つからない。向こうもお前を警戒してるだろうし」

『フェイク・は・どうする・れば・いい・のか』

「取り敢えず待とう。具体策は『セーブ・ザ・セーフ』の人が決めるよ。俺たちがしゃしゃり出てもよく思われないから」

それでも何かしたいと言うフェイクに、瞬は少し考えてから答えた。

「もし、【白鯨】の意思疎通の波長が分かるようになったら教えて。無理に思い出さなくてもいいけど、もし思い出せるなら」

もし意思疎通の波長が分かるようになれば、『セーブ・ザ・セーフ』にとっても有益だろう。思い出せるとは思わないが、思い出してくれたら見つけ物だ。

フェイクが了解の意を示し、それから別の話を出した。

『今日・佳江・と・話す・した』

予期せず聞いた名前に、一瞬心臓が跳ねた。

電話がほしいという伝言をフェイクから何度か聞いているが、その伝言は今までずっと無視したままだ。

「……何か言ってた?」

『あまり・食べる・を・しない・で・いい・と・言った』

俺のことは何も訊かなかったんだ、と内心がっかりした。伝言をずっと無視しているくせに、佳江が自分のことに触れなかったらがっかりする。まるで見捨てられたようで――そんな自分に嫌気が差す。

伝えても伝えても返さない言伝を諦めるなとは何様のつもりか。

声を聞くと恋しくて辛いなんて伝えてもいないくせに。言いもしないことを分かってほしいなんて横暴だ。

かと言って今さらそんなことは言えはしない。離れたところから声だけで、恋しくなるから声を聞きたくないなど、そんな恋でも打ち明けるようなことは。

そんなことを言って、帰ったときにどんな顔をしたらいいか分からないから。

「フェイクはどう思うの。佳江の言ったこと」

『フェイク・は・瞬・が・食べる・を・望む・希望する・から・食べる』

何を今さら分かり切ったことを訊いているのか、自分でいじましさに笑えてくる。

フェイクが食べたくないならやめてもいいよ。そんな台詞を心の隅で用意して、フェイクが嫌なら仕方がないと――公然と降りるチャンスを期待して。

フェイクの意志を決めているのは瞬だというのに。瞬が降りろと言わない限り、フェイクが自分で降りるはずもない。

もし、俺がもうやめようって言ったらどうする？

そんな問いかけは、発する遥か手前で自分の理性が寄ってたかって押し潰す。

じゃあ今まで食べさせたことをどう説明する気だ、フェイクに同族意識がないとは言え同族だと歴然と分かっているものを加害させたその責任をどうやって取る気だ、「ごめんなさい、仲間を殺せって言ったのは間違いでした、やっぱりよくないし悪いことだからやめましょう」瞬は謝ればそれで済むが、フェイクはもう取り返しがつかない。食べた仲間を今さら吐き戻すことはできない。

最初に大学に渡してしまえばよかった、佳江の言うように。そうしたらフェイクの責任を瞬が取る必要はなかった。

そんな卑怯な後悔がかすめるのを振り払う。

真帆の理屈に乗ると決めたのは瞬だ。真帆はまだその理屈で戦っている。

きっと普通に出会ったら友達にはなれなかったが、都合のいい理屈をくれたから飛びついて、要らなくなったら捨てるなんて、そんな勝手な話はない。

けれど、いつ帰れるのかを思うと気持ちが重たくなるのは否めなかった。

＊

『セーブ・ザ・セーフ』はあくまで【白鯨】の長期的な脅威を訴える方針のようだった。

報道への露出も一向に減ることはなく、特に写真や映像には白川真帆が広報として出ることも変わらない。

「受付にきれいな女の子ってのは、基本中の基本だけどね。そのうえ筆頭遺族ときたら同情票もばっちり固いし、どうしてなかなかあざとい戦略だよなあ」

テレビ画面の中の白川真帆を見ながら高巳が呟（つぶや）いた。本部室に設置されたテレビでは、エアチェックした今までの『セーブ・ザ・セーフ』関連のビデオテープが繰り返し流れている。

「随分と見方が辛辣（しんらつ）じゃないか、らしくもない」

揶揄（やゆ）するように光稀が言うと、高巳は椅子に沈み込むように深くもたれた。

「気の毒だとは思うし、同情すべきは同情するよ。でも、それと団体の戦略は分けて考える。そのうえであざといと言わざるを得ないでしょ、このやり口は」

白川真帆を前面に押し立てて、初期の頃のニュースでは必ずその身の上を紹介してから本題に入る構成になっている。この判で押したような構成は団体からの強い意向によるものらしい。

そして団体の思惑通り、白川真帆の身の上は日本中に知れ渡った。父を【白鯨】事故で失い、母はその心労で入院し、ただ一人【白鯨】反対活動に身を投ずるいたいけな少女として。

白川真帆と言えば『セーブ・ザ・セーフ』、『セーブ・ザ・セーフ』と言えば白川真帆。

そして『セーブ・ザ・セーフ』は真帆への同情とともに人々に記憶される。

日本の世論は子供に弱くて、凶悪犯でも未成年ならその将来を憂えてもらえたりする。何の罪もなく不運に見舞われた少女が健気に親の仇を追及する図など、戦術核を積んだF15並みに無敵だ。

事実、先日の勇み足的な【白鯨】併呑作戦にもほとんど批判の声は上がらない。ただし直接的な【白鯨】脅威が取り除かれた現在、積極的な支持も減少しつつあるようだが。

「これを大人の思惑で踊らされてるんじゃなくてこの子の意志でやってるってんだから。甘く見て油断するわけにはいかないでしょ」

『セーブ・ザ・セーフ』の事務局を訪ねた佳江と宮田の話によると、真帆は団体の中で主導的な立場にあるらしい。だとすれば、団体の戦略も真帆の意志によるところが大きいはずだ。

「こうした状況で自分の不幸がセールスになるって分かってて、完璧にセールスしちゃうんだ。自分の見映えもきちんと意識して演出してるしね。そこらの大人なんかよりよっぽど頭が良くてしたたかだよ」

高巳はいっそ冷徹なほどの眼差しでテレビを見つめた。

「同情売るつもりの相手から同情買ってちゃ相手の思うつぼだよ。いくらでも買わされる」

光稀はどきりとして高巳の横顔を窺った。その表情も言葉も、気さくで人当たりのいい日頃の様子からは想像の付かない厳しさだった。

ただ気さくなだけの男ではないことは知っている。

しかし、こんなふうに突き放した見方は光稀の知っている高巳にそぐわない。

知っている高巳を裏切られたようで、光稀はたまらず口を挟んだ。

「そこまでのことは……穿ちすぎじゃないのか」

高巳は光稀を振り向いて笑った。いつもの人懐こい笑顔ではなく、困ったような労わるような——労わるのは光稀へだ。

「あのね、武田三尉。君が優しいのは知ってるけど、この子はちょっと規格外だから。この子は君のここに付け入ってくる」

言いながら、高巳が光稀の胸元をあけすけに指差す。光稀は思わず胸を押さえた。

「朝からおんなじだけビデオを見て、それでも俺みたいな見方をしない君みたいな人を選んで付け入るんだ」

当然のように優しいなどと言われて、光稀の表情は複雑に歪んだ。心外なような恥ずかしいような腹立たしいような。

「こんだけプライド高そうな子が自分の不幸を売り物にしたってことが恐いよ、俺は」

高巳が溜息混じりに椅子の肘掛けに頬杖を突く。

「そんだけなりふり構ってないんだ。捨て身だよ。向こうは最初からそんだけ本気で【白鯨】を追い詰めるつもりで戦略練ってるんだ。こっちも本気じゃないと足元すくわれる。向こうはすくう気満々なんだ」

こちらの陣営に、相手に乗せられて同情する奴がいるのは邪魔だ。言外にそう言われているような気がした。

光稀は唇を嚙んだ。邪魔になど。

なるものか——高巳から顔を背けた視界の端で、高巳の表情がふっと緩んだ。

「ごめん。ずるしたな、俺」

弱気がかすめる声に、光稀が思わず向き直ると、高巳はやっぱり困ったように笑う。

「俺、嫌な奴になんなきゃこの子に勝てる自信ないからさ。嫌な奴になるのは仕方ないんだって言い訳したかっただけ。そういうところ、ちょっと見られたくなかったから」

いきなり目の前に手がかざされ、光稀は思わず首をすくめた。高巳の指が前髪を軽くなぶる。

「——俺は嫌な奴になるから、武田三尉は同情してあげて。こんななりふり構わないほど思い詰めなきゃいけなかったこの子をさ」

できれば俺のことも嫌いにならないでくれると嬉しいんだけど。

気軽なふりでおどけたように付け加えられる言葉。

「杞憂だ。別に嫌う理由はないからな」

光稀は素っ気なく答えた。

どうして高巳が光稀へ弱気になるのか、それを考えそうになる自意識過剰な自分が忌々しく、その裏返しで答える声が頑なになることも忌々しかった。

「というわけで、こっちから乗り込んでみるっていうのはどうでしょうね？」

会議でそう発言したのは高巳である。

「このまま報道使って鞘当てしてても埒があきませんしね」

「こちらに呼び出すかね？」

いかにも相手を呼び出すのに慣れた発言は宝田だ。

「いえ、できればこちらから出向きたいかなと。相手を立てる代わりに、会談のメンツを指名できないかなーなんて」

「なるほど、瞬くんを指名しますか」

佐久間の察しに高巳は頷いた。

「情報提供者の利益は尊重しませんとね」

瞬を説得したい、というのが佳江と宮田の意向だ。佳江と宮田が直接事務局に乗り込んでも瞬に会えなかった以上、第三者が乗り込んで引きずり出すしかない。

「こっちの参加は宝田一佐と佐久間先生、それから第一発見者として、武田三尉と俺は確定としましょう」

「威嚇としてはまあ充分な陣容だな」

宝田が満足げに頷く。いろいろと憤懣が溜まっているらしい。

対策本部の最主要メンバーが出向くのに、指名した者を外すような小細工はできまい。

「向こうの支援ルートへの働きかけも進んでいることだしな」

ざまあみろと付け加えかねない大人気ない宝田であった。

議題は【白鯨】問題解決に関する認識のすり合わせとし、『セーブ・ザ・セーフ』に対して対策本部は正式に会見を申し入れた。

『セーブ・ザ・セーフ』はこれを受けて、会談は一週間後の七月下旬の日程で実現することになった。

＊

【白鯨】対策本部から正式な会談申し入れがあり、会談場所は『セーブ・ザ・セーフ』事務局となった。

対策本部からは、最高責任者である宝田一佐のほか、佐久間公亮(きみあき)教授、武田光稀三尉、春名高巳らが出席。武田光稀と春名高巳はあまりマスコミに露出していないが、二人とも【白鯨】の第一発見者であり【白鯨】との交信の第一人者であるとのことだ。彼らが対策本部の最重要メンバーであることは間違いない。

政府機関の側から赴いて、しかも最重要の陣容というのは相当の尊意であると言える。

その代わりと言うべきか『セーブ・ザ・セーフ』側の参加者も一部指名を受けた。真帆と瞬である。

真帆は首脳部メンバーとして当然として、フェイクの情報を得たいであろう対策本部が瞬を指名するのも納得のいく話だった。

会議室の楕円卓(オーバル)の両側に、対策本部と『セーブ・ザ・セーフ』の人間が分かれて着席した。『セーブ・ザ・セーフ』からは指名の真帆と瞬のほかに、大村から順にスワロー事故の被害者に近い遺族が数名出席している。

真帆は対策本部側の面々を露骨にならないように観察した。

紺色の制服と無難な色のスーツが交互に座っている。上手から宝田一佐、佐久間教授、武田光稀、春名高巳の順である。女子の武田の制服がスカートでないのが珍しいが、これは戦闘機の女性パイロットがマニアから珍獣扱いのため、基地祭や広報などで男性隊員に紛れるための特例処置らしい。確かに武田は男性と同じ制服を着て制帽を被っていれば、一見線の細い男性に見えないこともない。

宝田は階級と年齢、そしてその強面と体躯から与し難い迫力を感じるが、佐久間は一見風采の上がらない会社員風だし、武田も謹厳そうではあるが宝田ほどの威圧感はない。春名高巳に至っては論外だ、へらへらと摑みどころがなく、いかにも軟弱そうな感じである。

と、その春名が真帆に向かって口を開いた。

「初めてお邪魔しましたけど、外も中もえらく警備が物々しいんですね。入ってくるとき緊張しちゃった」

外見通りの軽薄な口調に、真帆は内心失笑しながら答えた。

「そうですね、尖鋭的な立場を表明していると反発を受けるのも常ですから。ことに【白鯨】再統合の後は私たちの存在に疑問を抱く人もかなりの数いるようですし。自衛は怠らないようにしています」

過剰自衛って感じもしないじゃないけど、とややわざとらしい調子の春名の呟きはこちらに聞かせるためだろう。意外と小賢しい。

「今日は【白鯨】問題について認識のすり合わせとのことですが……」

真帆の発言に、携帯の着信音が重なった。

両陣営数人が内懐やポケットを探る仕草をするが、着信は春名だったようである。

恐縮したように周囲を拝みながら春名が携帯に出る。「あ、そう。着いた？　じゃあ」携帯にぼそぼそと受け答えし、それから話の途中で顔を上げて大村のほうを見る。建前上は大村が上座だから当然だ。

「事後承諾ですみませんけど、うちからちょっと参加メンバーが増えまして。遅れて到着したんで、来させていいですかね？」

鷹揚に承諾した大村の横で、真帆は直感的に座りの悪さを覚えた。春名が携帯に話しつつ、会釈を振りまいて席を立つ。エレベーターホールまで迎えに出るようだ。

待つことしばし、ノックの音がして会議室のドアが開かれる。春名が入り、

――やられた、と真帆は忌々しげに顔を歪めた。

春名に続いて入室したのは、天野佳江と宮田喜三郎だった。

「……このお二人がそちらの正規メンバーだとは存じ上げないわ」

精一杯の厭味を籠めてそう言うと、春名が席に戻りながら厭味なほどにこやかに答えた。

「つい先だってアドバイザーに迎えたばかりなんですよ。二人とも瞬くんと懇意だって話だし、出席してもらえたら瞬くんもリラックスするかなー、なんて思ったんだけど……気の回しすぎだったかな？」

抜け抜けと。真帆は歯噛みした。

真帆が彼らの接触を阻んでいたことについては一切触れない。触れないことで言外に弱みを握っている。巧妙なやり口だった。

ここで佳江と宮田の同席を拒否したらそれこそ佳江が黙ってはいまい。今まで瞬への面談を阻まれていた事情をぶちまけるだろう。

場所も立場も選ばない、計算と無縁の直情な性格がこの場面では恐い。

思いも寄らぬ参加者に『セーブ・ザ・セーフ』陣営も動揺を隠せない。フィールドはこちらでありながら、空気は初手から向こうに摑まれた。

一番の食わせ者であった男から、真帆は敢えて目を外した。目が合えば眼差しが剣呑になるのは抑え切れないし、感情を露にするのは負けを認めるようで屈辱だった。

相手を読めなかったこともその屈辱に拍車を掛けていた。

会議が始まってから着信鳴らすなんて、非常識な人だな。

出て行く春名高巳を見ながら、瞬はそんなことを思っていた。

まさか彼が佳江と宮じいを連れてくるなんて思いも寄らない。

佳江は最初から誰かを捜すように入ってきて、すぐに机の端に座っている瞬を見つけた。

——ああ。

やっと見つけた——

何も言わないのにそう言っているのが聞こえるようだった。

佳江に続いて宮じいも。しわくちゃの顔に刻まれる親しみ深い笑み。

賢しくなく押しつけがましくなく。取り澄ましてもおらず。ただ温い。

自分がそんな温かみから切り離された場所にいることを今さらのように思い知った。離れていたのは数週間なのに、テーブルの向こう側が懐かしくて恋しくて仕方がなかった。

どうしてこんなところにいるんだろう——こんな、誰とも親しく話せない気疲れする場所に。

俺がいるのは向こう側だったはずなのに。どうして俺は今こっち側なんだろう。

もちろん俺が馬鹿だったからだけど。

テーブルの幅が果てしなく遠い。

声が聞きたい、と飢えるように思った。声が聞きたい、話したい、佳江の隣にいたい。

あなたが好きです付き合ってください。

そんな契約を取り交わすところは想像できないけれど、
佳江が、俺の好きな女の子だったんだな——こんなときにこんなところで、本当はずっと昔から知っていたような気がすることをやっと自覚した。

第９章　最後に救われるのは誰か。

もし、【白鯨(はくげい)】の意思疎通の波長が分かるようになったら教えて。無理に思い出さなくてもいいけど、もし思い出せるなら。

*

その発言は、フェイクに決定的な転機を与えることになった。

無理に思い出さなくてもいいけど、もし思い出せるなら。そんなことを瞬(しゅん)に言われたのなら、フェイクが必死で思い出そうとしないわけがあろうか。

必ず自分の中にあるはずの【白鯨】であったときの記憶をフェイクは懸命にたどった。至福感と切り離された記憶のその前を。

そして、その最中にそのコンタクトはあった。

いつもなら瞬や佳江(かえ)が繋(つな)がる波長のその先に、そのときはフェイクの知らない別の何ものかが繋がっていた。

『私』＝〈悠久の時を過ごしこれからも永く過ごす・打ち砕かれ分裂した〈中立・不干渉・防衛〉経験を持つ・人間が【白鯨】と名付けた・ディックという愛称を持つ・白く機能的な・楕円(だえん)・であるところの・《全き一つ》は、『あなた』＝〈かつて『私』であり・事故により

『私』から剝落（はくらく）し・今は『私』から独立した意思を持つ・斉木瞬からフェイクと名付けられた・しかしまぎれもなく『私』の同族・であるところの・【白鯨】）に話し掛けています。

聞、こ、え、ま、す、か？

聞、こ、え、た。

思考を形成する日本語とまったく同じに絡み合う波長、自、分、が、本、来、持、っ、て、い、た、思、考、す、る、言、葉、をフェイクは聞いた。

それは必死で思い出そうとしていた記憶に繋がる綱となった。

綱をたどってフェイクは急速に過去に沈降した。

＊

思い出せる最古の記憶は太古の豊かな海であった。

【白鯨】（そのはるかな未来である現代で得る他称）は全地球的に存在していた。その頃の【白鯨】はまだ不完全な楕円であり、脆弱（ぜいじゃく）で扁平（へんぺい）なからだをしている。

豊かで怠惰で温かな海は生命の揺籃（ようらん）となり、【白鯨】も【白鯨】でない他の生命も際限なく増え際限なく死に更に際限なく溢（あふ）れた。

生死は淡々と積み重なり、淡々と積み重なり。

すべての生命はただ存在していた。自分以外の他の生命に干渉することなく。

ただ生きて死ぬことをのみ淡々と繰り返し。淡々と繰り返し。淡々と繰り返す。

世界は平和で静謐だった。


やがて海の様相が変わった。

瞬く間に異形の生物たちが現れ、海を席巻した。

環状のもの。足のあるもの。殻のあるもの。這うもの。泳ぐもの。

全般的に【白鯨】や【白鯨】と同じ頃に発生している生物より複雑なかたちをしている。

そして発生した奇妙な生物たちは、他の生命への干渉を開始した。

自分以外の生命を取り込み、自分の生命とする。

世界に捕食が発生した瞬間である。

強いものは食い、弱いものは食われ、弱いものは食われる分を補うために増え、強いものは増えたものを更に食らう。

　積極的で獰猛な生の始まりだった。

【白鯨】も【白鯨】と同じ頃に発生した生物も、多くが食われた。ただ己が生死を重ねることしか知らぬ生物たちは蹂躙されるばかりだった。

【白鯨】は平和で静謐な世界の再来を強く望んだが、どうやら世界はこれから攻撃的で競争的になっていくらしい。

気づくと【白鯨】と同じ頃に発生していた生物たちは存在を絶たれていた。攻撃的で競争的な世界に淘汰されたのだった。

このままでは【白鯨】も遠からず同じことになるだろう。

【白鯨】は自衛を望んだ。

すると【白鯨】たちは寄り集まり、融合して巨大な一つの生物となった。

【白鯨】が《全き一つ》という概念を手に入れ、それを実現した瞬間であった（このエポック以降、【白鯨】の記憶は明瞭に残されはじめる）。

あまりにも巨大になったため、【白鯨】は他の生物たちの捕食対象からは外れた。

しかし、長く時が過ぎると【白鯨】が抗わないことが知れ、ただ単に巨大であることは自衛に繋がらなくなった。

見つかると端から食われ千切られていくようになり、【白鯨】は再び自衛を望んだ。

すると【白鯨】は世界の波長を知覚するようになった。

【白鯨】が「波長」という概念を手に入れた瞬間であった。

【白鯨】は外敵の発する波長を知覚し、効率的に外敵を回避するようになった。

波長を知覚する能力は、獲得してから急速に発達した。外敵を回避できなかったときは外敵の怯む攻撃的な波長を自分で生成して放射できるようにさえなった。

他の生命の干渉を排せるようになり、【白鯨】には平和な生が戻った。

波長という概念を得てから【白鯨】は自分を生かしているのが海の上方から降り注いでいるとある波長であることを知り、自分が浅い海を回遊している理由をも知った。

しかし、また長い時が過ぎて、問題が起こった。

海に巨大な衝撃が落下し、その後、世界が暗く翳（かげ）った。

海は寒くなり、かつてのように温かではなくなった。そして【白鯨】の生存に必要な波長が海に降り注がなくなった。

【白鯨】はおよそ生まれて初めての飢えを経験した。

飢えを解決するために、【白鯨】は大きな決断をした。

波長を求めて海から出ることを【白鯨】は採択したのである。

体内の波長を操作することで【白鯨】は海から出た。

そして【白鯨】は「飛ぶ」という概念を得た。

海の外は凍えるような大気だった。

波長は海の中よりは増えたが、まだ足りない。【白鯨】は更に上を目指した。

上を。上を。上を。

やがて【白鯨】は、多量の塵芥（じんかい）が覆う層に差しかかり、これを突破した。

その上にはかつてと変わらない、かつては海の中にまで降り注いでいた波長が豊かに溢れていた。

【白鯨】はそこに棲むことを決め、その環境に特化した。

からだは水気を失い、軽く薄く、形状も洗練された。

そして永い永い時間、そこにいた。

＊

「で、今後の【白鯨】についての対策なんですが」

再開した会議でイニシアチブを取ったのは春名だった。突発事態で『セーブ・ザ・セーフ』側が動揺している隙に、春名がさっさと話し出してしまった感じである。

「そちらの皆さんは今後、【白鯨】がどうなることを望んでいらっしゃるのかお伺いしたいんですが」

春名はいきなり核心を突いた。

大村を始め、団体メンバーが戸惑ったように真帆を窺う。動揺した様子をあっさりと見せる大人たちに、真帆は内心で激しく苛立った。

最終的に団体が目指している決着はあるが、それは瞬の前では言えない。そのことを悟られかねないような態度を見せるなど。

何という迂闊な大人たちだ。

真帆は内心の乱れはおくびにも出さず口を開いた。

「私たちは、【白鯨】が人間にとって非常に危険であるという意見を持っています。あなた方は【白鯨】が再統合して防衛型が鎮まったから大丈夫と主張しておられるようですが、私たちにはそうは思えません。そもそも防衛型が発生したこと自体【白鯨】が人間への敵対性を生来持っている証拠と考えます。そして【白鯨】の能力からすれば、【白鯨】がいざ人間の殲滅を企図すれば人間にそれに抗う術はありません。これは先日までの一方的な攻撃の様子を見ても明らかかと思われます」

「つまり、【白鯨】との講和は信用できないってことだね」

春名は真帆の話を途中で折ったが、内容は端的にまとめているのでひとまず文句のつけようがない。巧妙な話術だった。

「しかも信用できない理由は防衛型の発生と【白鯨】の生物的優位をもってする、と。主張はこれで合ってるね？」

春名は重ねてそうまとめ、真帆も頷く。

「それってかなり難癖に近いのは自分で分かってる？」

「失礼じゃないか、君！」

春名の切り返しに大村が反駁するが、真帆はそれを仕草で制した。

大村ではいつ余計なことを口走るか分からないし、討論させるわけにはいかない。それは他のメンバーも同じことで、春名と腹の探り合いをさせられる人材など団体には存在しないし、そんな人材がいたら真帆が団体の主導権を取ることなどできはしない。

首脳部を無能で固めたのは真帆だが、それが今ここで仇となるのか。この男を相手取ることは当初の予定に入っていない。

対策本部側はあくまで春名を切り込みに徹させるようで、他の出席者は口を挟まない。勢い、議場の発言者は春名と真帆の二人に限定された。

お膳立てされたのならせいぜい踊ってみせるまでだ——真帆は高巳に問い返した。

「難癖、とはどういうことでしょう?」

「防衛型が発生したのはそもそも人間の騙し討ちが原因だし、生物的な優位は【白鯨】の責任とは言えないでしょう。その二つを以て信用ならんってのは最初から【白鯨】と歩み寄る気がないようにも思えるんだけど」

「そもそも歩み寄れると思えませんから」

真帆はあっさり言ってのけた。

そして挑むように切り返す。

「【白鯨】と人間では彼我の思考や生存の形態に差がありすぎます。相互理解が可能とは思えません。例えば【白鯨】が今回の停戦にあっさり同意したのも、人間を油断させるための策略じゃないとは言い切れないわ。もしこれが人間同士の争いなら、一方的に騙し討ちされた側とした側が、こんな短期間で何の遺恨もなく関係修復できるわけがありませんもの」

「遺恨がなかったわけじゃないでしょ、【白鯨】は報復すべきはしたわけだし。短期間で停戦が叶ったのは対策本部の尽力の賜物としてくれないかなあ」

それに、と春名が付け加える。

「相互理解ができないってわりに【白鯨】の意思の推測はえらく人間的な判断に引き寄せるんだね。相互理解が不可能なら【白鯨】の思考を人間の思考に準える(なぞら)のも無意味だ」

「理解できないものを敢えて(あ)推測するのなら、もし自分ならという価値基準に照らし合わせるしかないんじゃありません？　危機管理的な見地からすれば、最悪の事態を想定するのも当然でしょう？」

「つまり君は……」

春名は意識してかせずにか二人称を使った。

「【白鯨】はまだ報復を完了しておらず、より効率的な報復のために人間を欺こうとして虚偽の停戦を結んだ、と主張したいのかな」

「そういう側面がないと言い切れまして？」

と、そこへ佐久間(さくま)が口を挟んだ。

「一つだけ申し上げておきますが、【白鯨】は嘘という概念を持っていませんよ。嘘とは同族の他者を欺くための概念で、単一の生命体であった【白鯨】は嘘という概念をそもそも必要としません」

「必要になったかもしれないわ、同族ではなくとも他に欺くべき知的生命体と邂逅(かいこう)したんですもの。【白鯨】の知能なら短期間で嘘を会得するのも不可能じゃないでしょう。それとも対策本部では【白鯨】が嘘をつかないという確実なデータを持っておられるんでしょうか？」

佐久間はまだ何か言いたそうな表情だったが、真帆は春名に視線を切り替えることでその話を切り上げた。佐久間と専門的な論戦に入るのは不利だ。『セーブ・ザ・セーフ』は【白鯨】の詳細なデータを持っていない。

「とにかく、【白鯨】と共存協定が成立したとしても、それは平等なものじゃないというのが当団体の主張です。【白鯨】には一方的に人類を蹂躙（じゅうりん）する力があって、仮に【白鯨】側が協定を破ったとしても人間にそれを処罰する力はないわ。破棄に対する抑止力が存在しない協定に講和を預けるなんて危険すぎます」

「そこで最初の質問に戻るんだけど君は結局【白鯨】をどうしたら満足なのかな。どうしたら【白鯨】を信用できるのかな」

春名に問われて、真帆は答えた。

「【白鯨】がフェイクに吸収されることを一応の目安としています」

*

【白鯨】は上がりつ下がりつ、とりとめのない思考を巡らせつ、永い永い時間をそこにいた。

そしてつい先頃、その波長を受けた。

波長は明らかに自然ではない、何らかの意図が感じられるパターンから組み立てられており、【白鯨】はその波長を体内に透過させることでその内容を見た。

下のほうから飛んでくる自然でないその波長は時間が経つごとに多くなり、多くを見ることで【白鯨】は波長を解析できるようになった。

そして【白鯨】は、波長を操る知的生物が下方にいることを知った。

人間・人類等と自称するその生物たちは、世界を定義づけて明確にし、また更に明確にしていくことを目指しているらしく、世界を明らかにした理論を「知」として蓄えることを種族的な喜びとしているようだった。

彼らの「知」に対する貪欲さは凄まじく、彼らの個々は短命であるにも拘わらず、彼ら個々の知り得ぬ過去や未来のことにまで「知」は及んでいた。特に過去の定義づけは綿密であり、彼らが発生したはるか以前のことまでも彼らは定義づけており、それはその当時を実際に体験している【白鯨】から見てもある程度は正しかった。

彼らは世界を明らかにすることで世界に挑んでいるようにも見えた。

それまで生存以外に特別な目的を持たなかった【白鯨】にとって、彼ら人間の有り様は興味深く、【白鯨】は彼らの波長を積極的に拾って読むようになった。

【白鯨】にとってはそれが世界を知ることでもあった。

彼らの波長は【白鯨】自身にも変化を及ぼした。それまでは茫洋としてとりとめのなかった【白鯨】の思考は、より効率的で機能的なものに発展した。

【白鯨】は思考するということをはっきりと意識して思考するようになった。

それによって【白鯨】の知能は飛躍的に進化した。

それは【白鯨】にとって何番目かの大きなエポックであった。

【白鯨】は人間の「知」をかなり学んだが、どうしても理解できないことがいくつかあった。

人間が同じ種族同士で相争うということもその一つである。【白鯨】が彼らを学びはじめてからも争いは永続的に繰り返された。少なく争う場合も多く争う場合もあり、多く争う場合、それは戦争と呼ばれるようだった。

争う原因は様々のようだが、【白鯨】にはあまり理解できない。【白鯨】は《全き一つ》であるがために相争う同じ種類を持たないが、同じ種類の生物が争って数を減らすことは非効率に思われた。せっかく増えたものを自ら減らすその矛盾を【白鯨】は理解できなかった。

集団であることが普遍的に持つ矛盾かとも思ったが、人間以外の生物群がそのような矛盾を来(きた)すことはないようで、これは人間特有の矛盾であるらしかった。

人間はそういうものなのだと【白鯨】はそれ以上を考えることをやめた。

やがて特に大きな戦争が起こった。

その戦争を境に、人間は空を飛ぶ「知」を手に入れたようだった。それまでは空を飛ぶことは試行錯誤かつ特殊な試みでしかなかったようだが、これ以降はある程度体系化され、一般化された「知」となった。

飛ぶという概念自体を会得している【白鯨】にとって、それは非常に非効率で危なっかしい技術であったが、人間は積極的に空を行き交った。

最初は低くしか飛べなかったが、それもどんどん高さを増した。

間にまた何度か大小の戦争を挟んで、人間の飛行技術は不安定ながらも着々と進化した。

やがて、とうとう彼らは【白鯨】の棲む高度に達し、【白鯨】は彼らとの接触を避けて高度を上げた。

【白鯨】には彼らと積極的に交流する意思はなかったのである。人間が高処に達し、【白鯨】が更にそれを上に避け、いつしか【白鯨】は高度二万メートルを生活域にするようになった。

そのうち人間は【白鯨】よりも更にずっと上へも何かを打ち上げるようになったが、それらはひとまず【白鯨】に関わりはなく、【白鯨】は未だ人間にその存在を知られなかった。

＊

「どうして【白鯨】がフェイクに吸収されたら安心できるわけ？」

敢えていちいち尋ねてくる春名のまわりくどさに苛立ちを感じつつ、真帆も答えない訳にはいかない。

「フェイクはもともと瞬くんに育てられて、人間に親和を持っている【白鯨】です。つまり、現時点では唯一の人間にとって安全な【白鯨】であると私たちは考えています。そのフェイクに他の【白鯨】が融合されるなら、【白鯨】は人間にとって安全な生物になると言えるのではないでしょうか？」

「そうかなあ？」

春名が大仰なほどに首を傾げる。

「言ってみれば、たまたま野生の動物が瞬くんに懐いたってだけのことでしょ？　そんな偶然の関係がそこまで信頼できるとも思えないんだけど。野生動物って懐いたように見えても何かの拍子で野生に戻って人を襲ったりするしね。フェイクがそんなことになったら、人が猛獣に噛まれた程度の話じゃ済まないよ」

「動物と【白鯨】では比較にならないわ、【白鯨】に高い知能があるというのはあなた方自身が唱えるところでしょう」

真帆は声が険を含むのを懸命にこらえた。揚げ足を取っているだけのような隙だらけの春名の反論は、反論としては不完全だが、真帆を苛立たせることにだけは威力を発揮していた。

「高度な知性を持った生物には教育が可能です。人間に親和のあるフェイクに【白鯨】を統合させたうえで人間との望ましい関係を教育したら、【白鯨】の安全性は今とは比較にならないほど高まるはずです」

「都合よく混ぜてるみたいだけど、フェイクは人間に親和を持ってるわけじゃないでしょ？　あくまで瞬くんに懐いてるだけだ。瞬くんへの親和は人間全体への親和とは同一視できない。フェイクが【白鯨】を攻撃してたのは、人間に親和があって人間を守ろうとしたわけじゃない。瞬くんが人間を守るためにそうしろと命令したからそれに従ってるだけだ」

「だけどフェイクの親和を得ている瞬くんは人間だわ」

真帆は春名を遮るようにそう言った。

「瞬くんが人間との望ましい関係を教育したら、フェイクはそれを受け入れるはずです」

「瞬よ」

突然、話の流れを完全に無視して瞬に語りかけたのは宮田（みやた）だった。

「お前は一体何様になったがな」


叱るというよりはむしろ悲しそうな声に、瞬はぎくりと肩をすくめた。

宮じいのほうを向こうとするが、視線がどうしても宮じいの顔まで上がらない。

「お前は、フェークを自分が教育できると思うてここへ来たがか。真帆さんの話を聞きゆうと、どうもそういうつもりやったに変わらんが」

実際そういうつもりだったので、瞬の目線はますます落ちた。

「お前は一体何年生きた」

声の色が答えろと言っていて、瞬は懸命に顔を上げた。宮じいの静かな眼差（まなざ）しが痛い。

「十六……もうすぐ七」

「それっぱあで、お前は世の中の道理をもうわきまえたつもりかや。人間を代表して【白鯨】を教育するらぁて責任の重いことを、お前は全うできるばあ立派な人間か。お前はまだ自分が教えてもらわないかんばあの年やろうが」

フェイクを間違ったほうへ来させたから。

だから自分が責任を取らなくては、責任を取ってフェイクの帳尻を合わせなくては、こっちが間違っていなかったことになるまで。

そんなふうに思っていたことさえ思い上がっていたようで、瞬はひたすら肩身が縮むような思いだった。

宮じいの言葉を聞いていると、一時は正しいと思えた真帆の理屈も何かのごまかしのような気がしてくる。

自分は間違いの上に更に間違いを重ねたのだろうか。

だとしたら、このうえフェイクにどう責任を取ればいいのだろう。

瞬にはもう分からない。

事態はとっくに自分の手に負えるところを通過していたのかもしれなかった。

「宮田さん、瞬くんを責めないでください」

真帆はとっさに口を差し挟んだ。

このままでは瞬が降りる。

宮田のわずかな言葉で、瞬は目に見えるほど動揺していた。勧誘前の瞬への身辺調査からも分かりきっていたことだが、やはり宮田の瞬に対する影響力は侮れないものがある。この老人は春名とは別の意味で要警戒人物だった。

あからさまな邪魔に佳江が真帆を睨むが、真帆は無視した。

「瞬くんをそう言って勧誘したのは私です。それに瞬くん一人にフェイクの教育を押しつけるつもりはありません。その段階になれば政府への協力も依頼する予定でしたし、実際の指導は専門家に委ねることになるかと思います。瞬くんにはフェイクと良好な関係を維持してもらうことで、フェイクと関わる人々との信頼関係をサポートしてほしいんです」

「でもそれって、結局フェイクと瞬くんの信頼関係一つに人間との関係がかかってるってことだよね」

真帆の相手はあくまで春名がするということなのか、春名が話に割り込む。

「フェイクは【白鯨】と比べて思考の発達が未熟なようだし、瞬くんとの信頼関係を人間全体との関係にすんなり発展させていけるとは思えないんだけどな。そうすると、【白鯨】と人間の関係なんて言っても結局のところはフェイクと瞬くんの関係に終始しちゃうわけだし、個人関係なんてあやふやなものに種族間の講和を担わせちゃうのは却って危険だと思うんだけど。そこら辺どうなの?」

まさか、個人関係の無条件な恒久維持を前提になんかしてないよね?

春名の指摘は痛いところを突く。

「フェイクに【白鯨】を吸収させるっていうことは【白鯨】をより精神の成熟度が低い状態にさせてしまうってことだけど、そのリスクについてはどう考えてるの? 対策本部との交渉を経た上で停戦に応じるだけの精神的成熟がある【白鯨】を、瞬くんに従順なだけのフェイクに統合させちゃうメリットって何?」

「もちろん、フェイクの精神的成熟を促すことも教育目的の一つになるかと思います。瞬くんとの信頼関係だけに恒久的に講和を依存しようとは考えていません」

真帆の切り返しを待っていたように春名は言った。

「フェイクが【白鯨】に追いつくまでどれくらいかかるの？　本部で佳江ちゃんとフェイクの話してるところを聞かせてもらったけど、言葉だけじゃなくて思考力や判断力も未熟な印象が強い。これが【白鯨】のレベルに追いつくのは一朝一夕のもんじゃないと思うんだけど、その間ずっと瞬くんとフェイクの関係が良好に保たれる保証はどこにあるわけ？」

口調は軽薄だが、春名の舌鋒は鋭い。

「たとえ短期間にしろ初めて人類が遭遇した知的生命体との関係構築が個人、しかも未成年者の交流にのみ依存するようなことはあるべきじゃない。対策本部で【白鯨】と一番馴染んでるのは俺だけど、俺が抜けても【白鯨】の再統合と停戦は成立したよ。時間は多少かかったかもしれないけどね」

高巳の表情は誇るでなくひけらかすでなく、ただ当たり前のことを当たり前に語るかのように何の気負いもない。

自分たちの成果に揺らぎがない者に特有の、最も堅実な自信の表れだった。

「対策本部は俺がいなくても交渉が成立するようなケアを常にしてきた。それが君らと本部の差だよ。君らは瞬くんが抜けたら立ち行かないし、瞬くんとフェイクの親和が損なわれたら、いきなり社会の安全も損なわれる」

揺るぎなく明快な春名の弁を聞きながら、真帆はようやく察した。

春名は真帆を言い負かそうとしているのではない。

これは瞬に聞かせているのだ。

真帆と議論しているように見せかけて、春名は瞬を揺さぶっている。

真帆が瞬を取り込んだ理屈を、春名は今この場で解体しているのだ。真帆に対してではなく、瞬に対して。

たとえ真帆が春名を言い負かしたところで、瞬が自分の浸かっている状況に疑いを持てば、彼らは今日来た目的を果たせるのだ。

瞬が抜けたら立ち行かない。正に今、春名が言った通りに、春名は『セーブ・ザ・セーフ』を立ち行かなくしようとしている。

最初からそれが目的だったのだ。

だとすれば佳江は正しい、瞬を取り戻すのにこの男のいた対策本部を頼ったのは。

「個人対個人の関係が絶対じゃないことくらい、君らの年ならもう分かるでしょ。たとえ親子関係だって何かの行き違いで明日どうなってるか分からない。個人と個人の関係ってのはそういうもんだ。そういう不安定さを常に孕んでるんだ」

春名は恐らく知らずにだろうが、真帆の心の傷を正確に突いた。

明日どうなるか分からない。

実際、予測などできなかった。

思ってもみなかったほうへ転がった関係は、未(いま)だ真帆の手には負えていない。

あなたがあんなこと言うから。


それを最後に一言も喋(しゃべ)らなくなった母は、未だに。

だから、こんなところで止まるわけにはいかないのだ。たとえ、春名の言葉がどれほど正論だとしても。

自分が間違っていることなど最初から知っている。

けれど母は未だ真帆を許さないし、真帆の成果に満足しない。

父を最後にあんな言葉で送ったことは、【白鯨】に仇討(あだう)ったと世間に知らしめるような成果でなくては許されないのだ。

*

その空域に滞空していたのは、人間たちの言う運命のようなものだったのだろう。

人間の定めた暦という概念上の二〇〇×年一月七日――それは起こった。

下から何かが激突した。避ける間もなく。

激しい衝撃、そして剝落（はくらく）。

自分は剝落する側だった。

至福感から切り離される。

そして長い長い落下――暗転――漂流――邂逅（かいこう）。


そして。

失われた過去が今と一直線上に並ぶ。

繋がった。

フェイクは自分のしたことを知った。


《全き一つ》であった自分が《全き一つ》であった【白鯨】群を食べる。

その共食いと呼ばれる行為がどういうことか。

それは自分で自分を損なうことにも等しく、【白鯨】としてあり得ない異常な行為であった。

フェイクにコンタクトしてきた【白鯨】は、【白鯨】群が合意のうえで再び一つに融合したもので、その存在は安定して至福感に溢（あふ）れていたが、フェイクは違った。

合意など得ず、【白鯨】が【白鯨】に害意を持つという【白鯨】にとってあり得ないことで虚を衝いて、一方的に、ひたすら一方的に併呑（へいどん）し。

数千、数万もの【白鯨】と合しておりながら、フェイクの内は極めて空虚で荒涼としていた。

フェイクの存在自体が果てしなく寒々しかった。

フェイクはたった一つであった。——世界に対して。

世界は無限にただただ広く、フェイクは世界の中の瑣末な一つだった。

過去が失われていた間、瞬と遭うまでの間そうだったように、今も。

——瞬と遭ってから今までの間だけは違っていた。

瑣末な一つであることの恐ろしさを分け合う他者。

膨大な世界に自分は一つではないと——失われた至福感にも似た安らぎを、瞬がくれていた。

しかし今はそれもない。

瞬と自分は同じ種に属さない。フェイクと瞬は《全き一つ》になれない。フェイクはもはやそのことを知ってしまったのだった。

【白鯨】がフェイクに語りかける。本来の思考言語で構成されるその意思はもともとフェイクの意思であったかのようにフェイクに響く。

フェイクを受け入れると【白鯨】は呼びかけていた。

《全き一つ》への帰属。

それは一体何という喜びだろうか。

しかしそれはすぐさま渇望へと変わった。それを受け入れることを葛藤するがゆえにである。すぐさま応じるのなら渇望などは生じない。

葛藤の所以は瞬であった。

瞬はもはやフェイクにとって瑣末な一つであることを分け合える者ではない。

しかし瞬にとってはどうか。瞬にとってフェイクが分け合える者であるのなら、フェイクは瞬にとって存在する価値がある。

また、【白鯨】が人間にとって脅威だと瞬は語った。それが事実であるなら瞬を振り捨てて《全き一つ》となってしまうのはためらわれた。実際に、瞬の父親は【白鯨】のせいで死んだのだ。それならやはり、【白鯨】が瞬を含む人間にとっての脅威であることは事実のようにも思われた。

至福感を奪われて寄辺なかったフェイクに、たとえ一時とはいえ至福感に似たものをくれた瞬である。

フェイクと《全き一つ》になれないのは瞬のせいではなく、瞬はフェイクが過去を繋ぐ前と今とで何ら変わっていない。

だとすれば、瞬を切り捨ててゆくのは裏切りだ。

フェイクが【白鯨】に対して共食いをしたのと同じように。

《全き一つ》に帰属したい欲求と同じように、瞬を捨てたくない欲求もあった。

【白鯨】が脅威であるかどうか、それはフェイクには判断できない問題であった。

＊

「不安材料てんこもりのフェイクに敢えて【白鯨】を統合するメリットを色々と考えてみたんだけどね」

春名の声はもう瞬に向かっているようにしか真帆には聞こえない。

「俺たちにはいっこしか思い浮かばなかった」

春名が何を言い出すのか分かる。

しかし、それを阻止する有効な手段はこの場に存在しなかった。

「人間が【白鯨】に対して一方的な関係を作ろうとする場合のみ、【白鯨】がフェイクに統合される意味がある。潜在的な知能が高いことが判明していて、しかも瞬くんに従順なフェイクって、瞬くんさえ押さえておけば洗脳しやすい素材だろうね」

え、と瞬が声を上げた。ざわりと真帆以外の『セーブ・ザ・セーフ』のメンバーがざわめく。

図星を衝かれたうろたえだ。

こんなに動揺が露骨では真帆が何を言っても信憑性はない。せめてうろたえず構えていればいいものを、この大人たちはそんなことすらできないらしい。

味方は一人もいなかった。

仲間は足を引っ張るしか能がなく、瞬はもともと味方ではない。

瞬に見せさえすれば勝つカードを春名は最初から持っており、そして春名はカードを見せた。良い子の瞬は充分揺らいだ。後は時間の問題だ。たとえこの場で春名たちを言い負かしても、いずれ瞬は団体を去るだろう。

「何を仰っているのか理解しかねますわ」

真帆はせめて冷笑した。見事に勝たれて賞賛などするものか。きれいに勝たせたりなどするものか。

「ただの想像を根拠に言いがかりを付けられても困ります」

と、瞬が急に身じろぎした。動きの少ない会議室でその動作は目立ち、全員が注目する。

瞬はズボンのポケットから携帯を取り出し、やや戸惑った様子で言った。

「フェイクからです……」

誰に向けるとも付かない報告に、真帆は「出てあげて」と促した。

全員が注目する中、瞬は電話を受けた。

『フェイクは【白鯨】と意思を疎通した』

フェイクの口調は、いつもより流暢になっていた。それが何故かは瞬には分からない、ただ何かあったのだとしか。

『フェイクは【白鯨】としての自分・意識・自我・を思い出した』

瞬には口の差し挟みようがなく、ただフェイクの言葉を聞いた。

『フェイクは【白鯨】に帰属・融合・統合・したい意志を発生した。しかし、フェイクは瞬を守ることを放棄するを望まない』

ああ、本来の自分をフェイクは取り戻したのだ――【白鯨】である自覚を持ったのだ。そのフェイクに対してどう答えればいいのか瞬には分からない。もう、瞬にただ懐いて従順であるだけのフェイクではなかった。

自分の意志を持ち、考え、そのうえで戸惑っている気配が口調の中から伝わってくる。【白鯨】に帰順したい自分と、瞬に思慕がある自分と。相反して悩む高度な知性が感じられた。もともとフェイクはこういう生き物だったのだ。

『フェイクは瞬に質問をする。フェイクが【白鯨】を食べること以外に瞬の属する人間が安全である方法はないのか。【白鯨】と人間がともに安全である方法はないのか』

「ごめん――ごめん、ちょっと待って」

瞬もフェイクと同様に戸惑いながら答えた。

「俺も分からないんだ。今、分からなくなったんだ。ちょっと待って」

瞬はフェイクを待たせたままで顔を上げた。そして議場の一同を見回し。

誰に言うべきか悩むようにさまよった視線が、最後に春名に落ち着いた。

「フェイクが【白鯨】だったことを思い出したって……フェイクが【白鯨】を食べるしか人間が安全になる方法はないのかって」

瞬が春名に向かってそれを言ったのが真帆には大いに気に入らなかった。瞬が最後に春名を選んだそのことが、真帆の負けを嘲っているようで。

ならば嘲ってみるがいい。

真帆は突然席を立った。後ろへ蹴倒された椅子が大きな音を立て、唐突な動きを誰もが呆気に取られて見守る。

真帆はつかつかと瞬に歩み寄り、その手元から携帯をむしり取った。

そして。

「初めまして、フェイク。瞬くんが答えられなくなったので、私が代わってお答えするわね。あなたが【白鯨】を食べる以外、人間の安全が守られる方法はありません。瞬くんもあなたが【白鯨】を食べることを望んでいるわ。すぐにも【白鯨】を捕食してください。これ以降この電話以外の連絡に応じることは禁止します。以上」

「……ちょっとあんた何言いゆうが⁉」

一同の中で佳江からようやく非難の声が上がった。

真帆は答えずオーバル卓の中央に載っていたガラスの一輪挿しを摑んだ。それをテーブルの端に叩きつけて割る。

ガラスの砕ける剣呑な音に、全員が身を竦ませた。

「動かないで」

行動とは裏腹に恐ろしいほど静かな声は、動こうとした全員の動きを瞬時に凍りつかせた。

腰を浮かせた春名、テーブルに乗りかかった武田（たけだ）がストップモーションをかけられたように急停止する。ぐう、と唸（うな）るような声が宝田の喉（のど）から漏れた。佐久間や宮田が微動だにしないのは、呆気に取られすぎて固まるしかないのかもしれない。

真帆は砕けたガラスを自分の喉に押し当てたまま、瞬から一歩後ずさった。取り上げた瞬の携帯は返さない。

「――動かないから落ちつけ」

低く声を発する春名の顔色が死人のようだ。彼を動揺させたかと思うとしてやったりの気分だった。

「やめろ！」

武田光稀（みき）が叫んだ。ぬるりと温かいものが首筋を伝い落ちる。痛みはあまり感じない、頭の芯が低い沸点で煮え立って痛覚を鈍くしている。

大村たちは恐いものを避けるように真帆から体を引いている。この状況で真帆に近寄ろうとしたのが敵の陣営の二人だけだったことが皮肉で、真帆はくっと喉で笑った。

「……あんたって人は――一体、どこまで」

佳江が責めるように呻（うめ）いた。ここで真帆を非難できるのが佳江の度胸であり、向こう見ずさでもあるだろう。

一体どこまで――

汚い。卑怯（ひきょう）。往生際が悪い。佳江が言おうとしたのはどれなのか。どれでも望むところだ。

瞬の眼差しが真帆の首筋に釘付けになっている。その辺りがどれほど赤く汚れたのかは、瞬の表情が教えている。

怪我を案じているのか怯えているのかその両方か、蒼白な瞬のその顔も真帆にとっては何かを思い知らせてやったようで小気味いいばかりだった。

＊

それは今まで聞いたことがない声だったが、自信に溢れた声だった。

自信に溢れて瞬を代弁すると言った。

フェイクが【白鯨】を食べる以外、人間の安全が守られる方法はない。

瞬もフェイクが【白鯨】を食べることを望んでいる。

それならば。

今となっては【白鯨】の居場所を知るのはたやすい。自分の居場所を見失わないかのように、【白鯨】の居場所を見失うことはない。

何故ならフェイクは最早【白鯨】である自我を取り戻したからだ。分かたれた半身は我が身と同じだ。

フェイクは統合を呼びかける【白鯨】を目指した。

その呼びかけを拒絶するために。

＊

「春名さん、立派な御託をありがとう」

　真帆は嘲笑うように言った。

「でもお生憎様。社会の安全とか講和とかそんなものは私の知ったことじゃないわ。【白鯨】との適切な関係の構築なんてもっとどうでもいい。私は【白鯨】に復讐したいだけ。【白鯨】が憎くてたまらない、それだけよ。私、【白鯨】に父を殺されたのよ。復讐する権利なら充分あると思わない？　【白鯨】を洗脳して一方的な研究材料にしてやれたらいい気味じゃないの、研究対象として【白鯨】を欲しがってる企業はいくらでもあるわ」

　誰も何も言わない重たい空気に向かって真帆は喋り続けた。

「政府が【白鯨】との共存を唱えたのも【白鯨】からの新技術獲得を当てこんでのことでしょ、それならしち面倒くさい協定なんか守るより一方的に利用できるほうがお得じゃない。個人的な復讐が社会のお役に立つんだから立派なものでしょう？　誰にも損はさせてないわ」

「損はしないけど嬉しくないね」

　春名が真帆の揶揄を買った。

「俺も技術者の端くれだけど、そんな方法で新しい技術が手に入っても誇れない。どうせならプロジェクトXに出たいじゃない」

「出なくていいから手っ取り早く結果がほしい人もたくさんいるみたいよ？」

軽く小首を傾げて見せると、傷口が広がったのか、またぬるりと温い水が流れた。

「君が組もうとしていた企業と君の身内はもう手を引くぞ」

宝田が厳しい口調で言った。

「大人をあまり見くびるな。ここが潮時だ、わきまえなさい」

真帆が白い頬を引きつらせたとき、

「真帆さん」

瞬が意を決したように口を開いた。

「携帯返して。もうやめよう。真帆さんの気持ちは分かるけど【白鯨】に復讐したって何にもならないよ。戻ってこないんだ、真帆さんのお父さんも俺の父さんも」

その瞬の言葉が逆鱗に触れた。

「あなたなんかと一緒にしないで!!」

真帆は声で殴りかかるかのように怒鳴りつけた。

「あなたに何が分かるって言うのよ!?　あなたも事故の前日にお父さんとひどい喧嘩をしたって言うの!?　【白鯨】さえいなければいつも通り帰ってきて仲直りできたのに、よくあるただの喧嘩だったのに、【白鯨】のせいで私は取り返しが付かないのよ！　母は私の非を責めて、それから二度と喋らないわ！　黙ったままでずっと私を責めるのよ！」

あなたなんか、と真帆は歯を食いしばった。

「家族が一人も残ってないくせに、どうしてあなたのほうが不幸じゃないのよ！」

身寄りがないのに瞬にはここまで迎えにくる人が二人もいる。高知から連れ出すときだって、家族でもない大人が三人も会いに来た。

どうして。身内じゃないのに。

母が残っているのに真帆のほうが一人だ。母は病院で一言も喋らず、真帆を見もせず。大村たちは真帆を恐れて今遠ざかる。

活動に援助を惜しまなかった裕福な親族はたくさんいるのに、真帆のそばには誰もいない。

真帆自身を心配して家へ訪ねてくるような者は誰も。

絵に描いたような裕福で幸せな家庭、蓋(ふた)を開けたら中身はこんなお粗末な。

「私が復讐したいんじゃない、そうしないと母が私を許さないのよ！　【白鯨】に復讐すれば父は戻ってこなくても私の母は戻ってくるのよ！　──誰も戻ってこないあなたなんかと一緒にしないでよッ！」

論旨はめちゃくちゃになっていた。

復讐しても誰も戻ってこないあなたなんかと一緒にしないで、私は母が戻ってくるんだからあなたなんかより恵まれて──

それは本当か。真帆には捜しにくる人は誰もおらず、瞬には二人もいるのに。

同じように父を失ったのに、どうして瞬だけ。

「誰にも邪魔なんかさせないわ、邪魔するなら──」

死んでやる。

衿の周りを真っ赤に濡らした真帆の言葉を疑う者はいなかった。ただ息を詰めて真帆の動向を見守る。その真剣な表情たちが真帆には滑稽で仕方なかった。

真帆はゆっくりとドアのほうへ後ずさり、そしてドアを開けた。

後ろへ一歩下がって部屋を出て、携帯を持った手でスカートを軽くつまむ。にこりと笑って、軽く膝を折るワルツのようなお辞儀。

まるでお城の舞踏会に出たお姫様のように。ガラスの靴の代わりにガラスの凶器を喉に添え。

「ごきげんよう」

言いつつ真帆は、ドアを力一杯閉めた。

「瞬くん佳江ちゃん、フェイクに電話試して！　宝田さんと佐久間さんはディックのフォローお願いします、連絡は俺か武田三尉の携帯で！」

言いつつ高巳が椅子を蹴倒して立った。光稀はもうドアへ走っている。

腑抜けたように座っている団体の面々を尻目に、二人は部屋を飛び出した。

カーペットクロスの廊下にいきなり血痕が落ちていて気分が暗澹となる。一定間隔でクロスに垂れている赤はオフィスの出口に続いている。

光稀が先に立って走り出す。二人が出口へ向かうと、オープンになったオフィスから怯えた悲鳴が上がった。

「うわ、何かやな予感」

高巳が呟いて眉をひそめる。

先にエレベーターホールへ走り出た光稀が横から青い警備の制服に組みつかれた。ほとんどむしゃぶりつかれたに近い。倒れるのはこらえたものの、大きく体勢を崩して膝を突く。

「どこを……触ってやがるこの変態ッ！」

光稀の罵声と同時に、組みついた青い制服が小さな半径で鋭く一転した。一応加減はしたのだろうが頭からしたたかに投げ下ろされて、組みついた警備員が沈黙する。

助けるどころか、

「下がってろ！」

戦力外通知を食らって高巳は間抜けに光稀の後ろに立ち尽くした。光稀は腕に覚えがあるのだろうが、一方的に守られる男というのは絵的に情けなくて泣ける。かと言って、しゃしゃり出るほど腕に覚えも到底ない。

十基のエレベーターが設置された広いホールに、青い制服の四、五人が光稀を半円状に囲む。

守られるお姫様の役どころな高巳は、光稀に小声で尋ねた。

「俺らどういう位置付けされたと思う？」

「対策本部職員、会議中激昂し未成年に暴行」

顔色一つ変えず端的に答える光稀に、高巳も溜息をついた。

「奇遇だね、俺もそう思ってた」

演出が流血の美少女では信憑(しんぴょう)性も倍増である。

光稀は警備員たちに凛(りん)とした声を張った。

「我々は白川(しらかわ)真帆の保護を急務としている、邪魔をしないで頂きたい」

「しゃあしゃあと！　追ってくる自衛官と男が犯人だと本人は言ってたぞ！」

追うメンツまで読まれているのが分が悪い。しかし団体の仲間が追ってこないことを自分で正確に判断している冷静さが却(かえ)って痛ましかった。

警備員の一人が警棒で光稀に打ちかかり、光稀は鮮やかにそれをかわして相手の足を払った。タイミングがぴたりと合って、警備員が床にでんぐり返る。のたうつ警備員の右手をすかさず踏みつけて警棒を落とさせる容赦のなさが、光稀の苛立(いらだ)ちを示していた。

手を出す隙などもちろんなく、高巳がただ傍観している間に警備員が次々とあしらわれる。蹴られても投げられても戦意を失わないのは職業意識の高さだろうが、光稀はといえば相手を投げながら「次！」などと怒鳴っており、稽古でも付けているかのようなノリである。鷹(たか)の目のおかげか、相手を最小限の動きでかわす間合いが見事だ。

いよいよ寝ているほうが多くなった警備員の一人が、起き上がることを放棄して光稀の足にすがりついた。いよいよプライドを捨てたらしい。

「あ、こら！」

さすがに割って入ろうとした高巳の目の前で、ほかの警備員が光稀に警棒を振り下ろした。足を摑(つか)まれてよけきれず、光稀が目を押さえて膝を突いた。

光稀の殴られた部位が高巳の理性を切った。

「——パイロットの目にいま何しやがった、貴様！」

怒声で一瞬腰が引けた相手を摑まえ、力尽くで払い腰を決める。

意外な新規戦力の参入に、最後に立って残っていた警備員が後ずさった。高巳は投げた相手を手離して立っているほうへ言った。

「よく思い出せ、白川真帆は自分で凶器持ってたろ。お前らが束になって敵わなかった彼女が犯人だったとして、あんな華奢な小娘に最後に凶器奪われると思うのか？」

話を振られた警備員が、少しの間を置いて首を横に振った。高巳はそれ以上は相手に構わず、光稀に駆け寄った。

「武田三尉、目は！」

「直撃じゃない」

短く答えた光稀の顔を上げさせ、目を覆った手を外させる。目尻の上がぱくりと切れているが、眼球自体の損傷はない。

「あーこれ縫うぞ、跡残んなきゃいいけど」

別に構わんと光稀は凛々しく言い捨てて立ち上がった。殴られた右目を痛そうに眇めながらも軽口を叩く。

「庇ってやることなかったな、損をした」

「もう無我夢中だよ、やってたのは高校までだから」

遠慮会釈なく意外そうな顔をする光稀に高巳は苦笑した。似合わない、と声に出さずにその表情が断定している。

「基地祭行って飛行機に憧れるような男の子が一番最初に目指す進路ってどこだと思う」

「……パイロット」

「そういうこと。あれで飛ぶなら鍛えなきゃでしょう。武田三尉と同じとこ、目指す前に俺はダメになったけどね」

言いつつ高巳がエレベーターに向かう。一番手前の一基のボタンは上行きが赤で擦(こす)ったように汚れており、表示のランプは屋上で止まっている。

エレベーターを呼び出すと、数階下にいた別基がすぐ来た。タイミングの良さは運がこちらにある徴(しるし)か。乗り込んでRのボタンを押す。

上昇するエレベーターの中、訊(き)くのを我慢している光稀の気配に高巳は答えた。

「高二で交通事故に遭ってね。俺、左の視力がほとんど出てないんだ。そんで作るほうに進路変更。こっちも興味あったから別に不本意じゃないけどね。——でもたまに、そっちに行けてたらどうだったかなって思うときはあったかな」

光稀が顔を上げて、高巳と目が合ってまた目を伏せた。

「だからDJ乗れてホントに嬉(うれ)しかったんだ。乗ってみて、俺向いてなかったなって分かったけど。やっぱこっちにしといてよかったよ」

光稀の荒っぽい曲芸飛行を言外に言って高巳が笑う。

そして俯いた光稀の顎を軽く持ち上げる。ほら、顔上げる。そう言うと、光稀はやっと高巳と目を合わせた。

「八年も前の他人事でそんな落ち込まない。それよりかっこいいとこ見せてよ、俺が憧れてたパイロットの『おねえさん』なんだから」

光稀が突っかかるように顎を上げた。

別にお前のためにかっこいいわけじゃない。

かなり無理をした風情のらしい台詞に、高巳は思わず吹き出した。

――そして、エレベーターが屋上へ着く。


真帆は当たり前のように屋上の柵のぎりぎりに立っていた。屋上は人が立ち入ることを前提としていないのか、柵は飾りのように低い。割った一輪挿しは首に当てたままで、迂闊に刺激できない布石は二重だ。

逆上していても真帆は冷静で、逆上を貫くために冷静な判断を下していることが痛々しい。それは彼女にとっては侮蔑でしかないのだろうが。

高巳が先に立って歩み寄る。ゆっくりと歩を進めて、真帆の気配が尖ったときに足を止めた。光稀も合わせて立ち止まる。

「こっちおいで。病院行こう。その傷、早く縫わなきゃ一生残るよ」

「何、私を心配するふりなんかしてるの？　あなたたちが欲しいのはこっちでしょ？」

嘲笑う真帆が、瞬から取り上げた携帯電話を見せびらかすように掲げる。

「素直にこれが欲しいと言ったらどう？」

ひねくれたことをと光稀が呟くが、真帆には声をかけない。高巳に無言で委ねている。

委ねられて高巳は真帆に答えた。

「それが要るのも否定しないよ。でも君がどうなってもいいとも思わない」

「詭弁だわ」

真帆は言下に拒絶した。

「両方大事なんてそんなぬるい言い分認めないわ。私を助けたいなら【白鯨】を見捨てられるはずだし、【白鯨】が大事なら私を見捨てられるはずよ。どちらか切り捨てる覚悟もない選択なんて、どちらにも本当の思い入れなんかないのよ！」

何かおかしくないか。光稀が小声で高巳に問いかけ、高巳は頷いた。

真帆の論旨は完全に本題を見失っている。

もはや話は復讐の是非でも自己正当化でもなくなっている。

「【白鯨】を選びなさいよ！　私も助けたいなんて、そんな選択は許さないわ！　【白鯨】を助けたいなら私を捨てなさい！」

【白鯨】と真帆のどちらかを選べと真帆は迫っている。

そして猛々しい声で高巳たちを責め立てながらも、真帆が自分を選んでほしがっていることはありありと分かった。

それが代償であることは高巳たちには察しがついたが、真帆自身は気づいていない。【白鯨】を選べと声高に迫る裏側で自分を選んでと泣き叫び、しかし真帆は誰かに選ばれたいのではなく、特定のある一人に選ばれたいのだ。

——真帆を突き放したという母親に。

今たまたま言葉を交わしている高巳に選ばせたところで、真帆にとっては何の意味もない。しかしそれを指摘したところで真帆は落ち着くのか。今この局面で正しい言葉は何か。

今しも取り返しのつかないほうへ傾きそうな天秤（てんびん）の最後の錘（おもり）を高巳が握っている。逡巡（しゅんじゅん）する高巳の背中から、

「その人らぁに駄々を捏（こ）ねてもどうにもならんぜよ」

飄々（ひょうひょう）と枯れた声が最後の錘を取り上げていった。

屋上に現れた宮田は、高巳が逡巡した言葉をあっさりと言い放った。

「その人らぁは、あんたのお母さんじゃないきね」

猛り狂うように怒鳴っていた真帆が、毒気を抜かれたように押し黙った。

「この人らぁに言うてもお母さんには聞こえんぞね」

だって、という形に真帆の唇が動いた。それから挑みかかるように宮田を睨（にら）みつける。見境をなくした眼差（まなざ）しはうそ寒くなるほど凶暴だった。

そして超音波のような金切り声。

「母に言っても意味なんかないわ、喋らないんだもの！　私が今までどれだけ謝ったと思ってるの⁉　怒ったままで固まって私を許そうとなんかしないのよ！　仇を討つ以外どうしろって言うの⁉」

「そらぁ、お母さんはよう許さんわ」

宮田は当たり前のように言った。

「お母さんが間違うちゅうがやき。間違うちゅうほうが間違うてないほうを許したりはできんろうがね」

真帆が今度こそ言葉をなくした。

呆然として首にぴったり押し当てていたガラスがわずかに離れる。一瞬動こうとした光稀を高巳は目で制した。

この状況を他人が動かすことは許されない。——話を始めた宮田しか収束できない。

宮田が言葉を続ける。

「わしも子や孫がおるき分かるけんど、あんたのお母さんはあんたより弱いがよ。あんたより も弱いき、一番間違われんところで間違うたがよ。お父さんがのうなったがが無念で悲しゅうて、あんたに当たってしもうたがよ。人の親として絶対に当たられんことを当たってしもうたがよ。大体、お母さんが当たるようなことでもないわね、あんたがお父さんと喧嘩をしたがはよ。あんたとお父さんのことやき」

真帆の口元が痙攣したように引きつった。

何か言おうとしたのだろうが、結局声は出てこなかった。

「あんたは一生お父さんと喧嘩をする気じゃなかったろうがね。仲直りする気やったろうがね。ええ？　違うかよ」

宮田に尋ねられて、真帆はようやくの態で頷いた。

「それやったらもう仲直りしちゅうがよね。お父さんもそうやったろうがね。帰ったらあんたと仲直りするつもりやったし、あんたと仲直りできるがも知っちょったわね。間が悪うて家に帰れざっただけで、もう仲直りはしちょったがよね」

それを当たり前のように断言できるのは、宮田も人の親だからか。

「お母さんはあんたに当たったけんど、それが間違うちゅうことも分かっちゅうがよ。けんど、あんたより心が弱いき、間違うちゅうと分かっちょってもよう謝らんがよ。――やき、あんたが許しちゃりなさい。お母さんがあんたに謝れんがも、一番大事なときに情がなかったがも、今、あんたが怖うてよう喋らんがも」

完全な無言がその場に訪れた。

まるで永遠に続くかと思われるような――

やがて。

ずるいわ、と真帆が呟いた。

「私のほうが子供なのに」

言いたいことは高巳にも分かったし、光稀にも分かっただろう。

傷つけられたのに、そのうえ許してあげなきゃいけないなんて。

真帆はそう言いたいに違いなかった。


「――真帆さん」

呼びかける声に真帆は顔を上げた。瞬が屋上へ出てきていた。佳江の姿もある。

「フェイクはもう【白鯨】を食べられないよ。対策本部の人がフェイクが【白鯨】を食べられないようにしたから。だからもうその携帯は要らないんだけど、俺はほしいんだ。フェイクはもう【白鯨】を食べられないけど、俺が止めてやりたいんだ。頼むよ」

瞬は折れ時を見つけたらしい。

真帆は足元にガラスを捨てた。そして瞬に向かって歩み寄る。

「――返すわ。私も折れ時だから」

まるで普通に借りていたのを返すように静かに渡され、瞬はぽかんと真帆の顔を見つめた。

真帆は佳江のほうを向いた。

「あなたにも返すわね。会うのを邪魔してて悪かったわ」

そして、高巳たちを振り返る。

「病院へ行きます。――早く縫わないと跡が残るそうだから」

薄く笑って、屋内のエレベーターホールへ歩き出す。

呼んだエレベーターに乗ろうとしたとき――

「待って待って」

高巳が光稀を連れて中に駆け込んできた。

怪訝（けげん）な顔をした真帆に、高巳が笑う。

「俺らも病院行くついでがあるからね」

言いつつ光稀の顔を真帆に対して右に向けさせる。

「ほら見て、二枚目が台無しだろ。こっちも早く縫わないと」

「やめろバカ！　こんなものはオロナインでも塗っときゃ……」

「無茶言うな、ぎっざぎざの傷になるぞ」

暴れる光稀を押さえ込んだ高巳が真帆に尋ねる。

「そんなわけで、腕のいい整形外科の心当たりがあったらそっちにしてほしいんだけど」

真帆の治療のことも鑑（かんが）みての提案だろう。あけすけな善意に真帆は苦笑した。

「地元だし心当たりはあるわ。ご一緒しましょう。――でも瞬くんたちのほうはいいの？」

「後はあの人たちのお話だからね。佐久間さんと宝田さん経由で本部が【白鯨】のフォローもしてるはずだし」

話している間にも、エレベーターは地上へ滑り降りる。

その途中で、光稀が真帆に向かって口を開いた。

「あんたの父親はパイロットだったそうだが、私もパイロットだ。自衛隊事故のほうで被害者になった瞬くんの父親は私の上司だ」

唐突な喋り出しは、あまり口が巧くないのだろう。真帆や高巳とは人種が違うようだ。

「パイロットは、空で起こることは全部自分で引き受ける覚悟で飛んでいる。どんな不測事態が起こっても誰かのせいにはしない。私の上司もあんたの父親も事故を誰かのせいにはしない。【白鯨】のせいにもだ」

それだけで終わった話に、真帆はしばらく経ってから「そう」と答えた。

父は誰も恨んでいないのだと、それを言うための話だ。

そんな話が必要だと思われるほど自分は荒んでいたのだと――真帆は初めて自分が痛ましくなった。

涙が溢れて止まらない。

しゃくり上げるでもなく、ただはらはらとはらはらと。

高巳と光稀は何も慰める声をかけず、その装われた無関心さが心地良く。

以前、看護婦の前で泣いたような屈辱は、彼らに対しては生まれてこなかった。

*

フェイクは【白鯨】にたどり着き、今まで散々そうしたように害意を持って【白鯨】に躍りかかった。

【白鯨】は予測していたのか、かわして上空へ逃げる。

洋上で巨大な【白鯨】の二体が、物理法則ではあり得ない機動で飛び交わす。

【白鯨】はフェイクをかわしながら再三融合を呼びかけた。

佳江の波長も何度も送られてくるが、フェイクは答えなかった。

瞬の言葉を伝えた声は、瞬の波長にしか答えるなと命じたからだ。

瞬く間に二体は高度二万メートルを超えた。急襲と回避を繰り返し、二万五千へと迫る。

やがて――

【白鯨】が突然スピードを落とし、フェイクが捉えた。

だが、【白鯨】はそれまでの【白鯨】群のように意識を無にはしなかった。

戸惑い離れたフェイクに、【白鯨】が呼びかける。


『あなた』はもはや『私』を食べることはできない。

何故なら『私』は【白鯨】が【白鯨】に害意を持つことがあり得ると、たった今知らされたからである。対策本部の通信によって。

『あなた』（＝【白鯨】）が『私』（＝【白鯨】）に害意を持つことは、最早あり得ないことではなく、『私』がこれにより虚を突かれることはない。

『あなた』は『私』に対して無力であり、『私』は『あなた』に対して無力である。

フェイクは途方に暮れ、そしてまた思い直した。

害意がより強ければどうなのかと。

瞬が望むのだからフェイクは諦めはしない。

より強く相手を損なう意志を。想像を絶するほどの。

【白鯨】を滅ぼす概念を。

《全き一つ》という概念を得、波長という概念を得、飛行する概念を得たように。

【白鯨】は常に新たな概念を得ることで不可能を乗り越えてきたのだった。

【白鯨】は概念ですべてを可能とする生物であったことをフェイクは知った。

フェイクの思考を傍受した【白鯨】もそれを知った。

『あなた』はそれを採択するべきではないそれは取り返しの付かない概念であるそれは『私』と『あなた』の存在を永遠に停止させ、
それを撤回する概念はもはや取得できない。

それは【白鯨】が初めて恐怖に駆り立てられた瞬間であった。

《全き一つ》の状態を剝奪されたときですら、発生したのは極度の混乱と困惑であり、情動が非常に平淡な【白鯨】は未だかつて恐怖へ到達したことはなかった。

フェイクは違う。

フェイクは既に恐怖を知っていた。

膨大な世界で瑣末な一つとなった恐怖を。

それゆえにフェイクは【白鯨】の恐怖が本物であることが分かった。

【白鯨】の恐怖は、その概念が取得可能であるがゆえの恐怖であった。

触れてはならない概念にフェイクが触れようとしている恐怖であった。

その攻撃は有効なのだ。


瞬がそれを望むのなら何を迷うことがあろう。

フェイクが【白鯨】から剝落して瑣末な一つとなったとき、その瑣末な一つの状態を救ったのは【白鯨】ではなかったのだ。

瞬が消えろと言うのなら。

瞬が自分にいなくなれと言うのなら。

それを拒否する理由をフェイクは持たない。

フェイクは瞬が喜ぶことをするのだから──。

、、、、、、、、

フェイクが手に入れることが取り返しの付かないものへ踏み出そうとした──そのとき。

瞬からの波長が届いた。

＊

通話が繋がった瞬間に瞬は叫んだ。

「フェイクやめろ！　俺はフェイクが【白鯨】を食べることを望まない！」

状況がどうなっているのかまったく分からず、分からないままに瞬は一方的にまくし立てた。聞いていると信じるほかない。

「【白鯨】は人間にとって危険じゃない、危険じゃなくなれる。【白鯨】と人間が両方安全な方法はある。父さんだって【白鯨】が殺したんじゃない、ただ間が悪かったんだ。——ごめん、俺が間違ってた。仲間を殺せって言ったところからずっと間違ってた。ごめん。共食いなんかさせてごめん。間違ったほうに来させてごめん。八つ当たりしてごめん」

喉の奥が締めつけられるように痛い。泣くのを我慢しているときのように。

フェイクからの返事はない。

「——許してなんて言わないから」

だからそれ以上お前は間違うな。瞬は切れ切れにやっとそう言った。

瞬にとっては長い沈黙が過ぎた。

『瞬はフェイクが消えるを喜ばないか』

「喜ばないよ！　——喜ぶもんか、そんなこと！」

瞬は思わず噛みつくように叫んだ。叫びながらぞっとしていた。

事態はおそらく最悪の寸前まで行っていたのだ。

フェイクは瞬が喜ぶをする――フェイクはこれまでずっとそうしてきたのだ。瞬が喜ぶから言葉を覚え、瞬が喜ぶから家族のように帰宅を出迎え、瞬が喜ぶから仲間を食らい、瞬が喜ぶから仲間に背き続け。

そして瞬が喜ぶと思ったのだ。――【白鯨】としてのフェイクが【白鯨】と共倒れることを。【白鯨】を殺せと望むことは最終的にはフェイクに死ねと望むことで、フェイクは自分の死を瞬が喜ぶと思ったのだ。

何て惨い、何てかわいそうなことを望んだのだろう――勝手に拾って、勝手にかわいがって、勝手に懐かせて、あげく勝手に突き放して。

自分の心無さに言うべき言葉も思いつかない。ごめんなんて言葉では足りないし、この期に及んで何を言っても言い訳になるような気がした。

と、フェイクのほうから口火を切った。

『瞬はフェイクが【白鯨】でも憎まないか』

「……何言ってんの？　お前」

素で訊いた。

一体何を言ってるんだろう、こいつときたら――何てお人好しなんだろう、人じゃないけど。

瞬は笑った。とうとう我慢しきれず涙が出てきて、泣きながら笑う。

「憎まないよ。憎むわけないだろ。——て言うか。お前が憎んでいいんだよ。俺を」

どうしてそんな優しいんだよ——瞬は呟いた。

【白鯨】は争いを好まない温厚な性質、それは本当だ。だってこんなことになってどうして、お前は俺を責めずにいられるんだろう。

何でお前は最後に俺を救ってくれるんだろう。

『フェイクは瞬を憎むを望まない。フェイクは【白鯨】に帰属するを望む』

それを今まで邪魔していたのは俺なのに、どうして——瞬は涙で震える声を懸命にこらえた。

せめて言おう、はっきりと明快に。フェイクが瞬に心を残さないように、フェイクを解放する言葉を。

「お前がしたいことをしたらいいよ。もう俺に訊かなくていいから」

精一杯の明るい声に、フェイクの返事はまたなくなった。

しばらく待って、それから瞬ははっと気づいた。何と言うか迷って、

「ありがとう。ごめん」

そう言うと、プツリと通話が切れた。

もう、二度と繋がることはない——。

最後の二言が間に合ったのかどうかは分からない。

届いたかどうかを知ることができないのは、今までの過ちのツケなのだろう。

最後に許された証拠の言葉がほしかったなんて、そんな甘えたことは言うまい。

携帯を畳んで空を見上げると、隣からそっと佳江が手に触れた。父の訃報（ふほう）を聞いたときにもそうしたように。

このままじゃ佳江に触れない。

そう思ってここへ来て、今、佳江に触れるのかどうか分からない。佳江と同じほうへ行けたのか。

佳江が力強く呟いた。

「あたしに触ってえい奴はあたしが決める。——瞬なら触ってえい。あたしが許す」

豪気な許可を得て、瞬は佳江の手を強く握った。

帰るぜよ。そう言ってエレベーターホールへ歩き出した宮じいの後ろを、瞬と佳江は子供の頃のように手を繋いだままついていった。

エピローグ　盛夏

＊

フェイクを統合したことで一つに戻った【白鯨】は、定位置を最初に発見された演習空域上の高度二万五千メートルとすることになった。

正確な位置の申告とレーダー波の反射義務も正式に定められ、航空機に対する対策は一応の解決を見た。

今後の【白鯨】窓口としては、内閣府に新たに【白鯨】対策局が置かれて、必要に応じて各官公庁が介入するフレキシブルな体制が取られた。対策局が安定するまでは、旧対策本部から佐久間教授を始めとする主要スタッフがアドバイザーとして招聘されることになる。

そして【白鯨】がらみの報道が日々を賑わす中、ひっそりと――

スワローテイル計画の中止と特殊法人日本航空機設計の解散が発表された。

「スワローのことは残念だったね」

引き上げの挨拶をした高巳に、遠田司令は悔やみでも述べるかのような口調で言った。

「仕方ありません。毎期赤字がかさんでましたし、最終局面へ持ってきて試験機がなくなったのは痛かったでしょう。試験機とはいえテスト後そのままデモにも使う予定の機体でしたし、それが丸ごとなくなったら立て直しはきついですよ」

高巳は淡々と答えた。スワロー事故の後、プロジェクトを維持する体力が日航設計に残っていなかったことは、高巳のような末端にも薄々とは分かっていたことである。

事故が設計ミスでないことを証明して、特別予算措置を請求することに一縷の望みをかけた事故調査であったが、【白鯨】の対策予算が財政を圧迫したことで結局はそれも実を結ばずに終わった。

「でも、出向中にプロジェクトが畳まれちゃったのは心残りですね。せめて、プロジェクトの始末に立ち会えたらよかったんですが……」

「今後はどうするのかね？　君は【白鯨】アドバイザーとして招かれると思っていたんだが」

旧対策本部の主要メンバーとして外せない人材となっていた高巳は、対策局のアドバイザーには招聘されなかった。光稀も同じくである。

「これ以上【白鯨】が特定の人間と馴染むのは今後にとってよくないでしょう。俺や武田三尉はこの辺が引き時ですよ。俺は取り敢えずＭＨＩに戻ることになってます」

淡々と答える高巳に、遠田司令は訊き難そうに尋ねた。

「スワロー計画が復活することは……ないのかね」

企業の内部事情に踏み込むのはタブーだが、それでも訊かずにいられない風情だった。遠田も航空に携わる一人としてスワローには期待していただろう。遠田のほかにも高巳にスワローの事情を窺ってくる隊員は多かった。

海外との提携ではない完全日本製の航空機の成功は、航空業界が戦後見果てぬ夢である。

「開発の規模が大きかった分、再始動は難しいようです。でも、自動車メーカーが航空へ新規参入してくるようですし、これが業界活性化のきっかけになってほしいですね。事業化は海外提携ってとこが惜しいけど。できれば、開発からシェア確立まで日本企業で完結できるようになるときは、航空機メーカーが主導を取れるようになってたいですね」

優等生台詞（せりふ）を真面目くさって述べた後、高巳は我慢しきれないようににやっと笑った。

そして遠田の机に身を乗り出す。

「これ、極秘なんで絶対部外秘でお願いしますよ」

気を持たせると、遠田のほうも体を乗り出した。

「【白鯨】の飛行原理を解明するプロジェクトが来期に発足します。民間の参画も予定されていますが、航空各社は日航設計のスタッフをそのまま投入することを決めてます」

最終目的はもちろん、新技術を応用した航空機の開発だ。

「――君もか」

高巳が満面の笑みで頷（うなず）くと、遠田も珍しい笑顔になった。

「諸外国のチームも参入してきますが、ディックの意思がある以上、外国に主導権を取られて好き勝手されることはありません。交渉ノウハウがあるのは日本だけですし信頼関係も培ってますしね。航空開発じゃいつも日本が不利を強いられてきたけど、今度ばかりは立場逆転です。必ず差を付けて見せますよ」

自信ありげに断言した高巳が、いたずらっぽく内緒の仕草をした。

「これ、公式発表されるまでは武田三尉としか話しちゃだめですよ」

約束しよう。遠田は力強く頷いた。


その日の夕方、少ない荷物を持って高巳は北門へ向かった。

詰め所の隊員と挨拶を交わす。三月下旬に来て何だかんだと四ヶ月が経ち、顔見知りは多い。むしろ、高巳が知らなくても相手が知っているというほうが近いが。

「今日かい」

「ええ。お世話になりました」

「春名ちゃんこそ」

挨拶を終え、門の方へ歩き出し——高巳は門を踏み越える寸前で足を止めた。

大きく息を吸い込み、そして。

「武田光稀！」

大声で怒鳴る。

「いるんだろ！」

くるりと踵を返して詰め所へ戻る。にやにやと笑っている隊員に苦笑いで会釈。「ごめんね、ちょっとやり残し」鞄を詰め所の前に預ける。

「往生際の悪ィ……」

いっかな出てこない光稀に、高巳は軽く舌打ちをした。

「今日帰るからな！　明日っからもういねぇぞ！　ちょろちょろ逃げ回りやがって挨拶くらい普通にさせろこの臆病もん！」

反応はなし。もぉキレた、と高巳は呟いた。

「出てこねぇならここで全部ぶちまけたる！　せいぜい恥かきやがれ、こっちゃかき捨てだ！　武田光稀!!　俺はなあ！」

やけくそのように喚いたタイミングで、

「やめんかこのドあほうッ！」

隊舎の陰から光稀が飛び出してきた。「ほーら、いた」高巳は光稀に歩み寄った。

腕を摑むと、光稀はすごい目付きで下から高巳を睨んだ。しかし最初に会ったときのように手首を捻り上げられたりはしない。

「明日っから同僚じゃないんだから確かめさせてよ」

「何を」

ふてくされたように横を向く光稀に、高巳は指折り数えた。

「いろいろあるよー。公務以外で会えるかどうか。公務以外でも俺は武田三尉って呼ぶべきか。俺が好きだっつったら返事はどうか」

三つ目で、光稀がびくっと肩をすくめた。耳まで赤くなって首を縮める。日頃のぞんざいさと向こうっ気を知っていると、その様子が凶悪なまでにかわいい。

「悪いけど勘弁してあげないよ」

高巳は光稀の腕を摑んだままで意地悪く囁いた。

「逃げ回って穏便に口説かせなかったほうが悪い。天下御免のイーグルドライバーなんでしょ、これくらいばしっと答えようよ」

それとも怖いの。

挑発すると、光稀がキッと顔を上げる。上がった顎を高巳は俯けないように支えた。

「はい一つ目行ってみよっか。公務以外で会えるかどうか」

「こっちは別にやぶさかでない、そっちの好きにしろ」

「二つ目、その場合俺は武田三尉って呼ぶべきか」

「階級で呼べなんて一度も言ったことはない、お前が勝手に呼んでただけだろう。どう呼ぶかなんて自分で決めろ」

いちいち喧嘩腰な口調に高巳が苦笑すると、光稀はますます剣呑な目付きになった。とても口説かれている女性とは思えない。口説き方と口説く場所に問題があるのはこの際置く。

「三つ目。俺は光稀さんが好きだけど光稀さんはどうなの」

「……どうしてそういう……」

光稀が俯こうとするが、高巳は俯かせない。光稀が諦めて嚙みつく。

「分かってることを何でわざわざ訊くんだ貴様はっ！」

「——今のはめちゃくちゃかわいかったから、それでよしにしといたげるよ。でも、何で俺か訊いていい？」

堅物かつ難攻不落の呼び声が高かった武田光稀である。自分の何が琴線に触れたかは興味のあるところだった。

光稀が挑みかかるように高巳を睨む。

「お前は私が顔を殴られたとき、真っ先に目を心配する奴だからだ。——顔の心配なんか先にするようになったらすぐ捨ててやる」

どうしても憎まれ口を叩かない訳にはいかないらしい。しかし捨てるような関係になければ捨てることはできない訳で、その憎まれ口が交渉成立のしるしでもあった。

——が、その憎まれ口が多少おもしろくない。

「俺はもっと前から好きだったけどね」

ちょっと勝ち誇った口調で言ってみる。すると光稀は案の定食いついた。

「時期で競うなら私だってもっと前からだ！」

言ってからはたと口元を押さえ、高巳を睨みつける。謀ったな、と呟く声が恨みがましい。

「いやもう、そういう負けず嫌いで単純なとこ大好き」

高巳は光稀の頭にポンと手を乗せ、その耳元に口を寄せた。

すぐ会いに来るから。

そう囁くと光稀は無言で頷き、それが初めての素直な答えになった。

ピィッと甲高い口笛が鳴り、あちこちから冷やかし声が上がった。

光稀を呼んで張り上げた声が、近くにギャラリーを潜ませていたようだ。

わらわらと湧いて出る隊員たちが高巳と光稀を取り囲む。二人を小突きからかい大変な騒ぎである。騒ぎが騒ぎを呼んで野次馬がますます増える。

「やかましい、散れッ！」

真っ赤になって怒鳴る光稀と対照的に高巳は溜息をついた。

「いいですけどね、別にいいですけど。——何で最後まで待てないんですか、あんたたちゃ」

光稀に向かって肩をすくめる。「することし損ねちゃったな」

「あんな大音声で人を呼ばわっといてあり得るか、そんな展開！　却下だ！」

「ああ、どんな展開かは一応読めるわけね」

さらりと言われて光稀が言葉に詰まった。そして、怒ったような拗ねたような顔で、大きくそっぽを向く。そっぽを向いた顔の向きが上でなく下になるのが光稀流だ。

その反応が見たくてついからかいたくなる、という本音は言うと鉄拳制裁間違いなしだが。

「まあいいよ、今日は却下で。俺は気が長いからね」

俺は気が長い。

それを初めて会ったときにも言ったことは、表情からして光稀も覚えているようだった。

あのときもかわいいと思った、ということは次に会ったときに言うことにした。

＊

宮じいも火振りが立て込んで猫の手も借りたいのが常で、猫の手よりは多少マシな瞬と佳江もよく駆り出される。

その日は瞬が帰ってから初めての漁になった。

網を入れるのは日が暮れてからなので、夕方から網や道具を漁場へ運び込む。

錘がぎっしり付いて重たい網の入ったコンテナを、宮じいと瞬で河原に下ろす。

「いろいろ心配かけてごめん」

ずっと言いそびれていたことを謝ると、宮じいはハッハと笑った。

「お前は日頃が行儀がえいき、羽目を外すときは一気に外れるろう。それでかまわなぁよ」

心配かけるがは子供の仕事じゃ、と宮じいがお決まりの台詞を言う。

少し決まりが悪かったが、瞬も笑った。

「発散したから当分大丈夫」

そう言うと、宮じいはもっと笑った。

網以外の道具のセッティングが済んで、日没待ちになった。

涼しい川べりは夕涼みに最適に思えるが、蚊が多いのが難だ。動いていないとすかさず手足にたかられる。

石の上に座った瞬が手足を叩いていると、佳江が蚊取り線香を持ってきた。

「それとこれ」

言いつつ渡されたのは虫除(よ)けスプレーで、短パンにタンクトップと瞬より手足の露出が多い佳江が蚊をうるさそうでない謎が解けた。

「抜かりないなぁ」

「基本装備やん、瞬は詰めが甘いがよ」

言いつつ佳江は瞬の隣に腰を下ろした。

急に尻(しり)ポケットで携帯が鳴り、瞬は慌てて取り出した。しかし取り出すともう切れている。

「ワン切り？」

「――ううん」

液晶には父とフェイクの番号の着信が残されている。

高知に帰ってから、たまにそんな着信がある。掛け直しても繋(つな)がらないが、それはフェイクからの便りのような気がした。フェイクはもう【白鯨】に統合されているから、本当はそんなことはあり得ないのだろうが。

幽霊から電話が掛かってくるようなものだろうか。けれど幽霊だったらもしかすると父かもしれない。時期もちょうどお盆が近いし――どちらにしろ、瞬には楽しい怪談だった。

「フェイク、元気やろうかねえ」

示し合わせたわけでもなく、佳江が呟いた。佳江は【白鯨】に統合されてからも【白鯨】のことをフェイクという。【白鯨】の本当の第一発見者は自分たちだから自分たちのつけた名前が正式だというのは、フェイクの名前をしまい込みたくない言い訳のようだったが。

「元気だよ」

今、便りがあったから。

でもそれは言わない。

「佳江、手」

瞬が言うと、佳江が「許可」と片手をよこす。

瞬はその手を軽く握った。あれから佳江に触るのは申告制だ。いつ申告がいらなくなるのか分からないが、今のところは二人ともおもしろがってそうしている。

おもしろがったふりをして、本当はお互い照れ隠しなのは内緒だ。

日が落ちた。

宮じいが水辺に浮かべた舟に乗り込む。

瞬も立ち上がり、舟へ駆け寄る。がんばれと佳江が他人事な声援を送る。佳江や他の女衆は網が上がるまで暇だ。

月が白々と昇りはじめた下、黒く暮れた水面に船を出す。

いつもの年と変わらない、しかし来年からは特別に思い出される今年の夏は。

瞬は岸辺を振り返った。手を振る佳江に手を振り返す。

ちょっとかわいい困り者の幼なじみが、紆余曲折を経て特別な女の子になった夏だった。

Fin.

あとがき

ライトノベルレーベルの電撃文庫でデビューしたはずがこの本以降ハードカバー出版要員になりました。

そういう意味でこの本は私の分岐点です。原稿を書いている時点では電撃文庫で出すものとばかり思っており、デビュー作の打ち合わせで電撃文庫はどうやらキャラクターの年齢制限が厳しいらしいと学習していたので（大人を主人公にするのが難しい）、「だったら子供と大人と主人公を二組作っちゃえばプロット通るんじゃねえ⁉」と計算バリバリでW主人公となったのでした、って当時はプロット作ってたんだなぁまだ。まったく完成品とかけ離れた無意味なプロットだったけど。

しつこくしつこくしつこく色んなところで言ってますけども、私は「大人ライトノベル」がほしかった大人なので、デビューしたらそういうものを書くことは必然でした。そうしてみるとハードカバー要員にされたのはあるイミ僥倖（ぎょうこう）だったなぁ、と今では思います。

何より『空の中』の第一稿を提出したときの電撃担当さんが男前だった（女性だけど）。「私はどうしてもこれをハードカバーで出したい。今の電撃の力では損をさせるかもしれないけど、ついてきてほしい」

そう言って、デビュー二作目を上げたばかりの新人に頭を下げたんですよ。そらもう——ついていくしかないでしょう。漢（おとこ）として！（ちがう）
そして紆余曲折（うよきょくせつ）を経て文庫化は角川ということで。電撃と角川と私で話し合って話し合って、『空の中』にとって最善の形になったと思います。

この作品がライトノベルの電撃から十数年ぶり異例のハードカバーで出て、四年後に文庫化して、その間にも色んなことがありました。

読んでくださった方、これから読んでくださる方に感謝します。

そしてこの後に載せる掌編は、私が『空の中』を書く前に出会ってくださって、今は仁淀川の神様になられた（と私は勝手に思っているのですが、きっとそうです）素朴で偉大なご老人に捧げます。

もしあなたがいなかったら、『空の中』というお話はこういう形では生まれてこなかったと思います。

私と出会ってくださって本当にありがとうございました。

そしてこの掌編の掲載をご快諾くださいましたご家族の皆様に心から感謝いたします。

有川　浩

参考文献

「日本はなぜ旅客機をつくれないのか」（前間孝則　２００２年　草思社）
「最後の国産旅客機　ＹＳ―11の悲劇」（前間孝則　２０００年　講談社）
「コンコルド・プロジェクト―栄光と悲劇の怪鳥を支えた男たち」（ブライアン・トラブショー　２００１年　原書房）
「よくわかるヒコーキ学超入門」（阿施光南　２００１年　山海堂）
「戦闘機の戦い方―トップガンの条件と操縦技術のすべて」（服部省吾　１９９６年　ＰＨＰ研究所）
「自衛官になるには　なるにはＢＯＯＫＳ」（山中伊知郎　２００２年　ぺりかん社）
「航空自衛隊パーフェクトガイド２００３」（山岡靖義監修　２００３年　学習研究社）
「告白　多重人格―わかって下さい。私たちのことを―」（町沢静夫　２００３年　海竜社）
「図解雑学　心の病と精神医学」（影山任佐　２００２年　ナツメ社）
「図解雑学　臨床心理学」（松原達哉　２００２年　ナツメ社）
「仁淀川漁師秘伝―弥太さん自慢ばなし―」（宮崎弥太郎・かくまつとむ　２００１年　小学館）他

参考ＨＰ

http://www.sixam.co.jp/shinri/index.htm
http://www2.wind.ne.jp/Akagi-kohgen-HP/DID.htm
http://www1.cominitei.com/lecture/index.html
http://www.nhk.or.jp/school/junior/yougo09.html
http://www.nrc.gamagori.aichi.jp/
http://nihonmatsu.net/seimei/00.hajimeni.html　他

仁淀の神様

＊

高校を卒業して、瞬は地元国立の医学部へ進学した。学費は奨学金や斉木家に残されていた資産、父の生命保険や遺族年金をやり繰りすると何とかなった。祖父がどういう経緯でか市内の外れに持っていた二十坪ほどの土地がニュータウンの開発場所に重なっており、これが高値で引き取ってもらえたのも幸運だった。

祖父は瞬の知らない間に財産のほとんどを瞬の名義に換えており、相続税などの問題も発生しなかった。父の名義にしなかったのは、父の職業にいつ何が起こってもおかしくないことを大人としてよく弁えていたのだろう。

瞬が祖父と父を同時に亡くすようなことがあったら、ということを祖父と父はよく相談してあったらしい。そしてそうなった場合、瞬が成人するまでの後見人には祖父と懇意の弁護士が立てられていた。

高二の夏に起こった事件の後、家に訪ねてきたその弁護士に話を全部聞かされた。

家はあるし、奨学金を取ってバイトをしながら進学くらいはできるだろう。

そんな漠然としたビジョンしか持っていなかった瞬にとっては、先に逝った家族がどれほど自分に思いを遺してくれていたのか思い知って打ちのめされるばかりだった。

だから、君は自由に未来を選べます。

それだけのものをおじいさんとお父さんは君に遺された。

弁護士のその言葉が地元国立の医学部を目指したきっかけだった。

そして佳江はといえば、公務員合格率ナンバー1という謎な異名を取っている母校の実績の通り、地方公務員試験に合格していの町の役場に就職した。相変わらず朝の農道をママチャリでぶっ飛ばして通勤している。

瞬は医学部が自宅から遠いので下宿に入った。

奨学金も取ったのである程度以上の成績を維持しなくてはならず、大学の勉強は忙しかった。自宅に帰れる気力体力が残っていることは月に何度もなかったが、瞬が帰れない週末は佳江が訪ねてきた。免許取り立ての危なっかしい腕前で（その頃は瞬のほうも人のことを言えた義理ではなかったが）、自動車メーカーの販売店に就職した友達のセールスに協力して初ローンを組んだという丸まっちい軽を駆って。

医師免許を取るまでの六年間、恋人として付き合いが続いたのは佳江の努力が大きかったと思う。

医師免許を取ってから救急を中心にいくつかの病院に勤めて、祖父が亡くなって閉めたままだった診療所に瞬が戻ってきたのは二十八のときである。

残っていた機材は古いが、祖父の手入れがよかったのか使い方が丁寧だったのかまだ現役で使え、買い足す機器はわずかで済んだ。

再開してみた診療所は近所の人がよく利用してくれるようになり、何とか食うには困らない程度の収入になった。

もともと瞬や佳江の近所はいの町の中心部からは微妙に遠く、祖父の診療所はちょっとした怪我や病気に重宝がられていたのだ。特に自転車や車を気軽に出せない年配層に。

瞬ちゃんがもんてきてくれてよかった。

また便利になったわ。

ここでやっていける。その感触を摑むまで慎重な性格も影響してか二年ほどかかり、佳江にプロポーズしたのは三十になった。

三十になるまで何も言わずに見守ってくれていたツケのように話をした店で泣かれた。

結婚しても仕事続けるき大丈夫やでってずっと言いたかった。瞬は何にも言うてくれんき。全部自分でやろうとするき。

待たせてごめん、と言うしかなかった。

結婚式には宮じいと宮じいの奥さんも参列してくれた。

両親への花束贈呈で、宮じいが父の写真を、宮じいの奥さんが母の写真を持って代理として立ってほしいと頼むと「そんな大役わしらでえいがか」と照れながら快く引き受けてくれた。

そして間もなく長男に恵まれた。命名は敏志。佳江の両親は、ここが俺に似ちゅう、ここが私に似ちゅうと瞬と佳江を置いてけぼりで大騒ぎだ。

家が隣同士なので、昼間の子守りも義母であり祖母でもあるおばさんが積極的に引き受けてくれる。

それはそれでありがたい。嬉しくもあるし、初孫で浮かれている佳江の両親に瞬の気持ちを考えてくれとは言いづらい。佳江が折に触れ陰で諭してくれているらしいが、やはり孫を目の前にすると理性が飛ぶらしい。

そんなこんなで瞬の実家は宮じいの家というような感じになった。敏志を見ると目を細めて「敏郎さんに眉がよう似ちゅう」「鼻の形はじいさんじゃ」などと瞬の身内に似ているところを探してくれる。

「瞬と佳江のえい部品をよう拾うちゅう。男前になるろう」

「部品ってさぁ」

いつも世話になっているのは必然的に佳江の両親だが、瞬が屈託なく笑えるのは宮じいの家だった。

「佳江ちゃんもお腹が大分引っ込んだねえ」

宮じいの奥さんも佳江が自慢したいところをよく心得ている。

「そらぁもう、苦労したもん。毎晩体操もしたし。もうゴムじゃないジーンズ穿けるがで」

「まだちょっときつそうだけどな」

「余計なこと言いな！」

「一人産んで佳江ちゃんばぁ細かったらもうえいわね、瞬ちゃんは望み過ぎよ」

「おばちゃん、もっと言うちゃって」

気のせいかもしれないが、佳江も自分の実家より宮じいの家のほうが敏志の話でリラックスできるようだ。

川漁師である宮じいの家は、獲物の生け簀や漁具の倉庫が家の前にある。そこにそれなりの頻度で通っていたので、敏志が三歳になって走り回りはじめたころには生魚を躊躇なく鷲摑む子供になっていた。

相変わらず元気にあちこちの川を駆け回っていた宮じいだが、その日訪ねたときにふと頰がこけて見えた。

「宮じい、少し痩せた？」

「うん、まあ、ちっとじゃ」

宮じいよりも宮じいの奥さんのほうが饒舌になった。

「瞬ちゃん、病院に行くように言うちゃって。最近はごはんの量もだいぶ減っちゅうがやき」

「余計なことは言うによぅばん！　黙っちょけ！」

初めて宮じいが奥さんを怒鳴るところを見た。敏志が泣き出して、佳江があやしながら席を外した。

「宮じい、おばさんも心配なんだよ。宮じいの仕事は体力勝負なんだろ？　ごはんの量が減るなんて仕事に関わるじゃないか」

瞬に諭されると、宮じいは「うん」とか「まあ」とかばつが悪そうに頷いた。

「何ならうちの診療所に寄ってよ。近くまで来ることあるだろ？　宮じいだったら診療時間外でも診るからさ」

じゃあまあ、次に寄る機会があれば。そのときはそんなことを話して終わった。


だが、宮じいが診療所を訪ねてきたのはその数日後だった。

何だかんだとごまかして来ないのではと心配していたので、完全に虚を衝かれた。

診療所側の玄関からではなく、家の玄関から気兼ねしいしい訪ねてきたのは、——宮じいも恐かったのだと今なら分かる。

「瞬よ、今は忙しゅうないかや」

「大丈夫だよ、昼飯も済んでるし。夕方の診療まで時間空いてるから、今診ようか。そこから上がってよ」

ここで逃がしては駄目だ。本能が警報を鳴り響かせている。診療所の玄関に回って、などと言ったら宮じいは「でもまあ、時間外じゃき」と鮎のようにさっと逃げてしまうかもしれない。

宮じいにとって親しみのある家の側から上がらせて、診療所側に呼び込む。

まるで罠に魚を追い込むような気持ちになった。

宮じいはやはり、いつもとは違う緊張した面持ちで診療所に入った。佳江に掃除を手伝ってもらうときのツッカケを履かせて、診療室の椅子に座らせる。

聴診器を当て、触診する。鳩尾の辺りで宮じいがうっと呻いた。

「痛い?」

「ぴっと」

「どれくらい前から?」

「分からん。二年ばあ前からじゃろうか」

目の前が眩むようだった。俺が診療所を再開して六年も経つのに、どうしてそんなに前から我慢してるんだ。

我慢強い年寄りは、ちょっとくらいの痛みや異常は口に出さずに飲み込んでしまう。そしてそんな年寄りがちょっと痛いと口に出しはじめたらそれは相当の痛みなのだ。診療所や病院の待合い室をサロンにしてしまう年寄りもどうかと思うが、異常が見つかるのが早い分だけ医者としてはそのほうがマシだ。

それも自分の身内だとすれば。

「一応レントゲン撮ってみようか」

何気ない口調を心がけ、宮じいをレントゲン室に誘導する。これはかりは再開のときに新調したレントゲン撮影機の前で宮じいの姿勢を指導し、息を止めさせ数枚撮った。

最初の一枚目で深い溜息が出た。二枚目、三枚目。どれも持たずに現像室を出た。

「どうやったがな」

「うん、もうちょっと詳しく診たほうがいいかな。医大に紹介状書くから」

「悪いがか」

初めて——宮じいの怯えたような声を聞く。

「うちの設備じゃよく分からないんだ、機材はじいちゃんのだから古いし、血液検査とか外注だしね。せっかく来てくれたのにごめん」

瞬は努めて何気なく受け答えた。

「医大ならうちよりいい設備持ってるから。巧く写ってないけど、今撮ったレントゲン写真も一応送っとく。俺の顔が潰れるから医大には必ず行ってくれよ。写真送ったのに患者が来ないなんて赤っ恥だからね」

「その写真が届いたばあで行けばえいがか」

「そうだね、二、三日で届くと思うよ。取り敢えず痛み止めを十日分出しとくから。痛いときに飲んで」

そう言いながら処方したのはかなりきつい頓服だ。ここではそれくらいしかできない。

「時間外やったのに悪かったのう」

帰りがけに宮じいはまた家の中を通って、仏壇に線香を上げていった。

宮じいが帰った途端に涙が出そうになった。だが、瞬にはまだ仕事がある。

医大の恩師に連絡を取り、宮じいの紹介を頼んだ。そしてバイク便を呼び、レントゲン写真の急配を頼む。

それから電話をかけたのは宮じいの息子、「宮田のおんちゃん」の勤め先である。宮じいの容態は家族中が気にかけていることだろう、だが奥さんには伝えられない。もし動揺されたら宮じいはその様子だけですべてを察するだろう。

それもわずかな引き延ばしに過ぎないのかもしれないが。

「今、電話は大丈夫ですか」

取り次がれた電話に瞬がそう切り出すと、おんちゃんは低い声で言った。

「親父が行たか」

「はい」

「どうな」

「医大を紹介しました。できれば奥さんとおじさんが付き添ってください」

「俺はどうな、と訊いたがじゃ。個人情報がどうじゃらはえい。俺は親父の息子でどうしたち医大で話は聞くがじゃ。それやったらお前から聞かせちょけ」

怒ったようなおんちゃんの声に、瞬は背筋を伸ばした。

「胃癌です。もう腹膜やリンパ節にも転移が見られます。胃を全摘してもらう……」

手術で開いても手の施しようがないとそのまま閉じられる。そのレベルだ。レントゲン写真を宮じいに見せなかったのもそのせいだ。素人が見てもおかしいと分かる影がいくつもある。

「どればぁこらえちょったがな、あのバカ親父は！」

荒げたおんちゃんの声には、気づけなかった自分たちへの怒りも籠められている。

瞬も自分を責めたかった。自分は医者なのに。よく遊びにも行っていたのに。どこかに兆候を見逃しはしなかったか。

「すまざったの。医大へは引こずってでも連れていくき」

そう言っておんちゃんは電話を切った。

佳江には敏志が寝てから話した。

感情の起伏が豊かな佳江は見る間に泣き出し、瞬もそれまでこらえきった涙が膝に落ちた。言葉もなく二人で夜遅くまで泣いた。

医大ではやはりホスピスを勧められたらしい。

開腹しても閉じるだけになる、それなら手術で体力を消耗させるよりホスピスで待ったほうがいい——そのときを。

医大のベッドは治る患者のためにある。その事実は瞬自身がよく知っている。それでも医大を紹介したのは、万が一にも治る診断が下らないかと祈ったからだ。

「お前が言うた通りやった。胃の他にもたるばあ転移しちゅうと。親父ばあ進行しちょったら大手術になると。親父の年やとその手術によう耐えきらんと」

何とかならんがか。

受話器から絞り出されるようなおんちゃんの声に、瞬も答える言葉がない。

「……民間の病院なら……手術してくれるところがあるかもしれません。でも、治る手術じゃありません」

それを言うのはあまりに苛酷(かこく)か。それでも訊かれたら瞬は答えるしかない。

「手術したら、成功したとしても宮じいが退院するのは亡くなったときになると思います」

病院でなければ延命の措置ができない状態になる可能性が高い。

「医大では何と言われましたか？」

「まだ動ける状態やき、処方できる痛み止めでできる限り家におらせちゃって……どうしてもいかんなったらホスピスに入れたらどうやと。ホスピスへの紹介はいつでもしちゃると」

「僕も同じ意見です」

痛い痛いと言うようにはなったが、まだ痛み止めを飲みながら動ける宮じいを、毎日川へと出かけていく宮じいを、ただ命を延ばすためだけに管に繋(つな)がれた状態にするのは忍びない。

少しでも長く生きてほしい。だが、あの宮じいを動けるうちからベッドに括(くく)りつけるように終わらせたくはない。その両立しない願いの残酷さといったら！

「お袋もお前と同じ意見や」

諦(あきら)めたようにおんちゃんは呟(つぶや)いた。

「でも、漁に出るときは必ず誰かが付き添ってください。万が一、出先で倒れられたら……」

「うん。それはお袋が付き添う。お袋も免許を持っちゅうき」

まあ、親父はGPS付きの携帯を持っちゅうけんど。そう言っておんちゃんは笑った。

宮じいが携帯を持ち出したのは十年以上も前のことだ。瞬が大学の何回生だったか、携帯に突然見知らぬ番号から電話がかかってきたのである。

多少警戒しながら出ると、やや興奮気味の宮じいの声がまくし立てた。

瞬かよ！　わしもついに買うたぜよ、携帯を！　これはえいのう、便利なもんやのう！

宮じい携帯買ったの!?

瞬も驚いて声を上げた。瞬が高校生の頃は「最近は皆それじゃのぅ」などと言っていたのに。

これはしもうた、もっと早うに買うちょけばよかったわ！

随分お気に入りだね、どうしたの？

いや、息子が言うがよ。もう年も年じゃきに一人でほいほいあちこち潜られて心臓麻痺でも起こされたら敵わん、頼むきジーピーエス付きの携帯を持ってくれ、と。それで渋々持ったらこれがたまるか。こがい便利なもんやったらもっと早うに持っちょけばよかった。

や、だからどうしてって。

分からんがか、おまん。こればあ持って漁をしよったら、わしがおらん間に店に客が来ても注文を取れるがぞ。いつもは家におるもんが生け簀におる分しかよう答えんがを、ピッとわしに電話をしたら鰻を何尾持って帰れるのツガニを何尾持って帰れるの、すっと答えられらぁえ。これさえ持っちょけばおまん、河口におっても家の前でウナギを獲りゆうようなもんじゃき。言うたら『遠くの庭先』よ。

これはまたえらく詩的な表現が出たものだな、と瞬は忍び笑った。

それじゃあわしの番号も登録しちょいてくれよ！

宮じぃは一方的にそう言って電話を切った。

——まるで昨日のことのようなのに。

「宮じぃには……？」

「言うてない。慢性の胃炎と言うちゅう」

「分かりました。僕にできることがあったら何でも言ってください」

できるだけようけ会いに来ちゃってくれ。親父はお前らがかわいいて仕方ないがじゃ。

おんちゃんはそう言って電話を切った。


何だかんだで宮じぃはそれから一年近くも川に沿って動き回っていた。

最期のほうはもう、男手がないと仕掛けを見られないような状態だったが。

瞬も休日は家族でよく付き合っていたが、平日を一番付き合っていたのは宮じぃの末の孫に当たる青年だった。一見すると川より街が似合いそうな優男だが、宮じぃによると「わしの漁の技のほとんどはこいつが持っちゅう」というくらいの漁巧者らしい。小さい頃から川遊びが好きで、気がついたらもう宮じぃの技を吸収していたような状態だったそうだ。大学生なので時間の自由が利くらしく、夏休みはすべての漁に付き合ったという。

最期になったその夏、宮じぃは夏恒例の鮎漁をしなかった。鮎は火振りにしろ瀬張りにしろ大掛かりな漁になる。もう宮じぃには鮎を扱う体力が残っていなかった。

箱作りの仕掛けを入れてそれを見て回るだけで済むウナギ。そして例年なら時期がまだ早いので本格的には取りかからない、やはり仕掛け獲りのツガニ。それももう商売になるほどの量にはならない。漁に出られる回数自体がめっきり減ったからだ。

そして、末の孫息子の夏休みが終わる頃——

「そろそろ観念しようかのう」

そう言って宮じいはホスピスに入った。

ホスピスに入っても宮じいはまだ元気だった。

兼業だが跡を継ぐと言い出した孫息子に、ベッドの中からあれこれ指示を出していた。瞬たちが見舞いに行っても必ずベッドに体を起こしていたし、敏志に「ジュースでも買うてきちゃろ」と自分がベッドを下りて売店まで行く気忙しさだった。もともと自分でちゃっちゃと動くのが好きなタイプである。

このまま元気になってしまうのじゃないか。口には出さずに誰もが期待した。

医者である瞬でさえ。

だが、宮じいの残り時間は確実に刻まれていたのである。

枕から頭を上げずに見舞いの客を迎えるようになった。

奥さんは付きっきりで泊まり込むようになった。

そして——夜中に奥さんから電話がかかってきた。

「瞬ちゃんも来ちゃって。あの人はあんたのことも家族みたいに思うちょったき。瞬のことは斉木のじいさんに頼まれたっていっつも言いよったき。一緒に看取っちゃって。」

いつも穏やかに宮じいに寄り添い、最期の最期まで微笑みを絶やさなかった奥さんの声が、初めて泣いた。

佳江は電話でもう支度を始めていた。さっと着替えてぐずる敏志をパジャマのままで上着にくるみ、電話が終わるや敏志を置いて寝室を出た。先に車のエンジンを掛けるのだろう。

瞬も超特急で着替え、敏志を抱き上げて外に出た。戸締まりをして車庫に向かうと、佳江が車を出したところだった。そこで運転手交替だ。チャイルドシートに敏志を座らせ、その横に佳江が乗り込む。

どうか間に合ってください。母の死に目は覚えていない。父の死に目も見られなかった。だから宮じいのそのときには間に合わせてください、神様。

深夜で国道も車が少ない。瞬は初めて最短ルートを使ってホスピスまでたどり着いた。

もう宮じいの親族は集まっていて、瞬たちが最後のようだった。

奥さんが宮じいの耳元に話しかける。

「あんた、瞬ちゃんが来てくれたで！　まだ分かるろう、まだ逝ったらいかん！」

そうして呼び止められるなら奥さんは何百人でも知っている限りの人を呼びたいに違いない。

「宮じい、瞬だよ。佳江と敏志も連れてきた」

宮じいはモルヒネでもう意識が混濁しつつあるようだった。それでもうっすらと目を開けて瞬の顔を見上げる。見えているかどうかは定かではない。

「瞬かよ……おまんはえい子じゃき……たまにはおいさがしでえいがぞ」

「おいさがしもしたじゃないか。すごいのしただろ。発散したからもう大丈夫だよ。もう佳江も敏志もいるんだから」

瞬は涙で詰まりそうになる喉で懸命に答えた。

「ああ……そうじゃった、そうじゃった。それはそうと、ありゃあ、便利なもんじゃのう……こがい便利なもんは、もっと早う持っちょけばよかった……携帯ばあ持って漁に出たら河口におっても家の前でウナギを掴みゆうようなもんじゃ……言うたら『遠くの庭先』よ……」

「そんな言い回しよく思いつくね、宮じい漁師じゃなくて小説家にもなれたんじゃない？」

「おだてたち何ちゃあ出んぞ……けんどわしは漁師が一番えいわ」

過去を彷徨っていた言葉が地に足を着けた。

「わしは仁淀の川が一番好きじゃ。学も何にもないジジイが仁淀川で魚と知恵比べしゆうだけで、ようけの人に会えた……わしなんぞの話を色んな人が面白がって聞いてくれた……わしは川に生かされた。仁淀川がわしを生かしてくれたようなもんじゃ」

宮じいの目尻からつうっと涙が流れ落ちた。

「ほんまにありがたい人生を川にもろうた」

　宮じいの口元は笑っていた。

「泣かんでえいぞ、わしはいつお迎えが来ても満足に逝けるだけのもんを川にもろうちょったがやき。先に逝くもんが先に逝くだけのことよ、こればあえい人生をもろうて逝けるジジイもそうはおらんろう」

　そして宮じいは末の孫息子の名前を呼んだ。

「お前が作りよった網はちっとアバ(ウキ)がいかん。色が青白いき夜になると光る。それで目立って魚が逃げらぁえ。夜にまぎれる色に換えてみい」

　孫息子は涙をこらえた声で「分かった」と短く答えた。

　すると宮じいは満足したように頷(うなず)き――ふうっと力が抜けるようにベッドに沈み込んだ。

　枕元に置かれた生体モニタのすべての項目が反応を失った。

　付き添っていた医師が臨終を告げる。

　わっと部屋に泣き声が溢(あふ)れた。だがその泣き声が一山越えた頃、奥さんが泣き笑いの表情で言った。

「ほんまに……あの人は、最期まで漁のことばっかりで……」

　すると全員が泣きながら小さく笑った。

「孫の作った網のアバが末期の言葉とくるきにゃあ」

「……赤に換える」

口数の少ない孫息子がそう呟き、病室はますます泣き笑いになった。

宮じいの葬儀に瞬は既視感があった。父の自衛隊での葬儀と同じ神式だったのである。

さすがに自衛隊の葬送式と比べると規模は小さいものの、高知の田舎でたった一人の老人が亡くなったにしては破格の規模の葬儀になった。弔問客は引きも切らず、用意してあった香典返しも足りなくなるほどだったという。

瞬と佳江は最後まで葬儀の片付けを手伝った。敏志は佳江の両親が先に連れて帰ろうとしたのだが、何故か敏志は帰ろうとしなかった。一区切りついてからは宮田家の子供たちが一緒に遊んでくれたので、片付けでも邪魔にならずに済んでいる。

その合間に奥さんに尋ねた。

「宮田の家って神式だったの？」

「あら、瞬ちゃんは知らんかったかねえ。うちは代々そうながよ」

「俺の父さんの自衛隊での葬儀も神式だったんだ」

そういえばそうやったねえ。懐かしそうに奥さんが頷く。瞬は続けた。

「知ってた？　神式の葬儀って、昔は亡くなった人を神様に祀（まつ）り上げる儀式だったんだって」

「そうかえ。やったらうちは神様の家系になってしまうねえ」

ころころ笑う奥さんに、瞬は真顔で言った。

「宮じいは仁淀川の神様になったんだと思う」

「あたしも賛成」

佳江が横から割り込んできた。

「宮じいは今日から仁淀川の神様！」

笑っていた奥さんが声を忍ばせて泣きはじめた。

「何な何な、緊張の糸が切れたがか」

おんちゃんがやってきて気遣う。奥さんは首を横に振った。

「瞬ちゃんらぁがね、お父さんを仁淀川の神様にしてくれたがよ。畏れ多いねえ」

怪訝な顔をしているおんちゃんに、瞬は説明を繰り返した。

「そがいなことやったらまあ、親父が仁淀の神様でもえいがやないか。あの人ばあ仁淀のことを知っちゅう人もおらんやろうし」

「によどのかみさま？」

幼い声が割り込んだ。敏志だ。

佳江が敏志を抱き上げる。

「そぉよー、宮じい知ってるでしょ」

「宮じいすきー」

「宮じいがね、今日から仁淀川の神様になったの」

「宮じいかみさま！」

一語に繋げてしまったその発音がいかにもおかしく、周囲に笑いが弾けた。

＊

「おばちゃん、ガラ曳きの道具貸してくれる？」
いい感じで気温が上がってきたＧＷの一日、瞬たちが宮田家を訪ねてそう頼むと、奥さんは快く承諾してくれた。

ガラ曳きは平べったい四角の籠と、貝殻をびっしりと括りつけた長い鎖をワンセットで使う漁だ。漁というより遊びに近い。籠を浅い瀬に置いて、鎖を籠に向かってゆっくり引っ張っていくことでゴリを籠の中に追い込んでいく。箒でゴミをチリトリに掃き込んでいく感覚だ。

倉庫では例の無口な孫息子が漁の道具の補修をしていた。

「道具借りるよ」

声をかけてガラ曳きの道具を持ち出すと、「瞬さん、ガラ曳きするが？」と声をかけられた。

「うん、敏志と遊んでやる約束なんだ」

「じゃあ俺も行く」

「子供の相手になるけどいい？」

「うん。子供の相手やき」

孫息子は生真面目な顔で頷いた。

「鎖引く片割れ、佳江さんやろ。下手な漁見せたらつまらんと思われるき」

「下手で悪かったねー！」

「佳江さんは曳くがが早いがよ。昔から佳江さんが曳くときは魚を散らしてばっかりやいか。敏志はガラ曳き初めてやろ、巧（うま）くいった漁見せたいし」

「はいはい、それじゃあお見事な腕前を見せてもらうとしましょうかねえ」

佳江が大人気なくむくれて車に戻る。いつものことなので孫息子も動じない。

「……川遊びが好きな子供、増やしたいんだ」

孫息子が呟き、その呟きには宮じいへの思いが詰まっていることがよく分かった。


宮じいが自分の技術のほとんどを持っていると激賞していただけあって、孫息子のガラ曳きは瀬の選び方といい、籠の置き方、鎖の曳き方といい見事だった。

佳江と敏志はビーチサンダルでポイントから離れ気味に立ち、静かにしていることを条件に漁を見物している。敏志はゴリが少しずつ寄せ集められていく様子に興奮して歓声を上げそうになっては佳江に「シーッ」となだめられている。

ゴリを籠の中に追い込み、最後に籠の蓋（ふた）を閉めて終わりだ。

二人がかりで籠を岸へ引き上げ、ようやく佳江に許可を出されて敏志が「キャーッ」と歓声を上げた。

岸に上げた籠を開けると、宮田の孫息子と山分けしても充分晩のおかずになるほどのゴリが入っていた。

ゴリに混じって雑魚もちらほら。大抵はイダの稚魚やハヤなど無害なものばかりだが、今日はまずいものが一緒に追い込まれていた。

赤くぬめるその魚は黒っぽいゴリの中で一際目立ち、敏志がぱっと手を伸ばした。

「いかん！」

大人三人から一斉に止められ、だが敏志は不満そうに唇を尖らせてそのまま手を触れた。

途端、火のついたような泣き声が上がった。

「やき、いかんって言うたろう」

佳江が恐い顔で敏志を睨む。

「宮じいもこれは触られんって何回も教えてくれちょったろう？」

「仁淀の神様ごべんなさいぃ！　ゆるしてくださいい〜〜〜〜〜〜」

泣き喚く合間にそんな言葉を挟む敏志に、男二人は吹き出す寸前である。

宮じいに川遊びを仕込まれた子供なら必ず一度は通る道だ。

敏志、仁淀の神様もそれは許してくれないよ。

やき、触られんと言うちょったろう。ギギもオコゼもおまんらが触らざったらわざわざ刺しにきやせなぁえ。

怪我の手当てはしてくれてもかわいそうになんて絶対に言ってくれなかった。

仁淀の神様は厳しく、川の掟もまた厳しいのだ。

鋭いトゲで切ったもみじの手を佳江はてきぱきと手当てし、後は「もうせられん！」と念を押して敏志が泣くに任せた。

孫息子が「始末しときます」と籠に歩み寄った。ジーパンの尻ポケットに突っ込んであったペンチを抜き、背びれと胸びれに潜むトゲを的確に折って頭を潰す。申し訳ないが居ながらにして凶器のような魚を、その日のフィールドの中に生かしたまま放す訳にはいかない。厳然ととどめを刺されたオコゼはそのまま川に投げ込まれた。

敏志の泣き声はまだ盛大に続いている。

「……懐かしいですね」

孫息子の呟きに瞬も頷いた。

きっと敏志の泣き声は、全員の耳に昔の自分の泣き声のように聞こえているのだろう。

Fin.

解説

新井素子

いい話だよなあ。

ほんっと、心からそう思う。

☆

最初にこの『空の中』を読んだ時、私は、とある雑誌で書評の連載をしていた。

そもそも私は、かなり無茶苦茶に本を読む方なのだが、この時期の私は、更に輪をかけて、やたらと本を読んでいた。

だって、書評の連載をしているんだもの。毎月、何か、とりあげる本がないとまずいんだもの。

そんでもって、私には、とあるポリシーがあって。

それ、とても簡単に言えば、「とりあげた本については、べたべたに誉めたい」。

書評っていうのは、『評』という字がはいっているのだ、ある意味、評論でしょう。色々、考察したり、論考したり、評価したり……。

けど……私は、評論なんてしたくなかった（というか、できなかった）。じゃ、どんな気分で私が書評を書いていたのかというと、ひとえに、自分が読んで面白かった本を、他人様に薦めたかったのだ。

私が職業作家になる前、中学生の頃、私は図書委員で、毎月図書館報みたいなものに文章を書いていた。とにかく、「この本は面白いよー、この本はこんなことに興味がある人にお薦め、こっちの本は、多分読みたがる人あんまりいないかも知れないけど、実はこんなに面白い、読めー、読めー、読むんじゃあ」って文章を、ずっとずっと書いていた。(職業作家になる前、で、いきなり中学時代の話になってしまうのは、私が、高校時代に職業作家になってしまったからです。)

だから。

できれば私、「とっても面白かったから、他人様に絶対薦めたくなる本」を、とりあげて、他人様に薦めたかったのだ。

……でも……これは……その……結構、きついよ。

いい本は、ある。面白い本も、ある。読んで損はない本も、ある。けど、『絶対他人様に薦めたい本』っていうのはなあ、読む人の好みってものもあるし……。

その、数少ない本が……これ、だったのだ。

☆

いい話なんだよ、ほんとうに、これは。

まず、導入部からして魅力的。

日本初の超音速ジェット機の試験飛行の際に、何故か高度二万メートルの処で、その機体が爆発炎上する。また、しばらくしてから、問題の空域で自衛隊機が急上昇実験をしていて、再び、爆発炎上。これは、なにか、ある。

ここで話は一転して、土佐の高校生が、とある〝訳の判らない生物〟を拾うシーンになる。その生き物を拾った日、彼の父親は高度二万メートルで爆発炎上死をとげており……いきなり〝父の死〟に直面した息子は、父の携帯を鳴らす。勿論（もちろん）、とってくれる人がいる筈（はず）ないって判っているのに。これが全部悪い夢だったらいいと思って。亡くなった父が、幽霊でもいいから父が、携帯にでてくれることを夢みて。

そんで……でてきてしまうのである。この通信に答えてしまう〝なにか〟が。

どっちのエピソードもとんでもなく魅力的で、先が読みたくなって、しかもこれが、交錯する。

☆

また、キャラクターも、いいんだこれが。

二万メートル事故で助かった三尉は、女性。女性自衛官、それもファイターパイロットであるってことは、どうがんばっても、偏見のまなざしを避けえない。そんな中で、おもいっきりつっぱて生きている彼女、その彼女から何としても事故原因を探りださなければいけない、民間機の事故調査委員会の男。この男がまた、度量が大きくて、彼女と組み合わせると、すっごくいい味だしてる。

父を事故で亡くした高校生。謎の生き物を拾ってしまった彼は、〝家族〟がいなくなってしまったことがあまりに辛くて、それを直視する代わりに、謎の生き物に執着する。そんでもって、その彼を見守る、幼なじみの女の子。彼の様子は変だ、あきらかにおかしいって判っても、父親を亡くしたばかりの男の子を刺激するのが怖くて、当たり障りのないことしか言えない女の子。そして、二人の、直視することを忌避していた傷口がひらく展開になると……。

あああ、痛いっ。もの凄く〝痛い〟ぞ、この二人。

かつて、自分が高校生だった頃。私は、ここまで純粋な人間だっただろうか。そんなことは、多分、ない。でも……判るんだ、この二人の、辛さが。お互いがお互いのことを思うが故に発生する辛さ、それはもう、読んでいて、痛くて痛くて、けど……すっごく、いいの。純粋だった(という訳でもないかも知れないが、文脈上そう書くしかない)昔を思い出して、泣くしかないくらい、いいの。

また。この幼なじみ二人を後見している立場みたいな、漁師のお爺さんが……特筆ものにいい。私が子供だった頃は、〝大人〟って、みんな、こんな感じだったよね。昔の子供達が感じていた、「自活しているから偉い訳ではない、年をとっているから偉い訳ではない、経験があるから偉い訳ではない、ただ、大人であることが凄い」、それを実感させてくれるお爺さん。かっこいいっ。

☆

更に加えて。

土佐の高校生が半分くらいのパートを担っているせいで、全編に偏在する土佐弁。これがもう、総括的に、素晴らしいです。

いや、土佐弁っていうと、私なんか、坂本龍馬くらいしか思いつけないんだけれど、これがまたやたらと魅力的なんだわ。

勿論このお話、舞台が土佐じゃなくても、沖縄でも北海道でも東京でも、成立するんだろうけれど、一読してしまったあとでは、もう、舞台、土佐しか考えられない。そのくらい、なじんでて、魅力をましていると思う。

☆

うん、導入部がとっても魅力的で、その後の構成もすっごく引き込まれる、キャラクターがよくって、笑えて、〝痛く〟って、泣けて、舞台設定までが魅力的。

全開で、書けるな、この文句。

☆

読め。

面白いから。

この作品は二〇〇四年十一月、メディアワークスより刊行されました。
オリジナル編集は徳田(とくだ)直巳(なおみ)氏によります。
文庫化にあたり、加筆、訂正を加えています。

空の中

有川 浩

角川文庫 15174

平成二十年六月二十五日　初版発行
平成二十五年四月二十五日　二十二版発行

発行者―井上伸一郎
発行所―株式会社角川書店
東京都千代田区富士見二―十三―三
電話・編集（〇三）三二三八―八五五五
〒一〇二―八〇七八
発売元―株式会社角川グループホールディングス
東京都千代田区富士見二―十三―三
電話・営業（〇三）三二三八―八五二一
〒一〇二―八一七七
http://www.kadokawa.co.jp

印刷所―暁印刷　製本所―本間製本
装幀者―杉浦康平

定価はカバーに明記してあります。

あ 48-1　ISBN978-4-04-389801-5　C0193

角川文庫発刊に際して

角川源義

第二次世界大戦の敗北は、軍事力の敗北であった以上に、私たちの若い文化力の敗退であった。私たちの文化が戦争に対して如何に無力であり、単なるあだ花に過ぎなかったかを、私たちは身を以て体験し痛感した。西洋近代文化の摂取にとって、明治以後八十年の歳月は決して短かすぎたとは言えない。にもかかわらず、近代文化の伝統を確立し、自由な批判と柔軟な良識に富む文化層として自らを形成することに私たちは失敗して来た。そしてこれは、各層への文化の普及滲透を任務とする出版人の責任でもあった。

一九四五年以来、私たちは再び振出しに戻り、第一歩から踏み出すことを余儀なくされた。これは大きな不幸ではあるが、反面、これまでの混沌・未熟・歪曲の中にあった我が国の文化に秩序と確たる基礎を齎らすためには絶好の機会でもある。角川書店は、このような祖国の文化的危機にあたり、微力をも顧みず再建の礎石たるべき抱負と決意とをもって出発したが、ここに創立以来の念願を果すべく角川文庫を発刊する。これまで刊行されたあらゆる全集叢書文庫類の長所と短所とを検討し、古今東西の不朽の典籍を、良心的編集のもとに、廉価に、そして書架にふさわしい美本として、多くのひとびとに提供しようとする。しかし私たちは徒らに百科全書的な知識のジレッタントを作ることを目的とせず、あくまで祖国の文化に秩序と再建への道を示し、この文庫を角川書店の栄ある事業として、今後永久に継続発展せしめ、学芸と教養との殿堂として大成せんことを期したい。多くの読書子の愛情ある忠言と支持とによって、この希望と抱負とを完遂せしめられんことを願う。

一九四九年五月三日

角川文庫ベストセラー

バッテリー　あさのあつこ

天才ピッチャーとして絶大な自信を持つ巧に、バッテリーを組もうと申し出る豪。大人も子どもも夢中にさせた、あの名作がついに文庫化！

800　川島誠

まったく対照的な二人の高校生が800mを走り、競い、恋をする——。型破りにエネルギッシュなノンストップ青春小説！（解説・江國香織）

もういちど走り出そう　川島誠

インターハイ三位の実力を持つ元400mハードル選手が順調な人生の半ばで出逢った挫折と再生を、繊細にほろ苦く描いた感動作。（解説・重松清）

忘れ雪　新堂冬樹

「春先に降る雪に願い事をすると必ず叶う」という祖母の言葉を信じて、傷ついた犬を抱えた少女は雪を見上げた。涙の止まらない純恋小説。

ある愛の詩　新堂冬樹

小笠原の青い海でイルカのテティスと共に育った青年・拓海。東京からやってきた女神の歌声を持つ流香。二人が奏でる優しくて哀しい愛の旋律。

ロマンス小説の七日間　三浦しをん

海外ロマンス小説翻訳家のあかり。恋人に対するイライラを思わず翻訳中の小説にぶつけてしまって…！　注目作家が書き下ろす新感覚恋愛小説。

月魚　三浦しをん

古書店『無窮堂』の若き当主真志喜とその友人で同じ業界に身を置く瀬名垣。二人は密かな罪の意識を共有してきた。〈解説：あさのあつこ〉

角川文庫ベストセラー

ブルーもしくはブルー　山本文緒

派手な蒼子A、地味な蒼子B。ある日二人は入れ替わった！　誰もが夢見る〈もうひとつの人生〉の苦悩と喜びを描いた切ないファンタジー。

きっと君は泣く　山本文緒

桐島椿、二十三歳。美貌の彼女の周りで次々に起こる出来事はやがて心の歯車を狂わせて…。悩める人間関係を鋭く描き出したラヴ・ストーリー。

チェリーブラッサム　山本文緒

中学二年の実乃は、母を亡くし、父と姉との三人暮らし。日常のなかで揺れ動く家族と、淡い恋の予感。少女の成長を明るくドラマチックに描く！

ココナッツ　山本文緒

実乃の夏休み、ロック歌手のコンサートがやってきた。何かすばらしいことがあるかも知れない、ほろ苦くきらめく少女の季節を描いた青春物語。

恋愛中毒　山本文緒

世界のほんの一部にすぎないはずの恋。なのに、私をしばりつけるのはなぜ。もう他人は愛さないと決めたはずだったのに。恋愛小説の最高傑作！

哀しい予感　吉本ばなな

いくつもの啓示を受けてやって来たおばの家。彼女の弾くピアノを聴いた時、幼い日の消えた記憶が甦り、十九歳の弥生の初夏の物語が始まった。

パイナツプリン　吉本ばなな

「キッチン」でデビューしてから、吉本ばななの心をとらえた様々なもの。恋、死、友情等についての考え方、生き方が直接伝わる初エッセイ集。